Enrique Aguilar

Nicholson B. Adams

THE UNIVERSITY OF NORTH CAROLINA

ESPAÑA

Introducción a su Civilización

HENRY HOLT AND COMPANY

N.Y., 1947

PRINTED IN THE UNITED STATES OF AMERICA

Prefacio

La primera edición de este libre se publicó en inglés en 1943. Distintas personas han sugerido que tendría cierta utilidad una versión en español. El propósito principal del libro continúa siendo el mismo: explicar al lector sencilla y sinceramente lo que cree y siente el autor sobre un país muy querido para él y que todavía no es conocido ni comprendido como debiera serlo en el resto del mundo.

Como el autor no quiere fingir una imparcialidad severa y fría frente a los problemas actuales que afectan a toda la humanidad, se notará en la parte histórica que no puede menos de contemplar con repugnancia la dictadura franquista. Se comprende fácilmente que Hitler y Mussolini ayudaran a Franco a rebelarse contra la República legalmente establecida. Resulta menos comprensible que las democracias, sobretodo Inglaterra y los Estados Unidos se hayan mostrado a veces casi amigos del dictador fascista español. Recientemente el régimen de Franco ha sido condenado en sesión abierta por casi todas las Naciones Unidas, incluyendo los dos países ya mencionados.

España me atrae desde mis recuerdos muy juveniles de la Guerra de 1898. Es posible que otros se interesen por lo que he aprendido de ella desde entonces. He tratado de poner en letras de molde los hechos principales de la historia, la literatura y el arte españoles, insistiendo en la literatura, todavía insuficientemente conocida. Para los que quieran informarse más a fondo, he añadido algunas notas bibliográficas al final de este volumen.

En la preparación de esta traducción española agradezco sinceramente la ayuda de D. Federico G. Gil, de D. Federico Sánchez y Escribano y de D. Ramón Sender.

NICHOLSON B. ADAMS

Chapel Hill, N. C.
Enero de 1947.

Indice

I

España es el país de los contrastes

Topografía y división geográfica. ¿ Qué clase de país es España ? ¿ Un desierto para las andanzas de Don Quijote, el idealista y asceta ? ¿ Una tierra feraz, de vegetación viciosa donde el amor es propicio al éxtasis y la pasión a la tragedia como en el romance sangriento de Carmen y José ? ¿ Es la tierra de los santos demacrados de El Greco o las majas sensuales de Goya ? ¿ El país de las castañuelas, las panderetas y las guitarras; del amor y de la risa, o quizá el de los duelos a muerte, de la Inquisición y de las guerras crueles y sanguinarias ? Es todo eso y más, porque su característica fundamental es la diversidad, y las generalizaciones acerca de España pocas veces son de fiar. Es un país de grandes contrastes.

España y Portugal constituyen la mayor de las tres penínsulas meridionales de Europa. La extensión de España es de unos 582,000 kilómetros cuadrados, la de Portugal de unos 90,000. Es decir, la Península ibérica es algo menor que el estado de Tejas, en los Estados Unidos, pero mayor que Francia. Tiene una forma aproximadamente pentagonal, y está situada entre los paralelos 36 y 43 de latitud N., con el mar Mediterráneo al sur y al este, y el Atlántico al sur, al oeste y al norte. Los paralelos de Madrid y Lisboa señalan con muy pequeñas diferencias la misma latitud en Nápoles, Constantinopla, Peiping, Tokio, San Francisco y Nueva York. La costa peninsular, de unos 4.100 km., no ofrece golfos muy acusados ni amplias bahías. La barrera montañosa de los Pirineos en el norte separa a la Península ibérica y hace de ella como un continente distinto o como un puente que enlazara a Europa con Africa. En efecto, la separación de España y Africa por el pequeño estrecho de Gibraltar es de origen geólogico muy reciente. Las civilizaciones europea y africana han hallado siempre en España y Portugal una fácil y fecunda conjugación.

Los Pirineos son como un gran valladar rocoso, pero dejan en sus extremos este y oeste espacio suficiente para el tránsito — trenes y carreteras — y aun en el interior hay pasos practicables como los del Perthus, de la Cerdaña, de Canfranc y de Roncesvalles. Tanto las tribus prehistóricas como los invasores de la época histórica han pasado muchas veces de un lado a otro de la frontera actual: romanos, godos, moros, franceses, navarros, catalanes. En diferentes épocas los franceses han gobernado territorios al sur de los Pirineos, y los españoles, territorios al norte.

Las relaciones entre España y el norte de Africa han sido siempre estrechas. Es muy probable que los primeros habitantes de España fuesen de origen africano. Africanos también en su mayor parte eran los llamados moros que invadieron la Península en 711. Los intrépidos navegantes que en la antigüedad pasaron las Columnas de Hércules establecieron colonias o factorías a ambos lados del Estrecho de Gibraltar, cuyo dominio ha sido desde entonces de suma importancia para la política de expansión comercial de todas las naciones del mundo. Al hundirse el poderío de España a principios del siglo XVIII Inglaterra se apoderó del Peñón de Gibraltar y se ha aferrado a él hasta nuestros días con verdadera tenacidad.

Del que un día fué vasto imperio español quedan hoy sólo fragmentos. En el Nuevo Mundo ni una sola colonia. En el Mediterráneo, las islas Baleares. En el Atlántico, frente a la costa occidental africana, las Canarias. En Africa misma, una zona de Marruecos, el Rif; la Guinea Española e islas adyacentes; y todavía Ifni y Río de Oro, pero estos territorios africanos tienen relativamente poca importancia.

Cabo Finisterre
La Coruña
Golfo
Gascu
Santiago
GALICIA
ASTURIAS
Oviedo
Vigo
RÍO MIÑO
RÍO DEVA
Covadonga
León
Bilb
Oporto
RÍO DUERO
LEÓN
Burgos
Zamora
CASTILLA LA VIEJA
Valladolid
Salamanca
PORTUGAL
CASTILLA
Segovia
Ávila
RÍO TAJO
Escorial
Madrid
Lisboa
EXTREMADURA
Toledo
ESPAÑ
CASTILLA LA NUE
Badajoz
RÍO GUADIANA
LA MANCHA
CASTILLA
Córdoba
ANDALUCÍA
Itálica
Sevilla
RÍO GUADALQUIVIR
RÍO GENIL
Murc
Cádiz
Santa Fe
Granada
Estrecho de Gibraltar
Tarifa
Málaga
Gibraltar
Almería
Tánger
Ceuta
8°W.
36°N.

ESPAÑA

FRANCIA

NAVARRA

PIRINEOS

ANDORRA

ARAGÓN

RÍO EBRO

Zaragoza

CATALUÑA

Barcelona

Tarragona

Valencia

Alicante

Cartagena

ISLAS BALEARES

Palma

MENORCA

MALLORCA

IBIZA

N
W
E
S

Escala de Millas

50 0 50 100

Mediterráneo

La Península Ibérica está constituida por un alto núcleo central y primitivo con grandes depresiones laterales. Esta configuración fué ya reconocida por los geógrafos e historiadores antiguos, como Polibio, del siglo II a. de J. C. La gran meseta central, o castellana, la más robusta de Europa, se eleva por término medio a más de 700 metros sobre el nivel del mar y desciende de manera gradual hacia occidente, pero en el resto del país el descenso a tierras bajas es abrupto. La altura media de España es mayor que la de ningún otro país europeo excepto Suiza. Las altas planicies de León, Castilla la Vieja y Castilla la Nueva son secas, casi sin ríos ni lagos, quemadas en verano por un sol feroz y barridas en invierno por el *cierzo,* viento seco y helado. Las colinas de la meseta parecen muy bellas bajo los rayos violáceos del sol poniente, pero la impresión que da Castilla es de una desolación severa y adusta. Hay pocas lluvias, pocos árboles, poca vegetación. El suelo no es fértil y la lucha por la vida es allí constante y dura. Los que sobreviven, si no conocen la alegría, por lo menos son muy fuertes.

Las principales ciudades de la región de León son Salamanca, Zamora y León. Las de Castilla la Vieja son Burgos, Valladolid, Segovia y Avila. De Castilla la Nueva, Madrid y Toledo. De éstas, sólo Madrid, centro y capital de España, es una ciudad grande, de un millón de habitantes. En 1800 tenía sólo 160,000.

El viajero que baja de Madrid hacia el sur pasa por el río Tajo, franquea los montes de Toledo, atraviesa las llanuras amarillentas de la Mancha, cruza Sierra Morena, y llega a Andalucía. El contraste con Castilla es grande, porque una gran parte de Andalucía es calurosa, verde y risueña. La cuenca del río Guadalquivir es fértil, el clima cerca del mar es benigno, aunque el termómetro marca a veces 40 C. (104 F). En invierno hay pocas heladas. España, Italia y Grecia son los países europeos que gozan de más horas de sol al día. Hasta quince horas luce durante el verano en Andalucía. Como en casi toda España, el rigor del sol hace en Andalucía muy rápida la evaporación de las lluvias y da ocasión a sequías severas. En general las comarcas andaluzas son sin embargo más lluviosas que las castellanas, sobre todo al norte de Gibraltar, en la provincia de Cádiz.

Las principales ciudades del sur son Sevilla, Córdoba, Jaén, Granada, Málaga, Cádiz y Huelva, todas capitales de provincia y todas también con un aire meridional, algo oriental.

Al noreste de Granada están las regiones típicamente mediterráneas de Murcia y Valencia, tierras de palmeras y naranjos. La huerta de Valencia ha sido siempre famosa por su fertilidad, y es favorecida por un buen sistema de regadíos. Por el contrario, parte de la costa murciana es sumamente seca, y puede pasar un año entero sin conocer los beneficios de la lluvia. Los inviernos son templados, los veranos muy calurosos. Cartagena, Murcia, Almería y Valencia son las ciudades más importantes de la parte media del litoral.

Cataluña, que se extiende hasta los Pirineos, es más montañosa y menos caliente. Hay más lluvias que en Murcia, sobre todo en el norte pirenaico, y más nubes. El clima es en general templado, con escasas heladas (meses de diciembre y enero). La ciudad más importante de Cataluña es Barcelona, y tiene más de un millón de habitantes.

Al oeste de Cataluña está Aragón, territorio originario del antiguo reino del mismo nombre, que reunió un día bajo su corona a Cataluña, Valencia, el Rosellón, la Cerdaña, las Baleares, Córcega, Sicilia y Nápoles. Aragón, con excepción de la región regada por el río Ebro y las riberas de sus afluentes, es montañoso, seco, casi un desierto. En algunas aldeas es un problema de las autoridades locales abastecer de agua al vecindario.

Siguiendo la línea de los Pirineos al oeste de Cataluña y al norte de Aragón se llega a Navarra, en el mismo regazo de la montaña. Pamplona, la capital, está casi directamente al sur de Bayona, en Francia.

Prolongación de los Pirineos es la cordillera cantábrica, que se extiende hacia el oeste. Al norte de Castilla la Vieja están las Provincias Vascongadas, montañosas, bien regadas, hermosas. San Sebastián, con su famosa playa, « La

Concha, » es el Biarritz, o el Lido de España. Bilbao, centro de la zona minera del norte, es una importante ciudad industrial.

Al oeste están la región de Santander que por antonomasia llaman La Montaña, y Asturias, núcleos de la resistencia cristiana en los siglos VIII, IX, y X contra los moros invasores, y en realidad cuna de la nacionalidad española. Región muy pintoresca, con bajas montañas verdes, altos picos nevados y valles fértiles. Las principales ciudades de Asturias son Gijón y Oviedo.

Galicia se extiende al norte de Portugal y tiene el Atlántico al norte y al oeste. El clima es templado y muy lluvioso. En Santiago de Compostela, por ejemplo, llueve más de la mitad de los días del año. País de prados y de leyendas, verde y sentimental. Los puertos principales son Vigo, el Ferrol y la Coruña.

Al sureste de Galicia y al oeste de Castilla la Vieja está León y más al sur Extremadura, lindante con Portugal. Es como una prolongación de la meseta castellana, que se inclina suavemente hacia el Atlántico, cortada por montes y colinas y por el rio Guadiana. Extremadura es mucho menos húmeda que Galicia, pero menos árida que Castilla. Las principales ciudades, no muy grandes, son Badajoz, Cáceres y Mérida.

La periferia. Las regiones de España ofrecen grandes contrastes entre sí y los hay también dentro de ellas, sobre todo cerca de las costas. En el norte, el litoral atlántico es rocoso y macizo y está bañado por un mar profundo y tempestuoso. La costa gallega, aun más desgarrada, tiene muchos salientes y muy amplias y plácidas rías. La costa meridional, en las provincias de Huelva y Cádiz, es más llana y ha sufrido grandes cambios aún en los tiempos históricos. Las playas son bajas y arenosas. Entre Cádiz y Gibraltar la costa es escarpada y rocosa, restos quizá de los promontorios que unían una vez a España con Africa.

Desde Gibraltar a Almería la costa se parece más a la cantábrica, porque en esta región la cordillera penibética desciende rápidamente al mar. Sin embargo, el mar es menos profundo y menos tempestuoso que el del norte.

Desde el Cabo de Gata, cerca de Almería, hasta el Cabo de Palos, cerca de Cartagena, la costa es también escarpada, y hay muchas playas levantadas que dan claro testimonio a los geólogos del lento emerger de la región costera. Al norte del Cabo de Palos hay una zona de albuferas y marismas, y poco después otra comarca brava y rocosa. En la región valenciana la costa, más alejada de las montañas, es llana, también con albuferas y marismas y bancos de arena. El mar es poco profundo. En la costa catalana alternan playas y zonas rocosas. Al norte de Barcelona está la « Costa Brava, » con mucha roca granítica cortada por la acción del mar, y muchos peñascos pintorescos, de un gris azulado.

Los puertos mediterráneos se vienen utilizando desde los tiempos prehistóricos, los puertos atlánticos más tardíamente porque han tenido que ser acondicionados contra las grandes marejadas y las tormentas. Sin embargo, el comercio marítimo ha sido siempre importante, y por los dos mares España envió sus navíos a dominar gran parte de Europa y del Nuevo Mundo.

La conformación de los ríos españoles está condicionada por el carácter del terreno. Siendo éste predominantemente montañoso y abrupto, las corrientes de aguas son generalmente rápidas y torrenciales. En cuanto al caudal que nutre a los ríos, está sujeto también a la circunstancia del clima. Las dos terceras partes del país constituyen « la España seca, » y la parte húmeda corresponde a la faja del litoral con algunas comarcas del interior. Las lluvias son frecuentes en otoño y en la primavera, determinando en los ríos grandes crecidas, mientras que en agosto, por ejemplo, muchos de los cauces están casi del todo secos. Por eso los ríos son poco navegables y con excepción del Guadalquivir no se usan como vías de comunicación.

Como la gran meseta central se inclina suavemente del este hacia el oeste, la gran mayoría de los ríos siguen la misma dirección, desembocando en el Atlántico. Los más importantes son el Duero, el Tajo, el Guadiana y el Guadalquivir. El más largo es el Tajo, que tiene algo más de 1100 km. En territorio español, su corriente es generalmente rápida, con pintorescos meandros cerca de Toledo. En territorio portugués se remansa, llegando cerca de Lisboa a una anchura de 12 km.

El Guadalquivir (« río grande, » en árabe), que nace y muere en España, tiene una longitud de 650 km., y va a desembocar cerca de Sanlúcar. Se nota la acción de las mareas hasta en Sevilla, y en estos cien kilómetros es navegable. Navíos de bastante tonelaje traían en el siglo XVI sus cargamentos preciosos del Nuevo Mundo hasta el pie de la Torre del Oro.

El único gran río que fluye del O. al E. es el Ebro, que tiene su nacimiento en la Montaña (Santander) y su desembocadura en el Mediterráneo (Tortosa). La cuenca del Ebro ofrece los terrenos de regadío más extensos y en ella están emplazadas las principales estaciones hidroeléctricas de España. Abastecido por las avenidas torrenciales de los bordes montañosos de su cuenca, es el más caudaloso de los ríos españoles, tres veces más que el Guadalquivir. A pesar de eso, no es navegable. Los demás ríos que vierten en el Meriterráneo, como el Júcar y el Segura, son de menor importancia.

De haber tenido España más agua, más ríos útiles para la irrigación, la economía y quién sabe si la historia hubieran sido muy diferentes. A quienes están acostumbrados al Danubio, al Amazonas o al Misisipí, los ríos españoles pueden parecerles riachuelos.

Producción agrícola. Los contrastes de la vegetación española son, naturalmente, tan grandes como los de su topografía y de su clima. En pocas horas se puede pasar de los altos Pirineos, con sus musgos y líquenes, por los bosques y las praderas de la zona templada hasta las palmeras y los naranjos del soleado Levante, desde los yermos solitarios y secos hasta los oasis, valles y llanuras de una asombrosa fertilidad. Sólo el 10½ por ciento del suelo español es totalmente inadecuado para la producción agrícola. El resto del territorio puede mantener al pueblo español, y no existe, como en Italia, el problema de la superpoblación. El 11 por ciento de la tierra de labor se deja cada año en barbechos. Una gran parte, el 41 por ciento, está dedicada a pastizales y praderas. Los bosques ocupan el 9 por ciento. El 26½ por ciento se dedica a los cereales. Se conocen por todo el mundo el aceite de oliva y los vinos españoles, sobre todo el Jerez, pero sólo el 6 por ciento del suelo está dedicado al cultivo del olivo y de la vid. Las frutas y hortalizas ocupan el 1 por ciento. El resto lo ocupan varios cultivos. El valor total de la producción agrícola española por año se calcula en unos 10.000 millones de pesetas, unas 425 pesetas por habitante.

El régimen de propiedad de las tierras está mal organizado. El latifundio existe no sólo en casi toda Andalucía, sino también en tierras de Extremadura, Castilla la Nueva y Salamanca, como herencia de la época feudal. Igual que en otros países, el absentismo o la indiferencia de los grandes propietarios es un gran mal, que da ocasión muchas veces a airadas protestas de parte de los campesinos y jornaleros que cultivan la tierra, los más de ellos muy pobres y explotados. Se han hecho esfuerzos, sobre todo durante la Segunda República, por lograr una distribución más equitativa de las tierras, pero el problema dista mucho de ser resuelto. No cabe duda de que habrá que mejorar algún día el sistema de propiedad del suelo laborable, quiéranlo o no los grandes propietarios.

En algunas regiones del norte de España el problema es otro, el del minifundio. Las tierras están divididas en parcelas pequeñísimas, dificultando o imposibilitando su explotación eficaz. En la región levantina la propiedad está generalmente mejor organizada.

En la Edad Media la ganadería en España era importantísima, pero ahora lo es menos. Hay actualmente unos 18 millones de ovejas, unos 4 millones de ganado vacuno y unos 4½ millones de cabras, cuya leche suple a la de vaca donde ésta escasea. No hay tantos caballos como antes, pero se crían muchos asnos, mulos y burros. Se está aumentando la cría de aves de corral, sobre todo gallinas, porque los españoles son grandes comedores de huevos. Los colmenares de varias regiones producen unos 20 millones de kilogramos de miel. La caza es ahora más bien un deporte que un recurso económico, a pesar de su generalización durante miles de años. Por el contrario, la pesca tiene gran importancia. En aguas dulces, se han despoblado trechos enteros de varios ríos, pero todavía se pescan excelentes truchas, salmones y otros muchos peces, y se han creado estaciones de cultivo para reparar las pérdidas. La pesca marítima ha crecido constantemente y es una gran fuente de riqueza nacional. La flota pesquera es de unas 165.000 toneladas (embarcaciones de motor, de vela, o de remo) y trabajan profesionalmente en la pesca más de 100.000 hombres. El valor anual de la pesca es de unos 300 millones de pesetas. Uno de los peces más pequeños constituye la mayor parte de esta riqueza: la sardina, que se extrae en la proporción de unas 100.000 toneladas anuales.

Minas. Lo que atraía a los primeros colonizadores de España era la riqueza notable del subsuelo. Griegos, fenicios y cartagineses beneficiaban las minas de oro, plata, plomo y estaño, y los romanos hicieron de la Península un centro minero parecido a lo que llegó a ser más tarde el Nuevo Mundo para los exploradores y colonizadores españoles. En la actualidad tiene poca importancia la explotación de los metales preciosos, pero la tienen mucho mayor las minas de hierro, mercurio, cobre, plomo, wolfram (tungsteno) y otros. En cuanto al mercurio, se calcula que se explotan desde hace tres mil años las minas de Almadén (provincia de Ciudad Real) y que se habrán sacado desde los tiempos romanos 200.000 toneladas de metal puro. La cantidad extraída cada año en la época actual varía de 1000 a 2500 toneladas. Por desgracia la riqueza de España en filones metálicos no va acompañada de cantidades suficientes de combustibles minerales. Las zonas carboníferas son pobres, y la producción anual de hullas, antracitas y lignitos es de once a doce millones de toneladas métricas.

Industrias. Hasta fines del siglo XIX España quedó al margen del desarrollo industrial moderno, y aun ahora la revolución fabril no se ha realizado por completo. Sin embargo, en los últimos años el progreso ha sido muy rápido, y España se va industrializando cada día más. Se han aplicado métodos modernos tanto en las industrias alimenticias (vinos, aceite de oliva, quesos, conservas de toda clase, etc.) como en otras (corcho, papel, tejidos, curtidos, etc.).

Las industrias pesadas han progresado menos, principalmente por falta de carbón. Este en muchos casos puede ser sustuído por la « hulla blanca, » y desde el año 1900 la electrificación de España ha avanzado a pasos gigantescos. La potencia teórica de fuerza hidráulica se calcula en unos diez millones he caballos de vapor, con unos dos millones en explotación. Hasta ahora se ha utilizado principalmente la potencia del sistema fluvial del Ebro y de su afluyente, el Segre. La región que más beneficios ha sacado de la electrificación es Cataluña, sobre todo en las industrias textiles. En efecto, esa región ejerce como una hegemonía textil sobre la industria nacional. Su laboriosidad es proverbial y ha sabido adaptarse a los procedimientos modernos de la producción y a la vida comercial moderna con suma destreza.

Comercio y comunicaciones. La economía española tiende a encerrarse en sí misma, y España produce en tiempos normales aproximadamente lo que exigen las necesidades de su propio consumo. Su comercio exterior es menor en volumen de lo que debería esperarse, dada su población y superficie. Se exportan sobre todo minerales en bruto o semielaborados, productos agrícolas tales como vinos (por ejemplo los de Jerez), aceitunas y aceite, naranjas, limones, uvas, arroz, corcho, y conservas de varias clases. El valor de las exportaciones llegaba en 1914 a unos 1.000 millones de pesetas, subiendo hasta llegar en 1930 a 2.000 millones y bajando severamente con los desiquilibrios de la guerra civil y después de la guerra mundial.

Se importa más de lo que se exporta. Como otros países agrícolas, España importa principalmente productos de las industrias mecánicas, llegando al 18 por ciento lo que compra en los Estados Unidos: maquinaria, automóviles, gasolina, objetos de caucho, algodón etc. El saldo es desfavorable para España, porque los Estados Unidos no necesitan los productos españoles en grandes cantidades. Las importaciones españolas representaban en 1914 el valor de 1.000 millones de pesetas, en 1928 se elevaban a más de 3.000 millones, para bajar en 1935 a 900 millones.

El tránsito entre las varias partes de España no es tan fácil como en América porque las altas montañas, las subidas fatigosas, los descensos violentos a los hondos valles lo dificultan. Los primeros que establecieron verdaderas vías de comunicación fueron los romanos. Cruzaron la Península con una red muy extensa de buenas calzadas, de las cuales existen muchos trozos hasta hoy. Los caminos hubieron de sufrir mucho durante el período visigótico, pero fueron restaurados y ampliados por los moros en el sur. En el norte cristiano las carreteras más importantes eran las que conducían a Santiago de Compostela, a donde llegaban cada año miles de peregrinos que entraban en España por Port Bou, Canfranc o Roncesvalles. Este turismo religioso estaba muy generalizado y bien organizado desde la Edad Media.

En general los caminos medievales eran malos. Los Reyes Católicos se preocuparon mucho por las comunicaciones y dictaron varias disposiciones sobre los caminos reales, cuya protección encomendaron a una especie de policía rural llamada la Santa Hermandad. Carlos V y Felipe II secundaron tales esfuerzos, pero sólo después de mediado el siglo XVIII se estudió un plan metódico de carreteras y se estableció un servicio de diligencias para viajeros y para el correo. En los últimos veinticinco años han mejorado mucho las carreteras españolas, que constituyen una red de más de 60.000 kilómetros. Las carreteras nacionales son excelentes, los caminos vecinales malos e insuficientes.

Se comenzó a construir ferrocarriles en España por los años de 1840, pero en 1855 había en explotación en toda la Península sólo 475 km. Diez años más tarde había 4.800 y ahora 17.000, no todos en buen estado. Dada la superficie de España, la cifra es muy modesta, menos de la mitad del promedio de Italia y de Francia, pero hay que tener en cuenta que la población de dichos países es casi el doble. El costo de la construcción en España ha sido también muy superior por el carácter accidentado de la mayoría de los trayectos, que ha hecho indispensables gran número de túneles, puentes y viaductos. La vía normal de los ferrocarriles españoles, como la de los rusos, es más ancha que la que se usa en las vías férreas de los demás países.

Como en todas partes, actualmente están creciendo en España las redes aéreas. Claro que España ofrece ventajas naturales para el tráfico aéreo internacional, tanto en la ruta América-Azores-Portugal-España-Europa, como en cualquier otra hacia Africa u oriente.

Como hay tan pocos ríos navegables, lagos y canales en España se puede descartar la navegación por agua en el interior. Para el comercio marítimo España posee una flota mercante de algo más de un millón de toneladas.

Razas. El Pueblo Español. Como país medianero entre Africa y Europa, España ha producido un pueblo que combina muchos elementos raciales. De los primeros habitantes de la Península se sabe muy poco. España aparece habitada en la primera parte del paleolítico inferior, y la población había crecido en el paleolítico superior. De los hombres del período cuaternario sobreviven restos muy interesantes en las famosas pinturas de la Cueva de Altamira, en la provincia de Santander. No aparecen figuras humanas, pero los dibjuos de animales son muy realistas y muy vivos. Las tribus paleolíticas de cazadores errantes fueron reemplazadas por los hombres neolíticos, más sedentarios, que vivían en pueblos fortificados o en palafitos lacustres, viviendas construidas sobre estacas en los lagos y playas. Los hombres españoles del neolítico hacían objetos de cerámica y criaban ya animales para usos domésticos. Los restos humanos encontrados en las necrópolis de las etapas finales del neolítico ofrecen los mismos rasgos predominantes en la actual población española: tipo moreno, dolicocéfalo, más bien bajo que alto, de gran resistencia. Es el mismo tipo que describen los autores clásicos para definir a los iberos que encontraron en España. Se ha discutido la existencia en la Península de hombres anteriores a los iberos, los ligures, que habitaban la orilla europea del Mediterráneo. Si vinieron a España, han dejado poquísimas huellas. En cuanto al origen de los iberos, la mayoría de los historiadores suponen que vinieron del norte de Africa, exterminando a los habitantes anteriores o identificándose con ellos.

En los siglos IV a VI a. de J. C. entraron por las gargantas del Pirineo en la Península hombres de procedencia europea, los celtas. No llegaron hasta Levante y Andalucía. A la llegada de los romanos, se habían mezclado ya con los iberos en el norte y parte de la meseta central, consiguiendo tal vez predominar como elemento étnico en el norte y en el oeste. La raza resultante se llama celtíbera o celtibérica.

En distintas épocas fueron llegando después a la Península fenicios, cartagineses y griegos. Sus colonizaciones fueron muy importantes para la cultura, pero no tanto como componentes raciales. Su número fué relativamente corto, y se establecieron principalmente en la costa del Levante y del Mediodía con fines comerciales. La fundación de Cádiz, ciudad fenicia, data de 1100 a. de J. C. Los cartagineses vineron llamados por los fenicios para ayudarles a resistir contra las tribus indígenas y pasaron de aliados a ser vencedores en una parte del país. Se interesaron sobre todo en la explotación de las minas de plata. La tradición fija en 630 a. de J. C. la primera expedición griega a la costa española. A pesar de la resistencia de los fenicios y cartagineses los griegos se adueñaron de varios sectores de la costa y penetraron también en el interior. Se atribuye a los griegos la introducción en España de la vid y del olivo.

Tampoco afectó mucho la composición racial española la llegada mucho después, a comienzos del siglo V de las bárbaras tribus germánicas. Los vándalos ni siquiera se quedaron en España, sino que pasaron al Africa. Los suevos se establecieron principalmente en tierras gallegas. Los que se extendieron por la mayor parte de España fueron los visigodos, cuyo número se ha calculado en unos 300.000. Formaban como una aristocracia militar y dominadora. Aportaron algunas gotas de « sangre goda » de la que se envanecían más tarde algunos aristócratas españoles.

Después de la conquista romana, la más importante para España fué la musulmana, pero los llamados moros tampoco modificaron grandemente la base étnica española. Claro que la ocupación musulmana fué más larga y la cultura árabe más substancial y profunda que la visigoda. Por otra parte hubo más « moros » durante el período de 711 a 1492 que godos desde el siglo V al VIII. No se debe olvidar que la mayor parte de los moros eran gentes norteafricanas que tenían cierto parentesco racial con las peninsulares, a pesar de las diferencias culturales y religiosas. No se puede calcular a ciencia cierta la masa total de los invasores africanos, pero hay fundamentos para suponer que su número dentro del cuerpo nacional fué relativamente corto. El índice antropométrico de la España actual sigue demostrando una tendencia marcada hacia el tipo dolicocéfalo, con algunos islotes de población braquicéfalo, especialmente en el norte.

A través de todos los pueblos que han penetrado en la Península desde los tiempos prehistóricos, en mayor o menor número, y de todas las influencias sociales y culturales que se han proyectado sobre España, ¿ es posible decir que hay un tipo español inconfundible ? ¿ Hay un denominador común entre los individuos de las varias facciones regionales ? ¿ No es el gallego sentimental aunque astuto, y el vasco fuerte y conservador, y el aragonés terco, y el catalán trabajador aunque algo áspero, y el andaluz alternativamente despreocupado y apasionado y finalmente el castellano grave, altivo y orgulloso ? Sin embargo aun estas generalizaciones aceptadas por todos pueden resultar arriesgadas.

Sea como sea, los extranjeros tienen opiniones más o menos uniformes acerca del español típico. Se le considera anarquista nato, con un intenso sentido de su individualismo, de su autonomía personal. No se conforma fácilmente con sistemas ideados por otros ni con reglas fijas para la vida privada ni pública. Prefiere asimilarse lo que le cuadra y modificar dentro de sí lo que recibe de fuera. Muchas veces se ha notado que el soldado español, cuando lo esencial era el valor personal, era el mejor del mundo, pero cuando los ejércitos se fueron modernizando y el soldado se convirtió en una máquina los españoles perdieron su dominio militar. Hay una tendencia en cualquier institución española — ejército, partido político, asociación económica o lo que sea — a fragmentarse, a descomponerse en tantas tendencias cuantos individuos la constituyen. Tal insistencia en la dignidad del individuo, en sus derechos como hombre, puede ayudar a corregir esa tendencia centrípeta que quiere glorificar al estado o a las instituciones nacionales o a las abstracciones sociales y trata de destruir o aminorar el valor del hombre como unidad.

II

España se romaniza

Un período de transición. Los romanos fueron un pueblo fuerte, aventurero y belicoso. No descansaron hasta agitar, invadir y conquistar el mundo antiguo. España fué una de las regiones que transformaron, dándole una nueva lengua, y con ella nuevas costumbres y nueva organización política. Como reliquias de aquel tiempo dejaron en la Península ibérica monumentos grandiosos, instituciones sociales y no poco de su sangre, porque los celtíberos no se dejaron dominar sin una lucha larga y sanguinaria.

De las muchas guerras habidas en España, la más antigua de la que han llegado hasta hoy relatos históricos es la de Roma y Cartago. Fueron tres guerras, llamadas púnicas, y en España se desarrollaron la mayor parte de los encuentros. Los cartagineses, en el curso de una política expansionista, habían ido a España llamados por los fenicios — como hemos dicho ya — para ayudarles a batir a los iberos. Trataron después de conquistar el país a fin de obtener sus riquezas materiales y fortalecerse con ellas en sus guerras contra Roma. Al acabarse la Primera Guerra Púnica (264–241 a. de J. C.), Cartago perdió parte de Sicilia y no pudiendo resignarse pronto se declaró dispuesta a tomar de nuevo las armas.

Cartago, con todo su genio militar, no podía vencer a los favoritos del Hado, los romanos. El poder de Cartago fué derrumbado en España y Africa por Escipión en la Segunda Guerra Púnica, terminada en 206 a. de J. C. Al éxito de los romanos contribuyó su empleo de la espada ibérica de dos filos. En los dos siglos siguientes España poco a poco se fué romanizando. La brava independencia y el vigoroso patriotismo local de los iberos forzaron a los romanos a apoderarse uno por uno de cada pueblecito, de cada valle, de cada colina y de cada puerto de las montañas, algunas veces por la fuerza bruta, otras por medio de habilidades o de traiciones alevosas. En todos esos procedimientos mostraron los romanos gran destreza. El este y el sur de España ya estaban vencidos a principios del siglo II a. de J. C. En el oeste los romanos no allanaron tan fácilmente las dificultades. Una federación de tribus bajo el mando del pastor lusitano (portugués) Viriato afrontó y venció a las mejores legiones romanas a lo largo de un período de diez años, pero al fin Viriato fué muerto (140 a. de J. C.) por asesinos comprados con oro romano. Los celtíberos persistieron en su resistencia en la ciudad de Numancia (cerca de la actual Soria), asediada con poco éxito por cinco cónsules romanos con sus ejércitos. Por fin Roma envió a su mejor general, Escipión Emiliano, quien luchó contra la ciudad durante diez y seis meses. Los habitantes, rendidos por el hambre y la pestilencia, viendo perdida toda esperanza, destruyeron cuanto poseían y se atravesaron el pecho con sus propias espadas. Los romanos consiguieron un puñado de niños y ancianos como prisioneros que atestiguaran tristemente el triunfo romano (132 a. de J. C.). Esta resistencia tan reñida tuvo su paralelo mucho después en el asedio de Zaragoza por Napoleón en 1808, y en el de Toledo y Madrid durante la guerra civil de 1936–1939.

Cincuenta años después de Numancia se vieron los romanos obligados a dar frente a otro serio problema militar. Las luchas ocasionadas por la rebelión del gladiador Sertorio, de padre sabino y madre española, tuvieron su escenario principalmente en España, donde Sertorio fué asesinado a traición en 73 a. de J. C. Pompeyo destrozó lo que quedaba de las fuerzas de Sertorio, y después de la muerte de Pompeyo en Africa, la pacificación de España fué llevada a cabo por Julio César. Es de notar que con frecuencia intervinieron africanos en las guerras peninsulares aún en tiempos romanos.

Hubo una incursión de bereberes entre 180 y 170 a. de J. C., prueba del peligro de las invasiones de allende el estrecho que siempre ha sido parte de la realidad nacional española. El general Franco encontró muy a mano a los « moros » que trajo desde Africa en 1936 para ayudarle en su rebelión.

La ocupación romana. El hecho más significativo en el transcurso de la historia de España fué la ocupación romana. España llegó a ser la colonia más romanizada del Imperio. Se adoptaron en casi toda la Península los procedimientos administrativos romanos, la lengua latina, la cultura grecoromana, la arquitectura etrusco-romana, y más tarde, la religión cristiana y las costumbres sociales romanas. España iba exportando a la metrópoli no sólo recursos materiales y soldados, sino también eruditos, escritores y hasta emperadores. Entre los sucesores más famosos de César Augusto figuran Trajano, Adriano, Marco Aurelio y Teodosio, todos españoles o de sangre española. Los escritores más notables de la Edad de Plata de la literatura latina son también españoles. Los Sénecas, Marco Anneo y Lucio Anneo, nacieron en Córdoba. Las tragedias y los ensayos del segundo Séneca fueron muy populares en la Edad Media y en el Renacimiento, y su filosofía estóica coincidía con el sentido español de la vida. Lucano, sobrino de Lucio Anneo Séneca, también fué natural de Córdoba. En la dicción ampulosa de su *Farsalia* algunos han querido ver un anticipo del estilo florido de otro « Cisne de Córdoba, » del gran poeta Góngora. El satírico Marcial (42–104) nació en Bílbilis (Calatayud), y el orador y preceptista Quintiliano (35–96) en Calahorra. El geógrafo Pomponio Mela fué natural de Tingentera, y el agrónomo Columela de Gades (Cádiz).

Estos eran autores paganos, pero hubo también muchos cristianos. Entre los eclesiásticos que escribían en latín se distinguieron el poeta Juvenco, y otro, San Dámaso, que fué papa de 367 a 384. Prudencio, gran glosador y autor de himnos cristianos, nacido en 340 en Zaragoza, fué considerado por Erasmo como el más excelso de los poetas cristianolatinos.

Se entiende que el latín que usaban los autores de los siglos IV y V era una lengua algo artificial modelada sobre la que empleaban los autores clásicos como Cicerón y Virgilio. El habla de los romanos en España era muy distinta. Se llama latín vulgar (sermo plebeius) y formó la base de todas las lenguas romances. No se podría decir con exactitud en qué epoca se dejó de hablar latín puro y se empezó a hablar español. Los primeros documentos literarios en romance, los poemas épicos, datan del siglo XII, pero la lengua en que están escritos aparece ya en los documentos desde el siglo X. Se hablan en la Península ahora cuatro lenguas, de las cuales tres son neo-latinas. El vascuence, hablado en ambos lados de los Pirineos, no es una lengua romance ni siquiera indo-europea. No tiene nada que ver con ninguna otra lengua de Europa, y algunos creen que se deriva de la lengua hablada por los iberos primitivos. El portugués y su dialecto el gallego se hablan en el oeste (Portugal y Galicia), el castellano en el centro, y el catalán con su dialecto el valenciano en el este. El castellano se llama generalmente español, y lo hablan con modificaciones relativamente ligeras unos 60 millones de hispanoamericanos. Los brasileños hablan portugués. El número total en todo el mundo de los que hablan español se calcula en más de 100 millones.

Aunque el español se deriva del latín, otros elementos han venido a enriquecerlo. El árabe, hablado en muchas partes de la Península durante casi 800 años, ha contribuido aunque menos de lo que era de esperar, y hoy se usan poco más o menos unas 650 palabras. Muchas de ellas empiezan con el artículo árabe *al*. También el francés, el italiano, el inglés y otras lenguas han contribuido. Las lenguas indígenas de América han añadido gran número de palabras, las más de ellas nombres de la fauna y la flora americanas y no muy extendidas en su empleo.

Los romanos dejaron en España mucho más que su idioma. Los que estudiaban la historia universal a la manera antigua solían leer diálogos como este: P. ¿ Cómo extendieron los romanos su dominio ? R. 1. Fundando colonias; 2. construyendo carreteras. Si, y algunas de las carreteras en España y en otras partes siguen usándose hasta hoy. También edificaron templos, teatros, baños, coliseos, acueductos y pueblos rodeados de murallas. Sus campamentos fortificados se hicieron ciudades: « castra ». Emerita es Mérida, considerada entonces una segunda Roma, notable por su acueducto y otros monumentos; Caesarea Augusta es Zaragoza; Asturica Augusta es Astorga; Pax Augusta es Badajoz. Esa *Pax* contrasta irónicamente con los horrores de la toma de la ciudad por las tropas del duque de Wellington en 1808 y por las de Franco en 1936. En Itálica, cerca de Sevilla, están las ruinas de un coliseo, en que cabían 40.000 espectadores. Hay también ruinas de baños, muros ciclopeos y un acueducto. El turista de hoy al entrar en una casa campesina del cercano pueblo de Santiponce puede pisar un suelo de mosáico romano y comprar por unos céntimos una de las muchas lámparas desenterradas en los históricos campos. Despuês de todo, Itálica fué una vez una ciudad muy importante, patria de los emperadores Trajano y Adriano y del poeta Silio Itálico. Aun más grandiosos son los acueductos de Tarragona y de Segovia. Este, que ha seguido en uso casi hasta hoy, trae el agua de una fuente a 17 kilómetros de distancia. Tiene 118 arcos en Segovia, 818 metros de largo y en su máximo nivel una altura de 28 metros. A pesar de su solidez — está construido de piedras graníticas puestas una sobre otra sin argamasa ni cemento — da una impresión de singular ligereza y elegancia. El puente de acceso a Toledo sobre el Tajo, llamado puente de Alcántara, fué construido por los romanos y restaurado por los moros y por los españoles, y es también una combinación armoniosa de lo útil y lo bello. Este carácter funcional de las construcciones romanas va paralelo con la solidez de las instituciones que legaron los romanos a todos los pueblos conquistados por su espada y consolidados por su genio organizador.

III

Los Visigodos llegan a España

Las Invasiones germánicas. El dominio político y militar de la Ciudad Eterna sobre España no fué sin embargo eterno. A los romanos siguieron tribus germánicas de grandes energías pero de cultura inferior. Entre 409 y 711 España no fué feliz. Los reyes visigodos, con sus nombres cacofónicos, eran sólo rara vez y sólo por azar buenos soberanos. Sin embargo, no se puede borrar un período de trescientos años en la vida de una nación.

A principios del siglo V los vándalos y los alanos iniciaron sus migraciones de la Europa central, cerca del Danubio, y junto con los suevos cruzaron el Rin y asolaron a Francia. Pasaron a España en 409, hallando muy débil resistencia, porque España había gozado de 400 años de relativa paz y sus mejores guerreros habían sido incorporados a las legiones romanas. Estas peleaban en las regiones lejanas del Imperio, desde el norte de Inglaterra hasta las provincias del Danubio. Galicia fué concedida a los suevos y a un grupo de vándalos. Los alanos y los demás vándalos tomaron el sur de España y más tarde pasaron al Africa.

Los visigodos, que se habían bajado desde Escandinavia al Mar Negro y habían cruzado el Danubio e ido a territorios imperiales, eran ya aliados de Roma en el siglo IV. Se habían convertido al cristianismo y habían adquirido cierto grado de civilización. A raíz de una disputa con los emperadores romanos, llegaron sin embargo a guerrear contra sus aliados, y bajo Alarico tomaron y saquearon a Roma en 410, el primer saqueo de la Ciudad Eterna en ocho siglos. Ataulfo, sucesor de Alarico, condujo a los visigodos de Italia a Francia, teóricamente como aliados de los romanos que ocupaban aún el país, pero la Francia meridional era muy tentadora y la tomaron para sí mismos. Los visigodos entraron en España por primera vez en 414, apoderándose de Barcelona. Los vándalos del sur de España, atacados por los visigodos, abandonaron el país y se marcharon a Africa (429). Teodorico y Eurico capturaron casi toda la Península y la sometieron a las armas visigodas. Eurico, uno de los pocos reyes visigodos que no perecieron asesinados, figuró entre los soberanos más poderosos de su época, porque imperaba desde el Loire hasta Gibraltar. Toledo se hizo capital del imperio en el reinado de Atanagildo (554–567). El más grande de los treinta y cinco reyes godos de España fué Leovigildo (573–586). Su hijo Recaredo, con muchos de sus compatriotas godos, aceptó la religión católica romana, ya profesada por los hispano-romanos que constituían la mayoría de la población.

La influencia visigoda en España. Durante la anarquía del período visigodo en España, el factor estabilizador fué la iglesia cristiana, establecida allí desde luengos años. Dice la tradición que San Pablo predicó en España. De todos modos, durante la persecución de Diocleciano (284–305), muchos españoles estaban ya bastante firmes en su religión para afrontar y sufrir el martirio por la fe que profesaban. Se celebró el primer concilio eclesiástico en Elvira, cerca de Granada, en 306, y asistieron diez y nueve obispos españoles con muchos diáconos y clérigos. Hasta esa fecha, los miembros del clero se casaban, pero el concilio decretó de allí en adelante el celibato absoluto.

En el segundo concilio español, en 380 (Zaragoza), se legisló contra la herejía, y en el tercero, en 400 (Toledo), se unificó la doctrina sobre la base del llamado credo niceno. Era natural, porque en el concilio decisivo de Nicea (325) un obispo español, el cordobés Hosio, había ayudado a Atanasio a triunfar sobre Arrio. Este sostenía la doctrina de que Jesús era en efecto hijo de Diós, pero no coeterno y consubstancial con El. Los visigodos antes de Recaredo eran arrianos, y los cristianos españoles los consideraban herejes. La iglesia española nunca ha sido tolerante con la herejía. Testimonio de ello es lo que pasó a Prisciliano, gallego que había sido elevado al obispado de Avila. Obispo o no, Prisciliano sostenía que el mundo fué creado y era gobernado no por Dios sino por el Diablo, y profesaba otras doctrinas reprensibles. Juzgado y condenado le dieron muerte. Algunos han pensado que no fué hereje sino exageradamente ascético. Para la unidad religiosa fué afortunada la conversión de Recaredo y sus visigodos a las doctrinas de Atanasio, porque así se libraron del olor de la herejía. También se acrecentó así el poder de la Iglesia, la cual, servida con celo y entusiasmo por los fieles, se constituyó como fuerza unificadora en tiempos de desorden. No sólo en la Edad Media y en los tiempos confusos de la Inquisición sino hasta en el momento actual la Iglesia ha sido siempre un factor importantísimo de la vida español.

La instrucción seglar no existía como tal en la España visigoda, pero la Iglesia Católica siempre ha protegido a los que tenían un verdadero anhelo de estudiar y de aprender. Pocos años después de la primera incursión de las tribus bárbaras en España, el clérigo Orosio hizo la primera tentativa de escribir una historia universal desde el punto de vista cristiano. El título de su obra es *Siete libros de historia contra paganos* (418). Erudito mucho mejor dotado y más diligente fué San Isidoro de Sevilla (c. 570–636), uno de los compiladores más grandes que conoce la historia. Sus *Etimologías*, en veinte libros, tocan todos los ramos del saber humano: una verdadera enciclopedia medieval. San Isidoro escribió otras obras numerosas, todas en latín, por supuesto, y se le venera todavía no sólo como santo sino también como sabio de enorme cultura. Otro santo famoso, San Ildefonso, compuso un libro sobre la pureza perpetua y sin mancilla de la Virgen María, y dice la leyenda que Nuestra Señora agradecida le dió al santo una casulla tejida por los ángeles. El asunto fué popular como motivo en la pintura.

Si los romanos fueron grandes arquitectos, en cambio sus sucesores los visigodos dejaron en España muy pocos monumentos. La llamada arquitectura visigoda es objeto de muchas controversias y no se ha decidido a ciencia cierta si su origen fué visigodo u oriental. El arco de herradura de caballo, visto ya en España en los siglos II y III, se empleaba también en la época visigótica. La iglesia de San Juan de los Baños, ahora completamente restaurada, lleva una inscripcion-dedicatoria del rey Recesvinto, muerto en 672.

Las alhajas y la arquitectura del período visigodo demuestran el empleo de motivos orientales venidos a España desde Bizancio (Constantinopla). El emperador Justiniano había enviado romanos bizantinos para ayudar al rey visigodo Atanagildo. Esos expedicionarios bizantinos (siglo VI) tomaron posesión de algunas partes de Andalucía. Era natural que cundiesen sus ideas artísticas. Se pueden ver coronas y joyas algo bastas y bárbaras aunque espléndidas en la Armería Real de Madrid y en el Museo Cluny de París.

¿ Fué una desgracia la irrupción en España de esas tribus poco civilizadas ? No. Dieron a España por lo menos una infusión de sangre nueva y vigorosa, y el sistema legal y religioso que fomentaron sirvió finalmente para reforzar la civilización romana. Sus aportaciones a la ciencia de la jurisprudencia han sido muy importantes. El código promulgado por los reyes Chindasvinto y Recesvinto, llamado la *Lex Visigothorum* y más tarde el *Fuero Juzgo*, fué utílisimo y sirvió como base de compilaciones futuras. Desgraciadamente todo el período visigodo fué caracterizado por casi incesantes guerras civiles, y los nobles eran separatistas y rebeldes. La monarquía no era hereditaria; los nobles elegían al nuevo rey, y muchas de esas elecciones ocasionaron disputas acerbas y sanguinarias. La autoridad central del trono muestra alguna solidez sólo de vez en cuando pero nunca fué bastante poderosa para unir a las diferentes clases sociales. No eran estas por su parte bastante solidarias tampoco para enfrentarse con un enemigo común. En fin, la disintegración había llegado a un grado extremo cuando la Península fué invadida de nuevo a principios del siglo VIII.

IV

Los moros enriquecen a España

Las primeras invasiones musulmanas. Hombres de religión mahometana y tez trigueña, a quienes se llamaba moros sin distinción de linaje u origen, estuvieron casi ochocientos años en la Península Ibérica. Por decirlo de otro modo, los españoles cristianos no se dieron mucha prisa para expulsarlos durante el largo período conocido bajo el nombre de la Reconquista. La presencia de los « moros » no fué ninguna calamidad, porque muchos de ellos poseían una cultura espléndida y contribuyeron notablemente a la cultura y civilización de España y del resto de Europa.

En el siglo VII Arabia era la patria de varias tribus guerreras, algunas muy bárbaras y todas con un fuerte sentimiento nacional. Después de la Egira (622) fueron convertidos al Islam y se hicieron sus portaestandartes y soldados. A principios del siglo VIII habían conquistado, a más de otras regiones, casi toda Siria y Africa del norte, sometiendo a los bereberes, pueblo guerrero y nómada con una mezcla de sangre vándala. En tiempos del rey visigodo Wamba (672–680) musulmanes norteafricanos hicieron una incursión en la costa levantina de España, pero este ataque y otro que le siguió fueron rechazados.

Sin embargo, la monarquía visigoda iba debilitándose cada vez más. Wamba era un rey fuerte, pero no tenía la confianza de algunos grupos de nobles y eclesiásticos. Los que le eran más adversos se apoderaron de su persona, le administraron un narcótico, le tonsuraron y le encerraron para el resto de su vida en un monasterio. Ervigio fué elevado al trono, para ser derrocado muy pronto por Egica, sobrino de Wamba. Como sucesor de Egica, el clero prefería a su hijo Vitiza, pero los nobles favorecían a Rodrigo. El gobernador de Ceuta en nombre del Emperador romano del este era el conde don Julián, y a él se dirigió Oppas para pedirle que enviase tropas africanas con objeto de derrocar a Rodrigo. Es posible que los judíos oprimidos por los godos pusieran su mano en el asunto. Ya en 710 un caudillo árabe con la autorización del califa de Damasco había venido a España a reconocer el país, y aun sin la intervención de Oppas la invasión de musulmanes norteafricanos era inevitable.

En 711 Tarik y unos 7.000 guerreros bereberes desembocaron en el sitio ahora llamada Gibraltar (Gebel-Tarik, es decir, monte de Tarik). Rodrigo, con unos 60.000 soldados, salió al encuentro del enemigo y se inició la batalla que duró tres días, cerca de la confluencia de los ríos Guadalquivir y Guadalete. Rodrigo habría ganado si las tropas de Oppas y de los hijos de Vitiza no se hubiesen vuelto contra él o desertado. Tarik fué ayudado también por la llegada del conde don Julián con 5.000 más bereberes. Rodrigo y sus godos fueron aniquilados y de Rodrigo nunca se supo nada más. La *Primera Crónica General* describe así su desaparición: «. . . el rey Rodrigo a las vezes fuyendo a las vezes tornando, sufrio alli grand tiempo la batalla; mas los cristianos lidiando, et seyendo ya los mas dellos muertos et los otros fuydos e dellos fuyendo, non sabe omne que fue de fecho del rey Rodrigo en este medio; pero la corona et los vestidos et la nobleza real et los çapatos de oro et de piedras preciosas et el su caballo a que dizien Orella fueron fallados en un tremedal cabe del rio Guadelet sin el cuerpo.»

Las leyendas del último rey godo son muy pintorescas. Rodrigo había «posado sus ojos reales» en el cuerpo blanco y gallardo de la hija del conde don Julián «como ella se holgaba en un baño a vista de las ventanas del palacio.» A la admiración pronto siguió la seducción. El conde don Julián furioso requirió la ayuda de Oppas y trajo a España huestes innumerables e irresistibles de africanos con las que tomó venganza. Se cuenta también que don Rodrigo no murió de veras en la batalla del Guadalete sino que se escapó a una ermita solitaria en Portugal para llevar una vida de penitencia y arrepentimiento. Dice una leyenda que Rodrigo abrió una vez, en una casa cerrada de Toledo un arca misteriosa y prohibida, hallando en ella un lienzo con la pintura de un hombre moreno y la profecía de que España sería conquistada por hombres semejantes a aquel si alguien osaba violar el secreto del arca. Las leyendas de Rodrigo florecieron abundantemente y en muchas formas, apareciendo hasta nuestros días en romances, novelas y dramas. Muy conocidos son el drama de Zorrilla, *El puñal del godo* y el extenso poema de Robert Southey, *Roderick*.

La ocupación musulmana. La conquista musulmana de la Península fué muy rápida y en el año 718 se había ya logrado, con excepción de algunas regiones montañosas del norte. España fué organizada bajo un emir dependiente del gobernador del Africa musulmana, quien a su vez prestaba homenaje al califa de Damasco. Tal fué la teoría oficial, pero en la práctica los musulmanes españoles gozaban de un alto grado de independencia. Los cristianos subyugados eran tratados con bastante benevolencia, aunque la quinta parte de sus tierras fueron confiscadas y los propietarios de las otras tenían que pagar diversos impuestos. Sin embargo los cristianos podían practicar su propia religión. A estos cristianos en territorio musulmán se les llamaba mozárabes. A los que se convertían al Islam los llamaban renegados, aunque ellos mismos preferían el nombre de muladíes. Los obispos católicos eran nombrados o depuestos por las autoridades musulmanas, quienes también convocaban los concilios. La suerte de los judíos mejoraba considerablemente bajo el dominio de sus hermanos semitas.

Durante las cuatro primeras décadas del dominio moro ocurrieron numerosas disputas y aun peleas sanguinarias entre los mismos conquistadores como las había habido también en el este entre los Omeyas y sus rivales, los Abasidas. Ganaron los últimos. Un joven Omeya, Abderramán, logró escaparse, refugiándose en Africa. Consiguió también después establecerse como emir en Córdoba. Su reinado, de 755 a 788, presidió los comienzos de la construcción de la mezquita de Córdoba. Los cristianos no resignados a la derrota fueron reducidos a las regiones fragosas del norte y empezaron temprano a tratar de recobrar las tierras perdidas. El caudillo Pelayo ganó en Covadonga en 718 una victoria no muy grande pero muy importante desde el punto de vista moral. Así se inició la Reconquista, si tal nombre puede aplicarse a un período de casi ochocientos años. Se considera a Pelayo como fundador de la nacionalidad española. Fué rey de Asturias. En Navarra y Aragón también los cristianos extendieron poco a poco sus fronteras, y los moros fueron expulsados de Cataluña a principios del siglo IX. Los condes de Barcelona se hicieron virtualmente independientes. Tampoco vivían en paz y armonía los reyezuelos cristianos y no vacilaban a veces en buscar la ayuda de los musulmanes en sus disputas. El verdadero espíritu de unión se desarrolló muy lentamente en la España reconquistada, aun en los tiempos en que la frontera meridional se había extendido hasta una línea que pasaba más o menos desde Coímbra, en Portugal, a Toledo y desde allí en dirección noreste a la región de Pamplona para continuar hacia la de Cataluña.

Dos acontecimientos históricos marcaron el siglo VIII. Uno fué la invasión de España por Carlomagno, que penetró hasta Zaragoza. Al salir por el puerto de Roncesvalles su retaguardia fué atacada por montañeses vascos que mataron al conde Roland, o Roldán, como le llaman los españoles. Este episodio constituye la pequeña base histórica de la gran epopeya francesa, la *Chanson de Roland.* Otro acontecimiento fué el descubrimiento, durante el reinado de Alfonso el Casto (791–842), del cuerpo de Santiago el Mayor, santo patrón de España. Se cuenta que el cuerpo fué llevado milagrosamente en un ataúd de piedra por mar y por las montañas de Galicia, desde Palestina a Santiago de Compostela, donde finalmente fué sepultado. Sobre la tumba se levantó una catedral que fué en seguida el mayor santuario de peregrinaciones del mundo después de Jereusalén y Roma. El « Camino de Santiago » o « Camino Francés » fué pisado por innumerables romeros, y Santiago fué un foco de donde irradiaba por la Península la cultura francesa.

No cesaron los desórdenes de la España musulmana con la venida del Primer Abderramán. El tercer monarca de Córdoba del mismo nombre (912–961) fué un soberano fuerte que verdaderamente merecía la jerarquía y el nombre de califa que a sí mismo se atribuyó. No sólo sometió a su dominio a los bandos rivales de musulmanes sino que también extendió su autoridad sobre una parte de Africa. La agricultura, las industrias y el comercio florecieron en su reino y la cultura llegó a un nivel muy alto. Alhakem II, hijo de Abderramán III, continuó la decidida y enérgica política de su padre y consagró aún más atención al florecimiento cultural del reino. A la muerte de Alhakem el heredero era menor de edad y el califato fué regido por Mahomed-ben-Abdala-abu-Emir, mejor conocido bajo el nombre de Almanzor (« Victorioso por la ayuda de Dios »). Ganó esta noble divisa en sus muchas victorias sobre los cristianos del norte entre las que figura la toma de Santiago de Compostela. Fué derrotado en la batalla de Calatañazor en 998. Almanzor murió en 1001 y el califato de Córdoba llegó a su fin treinta años después. La España musulmana se dividió en pequeños reinos llamados *taifas*, de los cuales el más importante fué Sevilla. Si los reyes cristianos hubieran sabido unirse, habría sido posible entonces expulsar a los moros. En todo caso continuaron paulatinamente su empuje hacia el sur, y los reyes de las taifas apelaron a los Almorávides, austeros musulmanes que se habían apoderado del norte de Africa. Su rey Yusuf, bárbaro y severo, cruzó el Mediterráneo en 1086 y el ejército de Alfonso VI de Castilla sufrió a sus manos una derrota aplastante cerca de Badajoz. Yusuf se volvió al Africa pero cuatro años más tarde vino otra vez a España y se hizo dueño de toda la España musulmana excluída Zaragoza, que fué ganada más tarde por su sucesor.

Mientras tanto surgió en Africa otra feroz secta musulmana, los Almohades. En la centuria que siguió a la muerte de Yusuf los Almorávides mismos se habían tornado muelles y sibaríticos. España se dividió otra vez en pequeñas taifas, y el país tentaba de nuevo con sus riquezas a invasores más fuertes. Los Almohades cayeron sobre la Península en 1146 y veinticinco años después la España no cristiana estaba en su poder. Los Almohades eran bereberes bravos y fanáticos que perseguían a árabes y judíos lo mismo que a los cristianos (mozárabes). Su jefe Yacub derrotó a Alfonso VIII de Castilla en 1195, pero los cristianos obtuvieron su venganza en la gran batalla de Las Navas de Tolosa (1212), donde fué destruído el poder de los Almohades. Las pequeñas taifas musulmanas fueron vencidas una por una excepto Granada, que logró mantenerse todavía por dos siglos y medio.

Prosperidad y cultura. La historia de las dinastías y sus conflictos y guerras en la España mora puede que resulte pesada, pero los relatos acerca de Córdoba, la «Esposa de Andalucía,» deleitan y fascinan al lector. Cuando Londres y París eran pequeñas y sucias, Córdoba se extendía a lo largo de quince kilómetros por la orilla del suave Guadalquivir y contenía 200.000 casas, 600 mezquitas, 900 baños públicos, y más de medio millón de habitantes. Entre sus bellos palacios figuraba Medinat-ez-Zara, que venía a ser como una pequeña ciudad murada construída por Abderramán III para su esposa favorita. Aunque se tome en consideración cierta tendencia oriental a la exageración en las crónicas árabes, la riqueza y belleza del palacio debía ser deslumbradora. Dicen que diez mil hombres tardaron cuarenta años en edificarlo. Había cuatro mil columnas de mármol, jaspe u otras materias de lujo, y quince mil puertas cubiertas de hierro o de latón. La Sala de los Califas tenía el techo y las paredes de mármol y oro, y otra sala contenía un gran tazón con un surtidor de azogue, regalo del emperador griego. A los dos extremos de la sala había ocho puertas incrustadas de marfil y ébano y adornadas de piedras preciosas. Aseguran las crónicas que atendían al servicio del palacio casi catorce mil criados varones, y el número de mujeres en el harén del califa con sus siervas era de 6.314. Había más de tres mil pajes y eunucos eslavos.

Tal riqueza no pudo proceder sino de una agricultura y un comercio florecientes e iba acompañada de un verdadero esplendor de las artes y las ciencias. Con excepción quizá de Constantinopla, Córdoba era en el siglo X indudablemente el sitio más civilizado de Europa, en una época en que nuestros abuelos y los de la mayor parte de los otros pueblos estaban física y culturalmente en la barbarie. La biblioteca de Córdoba, la más grande después de la de Alejandría, contendría 400.000 volúmenes y era la delicia del erudito califa Alhakem II. El catálogo de títulos abarcaba por sí solo más de cuarenta tomos. Se multiplicaban las escuelas, y Alhakem, para divulgar la cultura, sostenía a sus propias expensas veinte y siete institutos libres en Córdoba. La universidad, cuyas clases se daban en la Mezquita, atraía a muchos estudiantes de España y de varias partes de Europa. Alhakem mismo fué un mecenas generoso para los hombres de ciencia, sin preocuparse de sus creencias religiosas, mostrando así la misma tolerancia que había de manifestarse después en la persona de Alfonso X de Castilla.

Las ciudades musulmanas españolas fueron la cuna de muchos eruditos árabes y judíos eminentes en medicina, matemáticas, astronomía, botánica, historia, jurisprudencia, lexicografía, gramática, geografía y filosofía. Esta erudición no fué exclusivamente arábiga sino que tenía sus raíces en la antigua cultura griega, parte de la cual fué de este modo transmitida al resto de Europa por los musulmanes españoles y sicilianos. Los más antiguos de estos eruditos arábigo-españoles conocieron la filosofía por medio de los griegos bizantinos. El cordobés Aben-Masarra (883–931) influyó en Avicebrón y en los pensadores franciscanos hasta Duns Scoto. Abenházam (994–1064), visir de Córdoba, es conocido por un estudio psicológico de una de las pasiones, el *Tratado del amor* (asunto en que los árabes poseían bastante experiencia) y aún más por su *Historia crítica de las religiones, herejías y escuelas*. Entre ellos Avempace, Abentofáil y Averroes representan la corriente filosófica aristotélica. El último fué uno de los filósofos más notables del Islam. Nacido en Córdoba en 1126, cursó medicina y leyes, gozó de alto favor político, fué despojado de sus honores y desterrado, aunque después se le rehabilitó, y murió en Marruecos en 1198. Sus obras son comentarios de Aristóteles, a quien profesaba un culto fervoroso, o tratados originales influidos también por el maestro griego. Averroes se esforzó por interpretar la doctrina aristotélica y por reconciliar la ciencia y la religión. Aceptaba la revelación mística y enseñaba que en casos de conflicto la ciencia debía ceder el paso a la fe, opinión ésa también de Santo Tomás de Aquino. Se estudiaban los comentarios de Averroes en las escuelas medievales de Europa, aunque lo que se llamaba el averroismo, interpretación falsa de su doctrina, era mirada por los adictos de Averroes como blasfema y llegó a ser condenada universalmente. Otro filósofo fué el místico panteísta Mohidín Abenarabí de Murcia (1146–1240), quien influyó no sólo en casi todo el Islam sino también en el gran filósofo español Raimundo Lulio y en Dante.

Con todos estos estudios progresaba también paralelamente el desarrollo de la literatura y las artes. Florecía la literatura en verso. La poesía árabe se distingue por el atrevimiento y brillo de las imágenes, por la pompa verbal y el estilo pulido. No progresaba mucho la poesía narrativa, pero la lírica, sobre todo la erótica, imbuída con un hondo sensualismo, gozaba de gran favor. La lengua oficial del territorio musulmán era el árabe y en esa lengua se escribían las formas más nobles y puras de la poesía. Sin embargo surgió en Andalucía una poesía en romance salpicada algunas veces de palabras árabes, para regocijar a las gentes en el mercado o en las calles. Al pueblo no le ofendía el lenguaje crudo aunque rayara en obscenidad. Se encuentra una colección de tales poesías en el cancionero de Abencuzmán (siglo XII).

Muchos de los artistas y eruditos del sur de España no eran moros ni españoles sino judíos. Uno de los ministros de Abderramán III fué el médico judío Hasdai ben-Chaprut

(945–970), mecenas de poetas y eruditos de su religión en la corte. Avicebrón (1021–1070), poeta y filósofo, escribió en árabe un libro llamado *Fuente de la vida*, que, traducido al latín, influyó en Duns Scoto. El más famoso de los judíos sefardíes fué Moisés ben Maimon, «el Santo Tomás del Judaísmo,» mejor conocido bajo el nombre de Maimónides (1135–1204). Entre los escritos científicos y filosóficos del gran cordobés el que más influencia ha ejercido es su *Moreh Nebukim* (« Guía de los descarriados »), compuesto primero en árabe pero traducido al hebreo, al latín y a otras lenguas. Es una tentativa de reconciliar la fe con la razón, y fué utilizado no sólo por judíos y árabes sino también por filósofos cristianos, tales como Alberto Magno y Santo Tomás mismo.

Música y arte moriscos. Los árabes españoles, pero no los bereberes de Marruecos, amaban la vida y procuraban la belleza en todas sus formas. Poseían un verdadero sentido artístico natural, que so exteriorizó en el diseño, en la ornamentación más bien que en la estructura. Testimonio de ello es la misma palabra « arabesco. » Como ejemplo afortunado el mundo posee todavía la Alhambra, el Generalife, el Alcázar de Sevilla, la Mezquita de Córdoba y la Giralda de Sevilla. Esta última, construída en el siglo XI como alminar para las voces sagradas del almuédano, aunque graciosa y ligera sobre todo en su remate, da una impresión de solidez no común en las construcciones moras. Quien visita los edificios hispanomoros, al cruzar los patios refrescados por las fuentes o los límpidos estanques, al atravesar las salas cuyas paredes están cubiertas de arabescos de yeso como encajes de colores brillantes, bajo techos que sugieren el cielo estival, al entrar en los jardines exuberantes y bien regados, se da cuenta de que los moros españoles sabían realmente adaptar sus edificios a un modo de vivir fino y placentero en un clima semitropical. Creían los árabes también que se podía adorar a Dios por medio del cultivo de la hermosura exterior. La mezquita de Córdoba, con su mil cuatrocientas dieciocho columnas de jaspe y de pórfido, sus paredes primorosamente adornadas, sus bellos santuarios, su alto minarete y su patio tranquilo de naranjos y limoneros, fué erigida a un Dios de la Hermosura y no a un Jehová severo y vengativo. Sería curioso imaginar las posibles emociones de un puritano como Jonathan Edwards tratando de pronunciar allí un sombrío sermón sobre los « *Seres del pecado en manos de un Dios iracundo.* »

Aunque los musulmanes españoles tomaban al pie de la letra el mandamiento de Mahoma contra los ídolos, hacían de vez en cuando representaciones esculturales de animales, como en el famoso *Patio de los Leones* de la Alhambra. Los leoncitos de piedra no parecen ni muy felices ni muy vivos. Los árabes no desarrollaron las artes de la pintura ni la escultura, pero eran renombrados por todo el mundo por sus joyas y sus mosáicos, marfiles y esmaltes, su plata y oro labrados, su cerámica y sus tejidos. El origen de su arte y de su arquitectura fué principalmente bizantino, pero superaron brillantemente a los modelos. El método árabe de incrustar el hierro con oro y plata todavía se emplea hoy en España. Los mosáicos moros de vidrio, como los del Mihrab de la Mezquita de Córdoba, son extraordinariamente brillantes. Los azulejos moros, de varios colores, poseían un lustre que no ha sido igualado y se empleaban, como todavía se emplean hoy sus imitaciones, para decorar paredes, aljibes, bancos o cualquier construcción. Los alfareros poseían un arte especial para bruñir y abrillantar la loza. Empleaban un procedimiento complicado, mezclando cobre, plata, azufre, almagre y vinagre. Después de aplicar la mezcla a la cerámica quedaba ésta seis horas en un horno calentado con fuego de ramas de romero. Al pulirse después la loza ofrecía un brillo dorado que hacía de ella la más preciada de toda Europa. Los valencianos continuaron la tradición por mucho tiempo, hasta que la cerámica mora fué sustituida por la italiana. Los italianos llamaban *mayólica* a la alfarería fina española por ser llevada a Italia en buques mallorquinos.

Se dice que hubo en Córdoba por entonces más de 30.000 telares para tejer la seda, y en Sevilla todavía un número mayor. Las sedas y las lanas se adornaban frecuentemente con recamado de oro. Los tapices de lino, fabricados principalmente en Chinchilla, Valencia, Murcia y Granada, eran muy alabados del mundo de aquel tiempo. Ejemplo probable del arte es la bandera capturada por los cristianos en Las Navas de Tolosa, de color carmesí, con recamado de oro y ricos dibujos en un entramado blanco, amarillo, verde y azul. Se conserva en el Monasterio de las Huelgas, cerca de Burgos. Se aplicaban adornos de oro también al cuero, y los curtidores y silleros de Córdoba eran especialmente famosos.

Todavía se pueden ver y admirar las pruebas de la destreza y del primor artístico de los moros en monumentos materiales. Por desgracia, no así en lo que se refiere a su música. ¿ Gustaban de la música ? Apasionadamente. Hé aquí el testimonio de un caballero del siglo XI, llamado Ahmed ben Mohammed El Yemeni:

« Estuve en Málaga, ciudad española, en el año 406 de la Hégira (1015 de J. C.), y en ella enfermé una larga temporada, durante la cual, no pudiendo salir de mi domicilio, víme forzado a permanecer en casa. Entonces dos amigos que me hacían compañía y me cuidaban, atentos a moderar mis desvaríos, me agasajaban cariñosamente. Sobre todo al llegar la noche, es cuando yo sentía más mi desvelo: oíase alrededor de mi casa el batir incesante de cuerdas de laúdes, de *tombures* y liras por todas partes; se oía también cantar en mezcla confusa muchas canciones. Esto me causaba gran molestia, agravada por el desasosiego que padecía y el sufrimiento de mi enfermedad. En mi alma clavábanse aquellas tocatas sin poderlo remediar o resistir; sentía repugnancia o aversión invencible o natural contra aquellas canciones. Hubiera podido encontrar una habitación o una casa en que no se oyeran esos ruidos; pero era extremadamente difícil encontrarla en Málaga, porque la gente de esta tierra está dominada por esa afición y es generalísimo ese gusto.

« Una noche despertéme, después de conciliar un rato el sueño, y noté que todo aquel tumulto de voces odiasas se había calmado y habían cesado las tocatas turbulentas, y únicamente se oía una música leve, suave, bonita. Sentí como si mi alma estuviera familiarizada con esa música y como si con ella reposara, sin experimentar la repugnancia que hacia las otras sentía; pero no era voz humana, sino música instrumental muy suave; luego comenzó a oírse tocar un poco más fuerte, subiendo lenta y gradualmente en intensidad mayor. Mi alma sintióse atraída y mi oído inclinado y dispuesto a escuchar hasta que llegó a tocar con fuerza tan extremada que no se podía más; me puse alegre y olvidé el mal, y de tal modo me sentí gozoso y emocionado, que llegué a imaginar que el piso de la habitación se levantaba conmigo y que las paredes se movían alrededor.

« A todo esto yo no había oído cantar voz humana, y dije para mis adentros: En cuanto a concierto instrumental, no cabe más perfección; pero ¿ cómo será la voz del músico que toca ? ¿ En qué parará esta música ?

« Apenas había dicho eso, cuando comenzó a cantar una mujer unos versos con voz clarísima y dulce. Ya no pude contenerme; me levanté de la cama, dejando a mis dos compañeros durmiendo; abrí la puerta de mi cuarto y, siguiendo la dirección de la voz que yo sentía de cerca, llegué a un punto central de la casa, desde el que podía atalayarse la vecina, muy espaciosa, y contemplé en medio de ella un gran jardín, y en medio del jardín una reunión de veinte personas aproximadamente, allí congregadas para beber. Estaban todas en fila, teniendo delante licores, frutas o dulces; en ese círculo había varias esclavas tañedoras de laúdes y *tombures* y otros instrumentos, tales como flautas; pero ésas no tocaban. La esclava cantora estaba sentada aparte y tenía el laúd en el seno, y todos presentes la miraban embelesados, escuchándola atentamente. Ella tocaba y tocaba, y yo, de pie, allí, en punto desde el que yo les veía y ellos no me veían. Cuando cantaba un verso, yo lo aprendía de memoria, hasta que cantó un cierto número de versos.

« Me retiré de allí para volver a mi habitación, dando gracias a Dios, como si yo hubiese salido de un gran embarazo, cual si no tuviese ningún sufrimiento ni enfermedad.

Después, a la mañana siguiente, fuíme a ver a un amigo mío, ulema de Córdoba, que vivía en Málaga, y le conté lo ocurrido; le recité los versos, le describí la casa, se sonrió, me miró y dijo: ‹ Es la casa del ministro fulano, y la esclava es fulana, la de Bagdad, una de las mejores cantoras de Almanzor Benabiámir. Esa esclava vino a poder de aquel ministro después que murió Almanzor. Los versos son de Mohámed ben Carlomán [poeta español]. › »

Con una sola excepción insignificante no se conserva ninguna melodía árabe hasta fines del siglo XVIII y nadie sabe decir exactamente cómo sonaba su música. De su popularidad entre moros y cristianos no hay duda alguna. En sus obras teóricas como las del gran Alfarabí (872–950) es posible conocer algunos de los ritmos complicados y las gamas refinadas que empleaban. De ello resulta que las melodías fundamentales eran sencillas, pero con muchos adornos y mudanzas y quiebros como en la música moderna del pueblo español. Se dividía la octava en diecisiete tonos, haciendo así posibles terceras y sextas mayores y séptimas menores perfectas. Más tarde se usó la gama de veintitrés cuartas. Los instrumentos eran muy numerosos y variados, algunos de los cuales, como el laúd, fueron incorporados desde entonces a la música europea.

Las noticias de este carácter técnico no bastan para explicar el deleite del caballero de Málaga.

V

La España cristiana hasta 1252

Guerra y conquista. La civilización de las provincias musulmanas españolas aparece rica y esplendorosa mientras que la vida de los pequeños reinos cristianos del Norte, Asturias, León, Castilla, Navarra, Aragón, Cataluña, es sombría y sórdida. A mediados del siglo XIII Castilla había logrado la hegemonía sobre los otros estados y había allanado el camino para la era vigorosa de descubrimientos y conquistas que vivificaron la España unida del siglo XVI. El conde Fernán González había hecho a Castilla independiente de León y Asturias (siglo X), y cien años después Fernando I de Castilla (1037–1065) era ya decididamente el más poderoso entre los soberanos cristianos de la Península. El hijo de Fernando, Alfonso VI, se hizo rey de Castilla y León, extendiendo su dominio con la conquista definitiva de Toledo y la provisional incorporación de Valencia. Su vasallo más importante fué el gran héroe nacional español, Rodrigo Díaz de Bivar, el Cid (c. 1043–1099). El Cid fué vigoroso servidor de su soberano, excelente organizador, guerrero invicto, y tierno padre y marido. Si daba ejemplos de fiero valor, falta de clemencia con sus enemigos y otras características de los héroes primitivos, poseía también muchas de las virtudes celebradas en la historia, en las leyendas y en la poesía medieval y moderna.

Alfonso cedió tierras en el Norte del actual Portugal al esposo de su hija Teresa, el conde Enrique de Borgoña, originando así la monarquía portuguesa. Su hijo Alfonso Enríquez (Affonso Enriques) fué coronado rey en 1145. Dos años más tarde ganó a Lisboa que hasta entonces ocupaban los moros.

En la primera mitad del siglo XII hubo muchas guerras. Alfonso VIII (1158–1214) durante su próspero reinado logró unir a los cristianos y ganó la gran batalla de las Navas de Tolosa en 1212. Entre las tropas cristianas pelearon no sólo guerreros castellanos, aragoneses y catalanes, sino también alemanes y hasta ingleses. El nieto de Alfonso VIII, Fernando III (1217–1252), fué llamado *el Santo* no tanto por su piedad como por sus victorias sobre los enemigos de la cruz. Los dominios cristianos se ensancharon antes de mediado el siglo con los reinos moros de Córdoba, Murcia y Sevilla, y en los dos siglos siguientes la enseña de la Media Luna flameaba sólo sobre una parte pequeña del extremo sur del país. Era más bien una enseña menguante.

Las tres grandes Ordenes Militares de España que tanto figuran en la historia y la literatura españolas, las de Calatrava, de Santiago y de Alcántara, fueron fundadas en el siglo XI, y la cuarta, la de Montesa en 1317. Los caballeros, comendadores y maestres de estas órdenes, que sobrevivieron hasta la época de Alfonso XIII constituyeron una gran fuerza a lo largo de la reconquista e intervinieron mucho en la política del reino.

Aragón, reino pequeño en sus comienzos, ensanchó sus dominios por herencias reales, por la asimilación pacífica de Navarra y por la conquista de territorios moros al sureste. En 1118 Alfonso I, el Batallador, sitió y tomó a Zaragoza y extendió su dominio hacia el Sur. Alfonso II heredó Aragón y Cataluña, además de territorios extensos en el Sur de Francia. Con Alfonso VIII de Castilla cooperó en esforzados hechos de armas, entre ellos la toma de Murcia.

En las batallas de las cruzadas albigenses en el sur de Francia, el hijo de Alfonso II, Pedro II, fué muerto por Simón de Monfort. Esta muerte no fué el único acontecimiento de ese género en el seno de la naciente sociedad española, porque a raíz de la herejía albigense se estableció la Inquisición, que había de florecer vigorosamente al sur de los Pirineos. Las mismas cruzadas originaron la fama de un monje español que fundó la Orden Dominicana, Santo Domingo (de Guzmán). El Santo censuró severamente a Simón de Monfort por sus muchas crueldades.

Jaime I, el Conquistador, sucesor de Pedro II, fué el más grande de los reyes de Aragón y digno compañero de Fernando el Santo de Castilla. De niño Jaime fué pupilo del terrible Simón de Monfort, de cuya influencia fué alejado por el papa Inocente III. En 1228 Jaime estaba en plena posesión de su reino e inició un movimiento de expansión fuera de la Península que había de mantenerse hasta mucho después de la unión de Castilla y Aragón y que había de tener duraderos resultados políticos, económicos y culturales para toda la Península. De acuerdo con el deseo de proteger el comercio en el Mediterráneo, Jaime conquistó a Mallorca en 1229 y en los seis años siguientes el resto del archipiélago Balear. Valencia, tomada en 1096 por el Cid y defendida por tres años, había vuelto al poder de los moros. Jaime la ganó definitivamente en 1238. Cumplió el rey de Aragón su promesa de entregar Murcia a Alfonso X de Castilla: buen augurio para la futura unidad española. Jaime fué un hombre fuerte, sensual, ferozmente cruel (hizo arrancar la lengua al obispo de Gerona y después fundó un monasterio para redimir su culpa). Al mismo tiempo fué muy religioso y magnánimo. Fué como suele decirse nada menos que todo un hombre, y sus sucesores no consiguieron igualarle.

La sociedad medieval. Los soberanos de Castilla y de Aragón no lograron sus propósitos sin la ayuda de los nobles, y éstos nunca perdieron la feroz independencia que les caracterizaba desde los días visigóticos. En efecto, no sólo peleaban unos contra otros sino que muchas veces desafiaban y resistían a la autoridad real. Surgió también otra jerarquía social, los caballeros de origen plebeyo, que a veces se ponían del lado de los reyes contra los nobles hereditarios, lo que no impedía que llegado el caso volvieran a aliarse con los nobles. Al mismo tiempo los obispos y la jerarquía eclesiástica luchaban con ahinco por los intereses de la iglesia, cuya posición mejoró considerablemente.

A medida que España prosperaba materialmente, en la agricultura, las industrias y el comercio, las clases medias crecían en importancia y la suerte de los siervos era notablemente aliviada. Los judíos gozaban de más privilegios que en ninguna otra época de la historia de España, aunque su estado empezó a empeorar a mediados del siglo XIII. Los mozárabes y los mudéjares (moros que residían en territorio cristiano) tenían una vida próspera.

Desde siglos atrás los reyes españoles acostumbraban convocar a sus nobles y prelados a cortes o concilios, pero en tales asambleas el pueblo habitualmente no tenía representantes, aunque los municipios fueron admitidos en las cortes de León en 1188, probablemente la primera vez que se concedió esa representación en Europa. Tales cortes en el plano oficial no tenían ninguna función legislativa, y la fuente única de la ley era y seguía siendo el rey. Sin embargo, como los reyes consultaban sus cortes y como tenían éstas el derecho de discutir sobre los tributos en dinero que les pedían, frecuentemente exigían también y obtenían en compensación las leyes que deseaban. Los municipios tenían sus propios consejos y miembros ejecutivos de los cuales los más importantes eran los alcaldes, con funciones administrativas y judiciales. En la práctica las villas eran bastante independientes del soberano. De vez en cuando los municipios se unían en hermandades que, como los nobles, podían declarar la guerra por su propia cuenta.

Se suponía que el poder de administrar la justicia residía en la persona del rey, pero muchas veces los alcaldes se arrogaban la jurisdicción tanto criminal como civil. *El Alcalde de Zalamea* de Calderón representa bien esa tendencia y prueba que el espíritu de la independencia individual y municipal no había desaparecido hacia fines del siglo XVI ni aún en tiempos del autor de la comedia. Las formas que tomaba la ley penal en la España medieval no eran más suaves que en el resto de Europa: la muerte en la hoguera, ahorcado, emparedado vivo, la mutilación y el vapuleo en la vía pública eran frecuentes. El tormento y las « pruebas vulgares, » las coacciones físicas y martirios del agua o hierro caliente, se utilizaban constantemente en la administración de la « justicia. » (Con excepción de la justicia del reino de Aragón, donde estaba prohibida la violencia para « obtener la confesión del crimen, » hecho del cual procede el dicho popular: « negar, negar, que en Aragón está. »)

Aunque la importancia de la iglesia española aumentaba era una institución menos nacional en su estructura interna, porque los monjes cluniacenses y algunos papas dominadores lograron que los reyes interviniesen poco en los asuntos eclesiásticos. Los monasterios y las órdenes militares se hicieron independientes de los obispos y estaban directamente bajo la autoridad del papa o de su legado. Los franciscanos y los dominicanos trabajaron poderosamente en beneficio de sus órdenes y de la religión.

Las costumbres sociales eran muy distintas de las actuales. Había dos clases de matrimonio: con bendición (de las autoridades religiosas) y « a yuras, » o mediante una sencilla declaración. Una tercera forma de unión de hombre y mujer tomada de los musulmanes era la barraganía, o amancebamiento, aceptados social pero no legalmente. Oficialmente los amancebados eran solteros pero algunos casados ensanchaban también de ese modo su círculo de influencias, e incluso algunos clérigos.

Si los palacios de los reyes y los magnates eran fríos y faltos de comodidades modernas, fácil es imaginarse cómo vivían los desheredados. Algunas casas tenían hogar y chimenea y algunas hasta vidrios en las ventanas, pero la mayor parte no. No había leyes sanitarias, privadas ni públicas, porque se consideraban obra de Dios o del diablo las enfermedades debidas a la falta de limpieza. La gente dormía en bancos o tendida en el suelo, aunque empezaban a conocerse las camas. La ropa se llevaba comúnmente hasta que se deshacía, sin cambiarse ni lavarse. Apenas si se conocían ciertas prendas de vestir como los camisones de dormir para hombres o mujeres, y la gente solía acostarse

Hispanic Society of America.

Sorolla: « Campesinos Leoneses. »

Sorolla: « Ayamonte. » La pesca en el Golfo de Cádiz.

Hispanic Society of America

Hispanic Society of America

Sorolla: « Galicia. » Campesinos solazándose, parte noroeste de España. El instrumento musical es la gaita, típica de la región.

Hispanic Society of America

Sorolla: « Sevilla. » El baile. El ritmo está acentuado por la guitarra, las castañuelas, y las faldas que giran al compás de la música.

Hispanic Society of America

Sorolla: « Castilla. » Campesinos en una procesión.

Sorolla: « Guipúzcoa. » Campesinos en el juego de bolos.

Hispanic Society of America

Hispanic Society of America

Sorolla: « Valencia. » Fiesta de boda en la cálida provincia al extremo este de España.

Hispanic Society of America

Sorolla: « Extremadura. » Un pueblo de la provincia oeste de España.

Hispanic Society of America

Sorolla: « Andalucía. El encierro. » Acorralando los toros.

Hispanic Society of America

Mujer en traje de boda. Provincia de Salamanca.

Traje ceremonial. Provincia de Salamanca.

Hispanic Society of America

La famosa « Dama d
Elche, » ejemplo notab
de la escultura primitiv
descubierto en la pr
vincia de Alicant
¿ Tipo eterno de la muje
española ?

Dibujos descubiertos e
las paredes de la cueva
de Altamira.

Culver Service

con toda la ropa o parte de ella puesta o sin ninguna. Como el clima es benigno la mayor parte del año y no se conocía la refrigeración, la carne se preparaba con la mayor cantidad posible de especias para engañar al olfato. Lo mismo que hoy, la carne era preferida a las legumbres. Se usaban cuchillos pero no tenedores, y los platos individuales los usaban sólo las clases acomodadas.

La galantería que atribuimos a la Edad Media (¿ herencia de Walter Scott y compañía ?) es principalmente una ficción literaria. Claro que existía el amor y la cortesía y las consideraciones personales con la esposa y los hijos, pero el lugar de la mujer era exclusivamente el hogar. Conócese el refrán:

La mujer casada,
la pierna quebrada,
y en casa.

Aunque las familias numerosas eran lo típico, la población del país no aumentó muy rápidamente. El hombre lo dificultaba con las guerras y la naturaleza aún más con enfermedades y pestes.

VI

De Alfonso X a los Reyes Católicos

Discordia civil (1252-1469). Después del reinado de Fernando III (1217–1252) los moros ya no constituían una seria amenaza y los españoles nobles tenían bastante ocio para pelear entre sí, o contra el rey o contra los municipios. Los prelados intervinieron de vez en cuando en esas disputas. Se desafiaba el poder del soberano, que en ciertas instancias cedió a sus enemigos, pero aumentaba definitiva aunque lentamente la tendencia general a afirmar la autoridad real. Fué éste un período de preparación para el sistema político centralizado de Carlos V y Felipe II.

El hijo de Fernando III fué Alfonso X el Sabio. Es costumbre citar acerca de él el dicho del gran historiador Mariana: « Dumque coelum considerat observatque astra terram amisit, » pero la observación no es exacta. Verdad es que el rey sabio se interesó por el cielo y las estrellas, por la ciencia y la erudición de su día, pero no pasó por alto las cosas prácticas de la tierra. Heredó problemas políticos muy difíciles y su temperamento no era el más apto para resolverlos. Ganó algunas victorias sobre los moros, pero en una de las batallas, en 1275, murió su hijo primogénito Alfonso de la Cerda, y desgraciadamente su muerte creó rivalidades para la sucesión al trono. Alfonso el Sabio perdió gran parte de la gran obra iniciada. Su demanda en favor de la anexión de Gascuña, por ejemplo, estaba bien fundada, porque esa región de Francia era una parte de la dote de doña Leonor, esposa de Alfonso VIII. Sin embargo, Alfonso X dejó sus pretensiones al casarse su hermana con el príncipe Eduardo (I de Inglaterra y Aquitania). Por otra parte Alfonso fué elegido emperador del Sacro Romano Imperio en 1257, pero se opusieron varios príncipes alemanes y el papa. Las guerras de Alfonso contra los moros y contra sus propios nobles y el poco entusiasmo del pueblo español por el proyecto se combinaron para impedir que ese rey se fuese a Alemania, y se eligió por fin en su lugar a Rodolfo de Hapsburgo. Los nobles españoles seguían aprovechando cualquier pretexto para guerrear contra su soberano y a ellos se reunió entonces el hijo segundo del rey, don Sancho, que pretendía el trono, contra el deseo de Alfonso, que nombraba heredero a su nieto, hijo de su primogénito, Alfonso de la Cerda. El rey fué depuesto por las cortes en 1282, y aunque recobró el apoyo de algunos nobles, eclesiásticos e incluso municipios enteros, vivió sólo dos años más. ¡ Triste fin de un reinado que tanto prestigio alcanzó en las letras y las ciencias !

Alfonso desheredó en su testamento a Sancho, pero el hijo rebelde no era hombre para acatar últimas voluntades. Subió al trono como Sancho IV (el Bravo). También encontró la oposición de muchos nobles. Los sometió con mano dura. En una ocasión, por ejemplo, hizo matar a cuatro mil partidarios de su sobrino. Los disturbios no cesaron con la muerte de Sancho. Su hijo Fernando (el Emplazado) era entonces un niño de nueve años. Afortunadamente su madre, doña María de Molina, una de las grandes mujeres de la historia española, por su autoridad moral y su destreza política logró congraciar con su hijo a muchos nobles y no pocas villas y municipios. Consiguió asimismo desbaratar los planes para la invasión de Castilla por los reyes de Aragón, Granada, Portugal y Francia. Estos últimos querían ensanchar sus territorios a expensas de un país que creían débil, eterna codicia de los jefes nacionales sin escrúpulos. El rey Fernando, después de portarse muy deslealmente con su madre, que le era en todo superior, perdió la vida en una campaña de poca importancia contra los moros, dejando heredero a un hijo suyo de un año. Este niño, Alfonso XI, fué muy afortunado, gracias a los sabios auspicios de su abuela, doña María de Molina y volvió a entrar en la liza, derrotando a todos los nobles turbulentos. Alfonso fué declarado mayor de edad a los catorce, y aunque murió antes de llegar a los cuarenta, ganó en su corta vida la fama de ser uno de los mejores reyes que ha tenido España. Sus cualidades eran adecuadas a la rudeza de la época: vigor, entereza, falta de escrúpulos y una destreza diplomática enormemente astuta. Aumentó el prestigio de la corona y logró limitar el poder de los nobles sin crearse graves enemistades. Captó la simpatía del pueblo, escuchando benévolamente sus quejas y evitando o reprimiendo los abusos cometidos por sus propios representantes o por los nobles o los eclesiásticos. Por eso le fué más fácil asentar el principio de que sólo el soberano era la fuente de la legislación y de la interpretación de las leyes.

Aunque el mérito principal de Alfonso XI fué su organización política, también fué un eximio guerrero. Aliado con Aragón y con Portugal ganó una victoria importante sobre una confederación de moros en El Salado, cerca de Tarifa, en 1340. También durante su reinado se unió a la corona de Castilla la provincia vascongada de Alava.

El único hijo legítimo de Alfonso XI fué Pedro I el Cruel. Aunque cometió crímenes y crueldades de sobra para merecer su mote, en varias ocasiones fué campeón del pueblo contra la opresión de la nobleza, y la tradición popular le llama también Pedro el Justiciero. Tal vez el rasgo más simpático de su carácter fué su fidelidad a su amiga, María de Padilla, dama de alto linaje y única persona, según parece, capaz de oponerse a la dureza de carácter de su amante. El ministro portugués de Pedro, Alburquerque, le persuadió de que contrajese matrimonio con la princesa francesa, Blanca de Borbón. Don Pedro aguantó el estado de marido tres días y volvió a los brazos de María. El papa desaprobó el hecho, pero el rey buscó a dos obispos que declararon nulo el casamiento. Doña Blanca fué en fin una víctima más del capricho real. Más tarde don Pedro se casó con doña Juana de Castro, vivió maritalmente un día con ella y volvió de nuevo a doña María.

Los nobles españoles, generalmente acompañados de los hermanos bastardos de don Pedro, pelearon contra él siempre que se presentó la ocasion. Por fin el hermano mayor del rey, Enrique de Trastamara, logró ganar la ayuda de las « Compañías Blancas » (la legión extranjera de aquellos días), grupo de aventureros conducidos por el capitán francés, Bertrand du Guesclin. El papa Inocente VI ofreció a Bertrand y a su cuadrilla una gran suma de dinero para ayudarles en la empresa. Pedro IV de Aragón les ofreció otro tanto, además del botín que tomasen (excepto en Aragón) si atacaban a Pedro de Castilla. Ayudado de estos magníficos bribones, Enrique de Trastamara ganó la mayor parte de Castilla. Pedro convenció a Eduardo III de Inglaterra de que debía ayudarle y Eduardo envió tropas bajo el Príncipe Negro, quien logró derrotar a Enrique. El Monarca Cruel se entregó a tal orgía de matanzas de enemigos y ruptura de promesas que el caballeroso Príncipe Negro se marchó de España asqueado. Don Enrique y Du Guesclin rehechos derrotaron por fin a don Pedro en Montiel, y se apoderaron por medio de una treta del rey mismo. Los dos hermanos rivales pelearon en combate mortal y Enrique mató a Pedro con su propia mano.

A fin de ganarse aliados, Enrique había tenido que conceder privilegios inusitados a los nobles, y Enrique y sus sucesores hubieron de padecer las consecuencias de esas larguezas durante largos años. Además, había otra persona que reclamaba el derecho al trono de Enrique. Era Costanza, hija ilegítima de Pedro y María de Padilla. Costanza estaba casada con Juan de Gante, duque de Láncaster. A Enrique siguió su hijo Juan I. Juan de Gante apareció en España con un ejército reclamando el trono para su mujer, pero se arregló el asunto con el casamiento de la hija de Láncaster con Enrique, el hijo de Juan I. El reinado de Juan fué memorable por la derrota de los españoles a manos de los portugueses en Albujarrota en 1385.

A Enrique III (1390–1406) se le llama el Doliente, pero el mote era debido a su palidez facial y no a sus condiciones físicas ni morales. Fué muy enérgico y logró disminuir el poder de los nobles, en parte por haberse conciliado el favor de la naciente burguesía. Aumentó el poder real en los municipios enviando a ellos regidores, generalmente letrados o abogados bien instruidos, que sirviesen de magistrados al lado de los ediles elegidos por los municipios mismos. Enrique mejoró sus ejércitos hasta tal punto que derrotaron completamente a los portugueses en 1398.

Tres rasgos cosmopolitas marcaron el reinado de Enrique III. Se había casado con una princesa extranjera, la inglesa Catalina de Láncaster. Además, mandó una embajada a la lejana Samarcanda para consultar al gran Tamerlán. En tercer lugar dos aventureros, Rubín de Brancamonte y Juan de Bethencourt descubrieron e iniciaron la conquista de las Islas Canarias (1402) y las declararon feudo de la corona de Castilla. Enrique iba haciendo planes para conquistar Granada cuando le sorprendió la muerte a la edad de veintisiete años.

Juan II, hijo de Enrique, tenía dos años a la muerte de su padre. Fué una excelente circunstancia tener como regente a su tío, Fernando, guerrero insigne y excelente administrador. Fernando abandonó Castilla en 1412 para ser rey de Aragón. Juan fué un soberano muy débil, y estuvo la mayor parte de su reinado bajo el dominio de un noble poderoso y enérgico, don Alvaro de Luna. Rivales celosos no vacilaron en expresar abiertamente su hostilidad hacia el favorito real, muchas veces a mano armada. Alvaro de Luna se mantenía fuerte, pero por fin fué acusado de brujería y Juan ordenó la muerte de su privado en 1453. El rey sobrevivió sólo un año a su favorito, cerrando con su muerte un reinado favorable a las artes y a la literatura pero desastroso para el bienestar político del país.

Juana la Beltraneja. Enrique IV el Impotente parece haber merecido ese título. Según un estudio del doctor Gregorio Marañón, este rey desgraciado fué un tipo eunocoide con un cerebro débil, un cuerpo escuálido y una cara repugnante. Se casó en primeras nupcias con doña Blanca de Navarra y se divorció de ella porque no le daba hijos.

Después se casó con doña Juana de Portugal, y el matrimonio quedó sin hijos por seis años. Por fin la reina parió una hija, llamada oficialmente Juana y popularmente « la Beltraneja. » La reina había mostrado públicas simpatías por un favorito del rey, don Beltrán de la Cueva, que se ufanaba públicamente de ser el amante de su soberana. Como el rey juró en diferentes ocasiones, primero que la niña era suya y después que no lo era, la cuestión de su paternidad era y es de solución difícil. De todos modos, Juana fué una persona sumamente desgraciada, nacida para ser la víctima de todo género de intrigas políticas.

Las disputas de los nobles bajo un rey tan débil e indeciso llevaron al país a la confusión y la anarquía. La cuestión de la sucesión fué muy reñida. ¿ Quién había de heredar el trono? ¿ El hermano menor del rey Alfonso, o su hermana Isabel (la Católica) o su supuesta hija Juana la Beltraneja ? Más importante aún era esta cuestión: si Castilla debía de ser una monarquía fuerte o un territorio de feudalidad regido por nobles y eclesiásticos casi independientes y con privilegios excesivos. En el mes de julio de 1465 los enemigos de Enrique llegaron hasta el punto de celebrar en Avila una ceremonia pintoresca y triste en la cual lo destronaron en efigie. Declararon rey a Alfonso, pero éste murió muy joven, probablemente envenenado (1468). Doña Isabel se casó con el infeliz príncipe de Viana. Después de la muerte del marido rechazó a numerosos pretendientes, entre ellos a Ricardo III de Inglaterra y al hermano de Luis XI de Francia. Por fin en 1469 se casó con Fernando de Aragón. Enrique IV murió en 1474. Doña Isabel, desbaratando con destreza los planes de Luis XI y de Alfonso V de Portugal, quienes favorecían a la Beltraneja, se estableció como soberana de Castilla. La Beltraneja se retiró a un convento en Portugal y allí terminaron sus infelices días. España había logrado por fin la unidad política uniendo Aragón con Castilla, y estaba dispuesta ya para la etapa de prosperidad interior y para la expansión por Europa y por todo el mundo.

Centralización y expansión. En Aragón la victoria de la monarquía sobre los anárquicos nobles se había conseguido antes, a mediados del siglo XIV. Hubo aún algunas luchas civiles después de esa fecha, pero fueron debidas principalmente a la rebelión de la gran ciudad de Barcelona contra el poder real y a algunas disputas civiles locales. En general fué más efectivo el progreso social en Aragón que en Castilla, pero el pueblo aragonés estaba más atrasado a comienzos de la Edad Media, y las masas campesinas habían sufrido condiciones más duras en el este que en el centro de la Península.

En los dos siglos anteriores a Fernando, Aragón había conducido una política de vigorosa expansión. Pedro III (1276–1285) extendió su soberanía sobre Mallorca y parte de Túnez. Campañas largas y complicadas le costó también Sicilia que, junto con Cerdeña, llegó a formar parte de los dominios aragoneses.

Los primeros años del siglo XIV presenciaron una expedición pintoresca, fiel ejemplo del empuje peninsular hacia el este. Inducido por el rey de Sicilia, el capitán aventurero Roger de Flor llevó a sus catalanes y otros mercenarios a ayudar a Miguel Paleólogo, emperador romano de Constantinopla, cuyo imperio se encontraba en gran peligro. Roger y sus secuaces tuvieron éxito peleando contra los turcos, tanto que Roger mismo se casó con la princesa de Bulgaria. Poco después fué asesinado por los nobles bizantinos resentidos y celosos. La venganza de los aragoneses secuaces de Roger fué sanguinaria y terrible. Por fin los expedicionarios fueron a ayudar al duque de Atenas, y cuando éste se mostró en desacuerdo con ellos le destronaron. Así se estableció el ducado catalán de Atenas, que duró unos sesenta años a partir de 1326. Un buen drama sobre ese asunto, escrito por Garcia Gutiérrez, fué estrenado en Madrid en 1864.

Acontecimiento menos pintoresco pero más importante fué la conquista del reino de Nápoles por Alfonso V el Magnánimo (1416–1458) de Aragón. En 1443 este enérgico guerrero se había posesionado de Nápoles y del sur de Italia y estableció en su capital italiana una corte brillante. A mano armada España había ganado una gran parte de Italia; en cambio Italia capturó moral e intelectualmente a sus vencedores con la cultura espléndida de su Renacimiento.

Alfonso el Magnánimo legó el reino de Nápoles a un hijo bastardo, pero a su hermano Juan II de Aragón le correspondieron Sicilia, Cerdeña y Aragón. El reino de Juan II fué dificultoso y desgraciado. Cuando murió el rey, ciego y abandonado, empezó una nueva era en la vida de España, ahora por vez primera unida bajo los Reyes Católicos, Fernando e Isabel.

El rasgo sobresaliente de la historia política de España hasta 1474 fué la lucha de los reyes contra sus nobles anárquicos y rebeldes, y de los municipios contra los grandes propietarios y a veces contra el rey mismo. Las cortes, institución que se desarrolló en España antes que en el resto de Europa, menguaron bajo el crecimiento de la autoridad real en el siglo XV.

El sistema social y económico. En Castilla había tres clases sociales importantes, pues poco a poco se habían libertado los siervos: nobles, burgueses y labradores libres. Los nobles perdían parte de su riqueza, basada en sus tierras, y para ellos el número cada día mayor de labradores libres y la importancia naciente de la industria constituían una gran desventaja, igual que para los eclesiásticos que poseían grandes extensiones de tierra. Aumentó notablemente la prosperidad de los trabajadores. La clase media, de comerciantes e industriales que vivían en los municipios, era también cada día más próspera. De esta clase venían la mayor parte de los letrados que ejercían cada vez más influencia en los asuntos del gobierno.

En las regiones del este las clases altas seguían siendo dueñas de la mayor parte de las tierras, y los siervos, llamados colonos y payeses, estaban vinculados a las tierras hasta redimirse con dinero, lo que podían hacer entonces muy pocos. Ocurrieron varias sublevaciones, sobre todo en el siglo XV. La clase media se destacó y tomó vigor sólo en el antiguo territorio del reino de Aragón que gozaba de fueros. Estos fueros, que exigían un respeto notable de la monarquía central por los derechos del hombre, eran mantenidos celosamente por los habitantes.

A medida que crecían las conquistas cristianas, se iban incorporando a la nación española muchos musulmanes y judíos. Los fugitivos de las ciudades moras fueron bienvenidos en Castilla. Sin embargo, desde fines del siglo XIV en adelante, la diferencia de religión iba asumiendo más importancia y la suerte de judíos y mudéjares empeoraba notablemente. Se les maltrataba « por principios religiosos » pero las causas eran también económicas, porque la mayor parte de las industrias habían pasado a manos semitas, y la envidia de los cristianos era inevitable. La suerte final que aguardaba a los judíos y mudéjares era la expulsión del país. Los judíos lo pasaban peor que los mudéjares, y sufrieron persecuciones y ataques sangrientos en Toledo, Córdoba y Sevilla. Se ha calculado, tal vez un poco exageradamente que en la España de los años 1431–1447 se mató a 150.000 judíos y que se convirtieron al cristianismo unos 15.000. Aun la conversión no garantizaba la popularidad ni la prosperidad, porque los « cristianos viejos » no miraban con buenos ojos a los nuevos conversos. Desde nuestro punto de vista moderno, el nivel general de la prosperidad fué bastante bajo, a pesar de los progresos realizados en la agricultura, la minería, las industrias y el comercio. Los trabajadores lograron cierto grado de organización. Se fomentaron las ferias y los mercados, que se celebraban con frecuencia, y comerciantes extranjeros visitaban a España, lo mismo que los españoles iban desde su patria hasta Flandes e Inglaterra. Se inició el uso general de las letras de cambio a partir de la primera que se usó en Europa y que puso en circulación una casa comercial de Barcelona.

El comercio era dificultado por los derechos de aduana no sólo en las fronteras sino también a la entrada de casi todas las ciudades y pueblos. El sistema de pesos, medidas y monedas era muy irregular. Florecían los monederos falsos, a pesar de la infamante pena de muerte que les amenazaba. El gobierno real reglamentaba cuidadosamente las formas de las contratas, el tipo de interés, las horas de trabajo y muchas veces aún los intereses de los préstamos. La corona reclamaba la propiedad del subsuelo y las aguas costales, de modo que la pesca y la industria minera eran monopolios reales y fuentes de riqueza para la hacienda nacional.

Los ganaderos se organizaron en una asociación poderosísima llamada la Mesta, que tenía sus propios magistrados y sistema judicial y gozaba de numerosos privilegios económicos. Las asociaciones de artesanía y oficios llamadas gremios fueron formadas no tanto con fines económicos como para actividades religiosas, sociales o filantrópicas.

Y ¿ quiénes pagaban los impuestos para las arcas reales ? Las clases bajas y medias, porque los nobles y el clero estaban exentos de tales molestias. Pasaba lo mismo en casi toda Europa.

Actividades culturales medievales. Las dos influencias culturales en la España medieval fueron la francesa y la árabe felizmente seguidas en el siglo XV por la italiana. En todos los ramos de la cultura sobresalieron los castellanos, y fué una cultura fundamentalmente castellana la que se transmitió más tarde a la América española.

A pesar de consagrarse tanta energía durante la Edad Media a las guerras contra los moros, no se desatendía la vida intelectual. Claro que la alta cultura era latina y pertenecía a una minoría muy pequeña, como en el resto de Europa. En España, como en otras partes, la instrucción había estado en manos de la Iglesia. No surgieron en España grandes maestros como Abelardo para formar grupos de estudiantes, pero existían en Toledo y en otras ciudades círculos de eruditos que recibían ayuda y estímulos de los reyes Alfonso VI y Alfonso VII. Sólo más tarde la cultura y la enseñanza pública recibieron la sanción oficial regia.

Las fechas de la fundación de las grandes universidades españolas y europeas son algo confusas, pero fué por los años de 1200 cuando Alfonso IX creó los « Estudios Generales, » de Palencia, traspasados poco después a la universidad de Salamanca, conocida ya alrededor de 1200. A mediados del siglo XIII se fundaron las universidades de Valencia, Sevilla y Valladolid. La de Salamanca era y siguió siendo la más grande de ellas y rivalizaba en prestigio con las de Oxford, París y Bolonia. Los estudiantes y los profesores formaban una cofradía, elegían a su propio rector y gozaban más o menos de los mismos privilegios que el clero. Los profesores leían textos manuscritos y los comentaban. Los estudiantes no podían pedir libros a la biblioteca universitaria sino para corregir sus notas. Iba aumentando el número de bibliotecas en las universidades, en los monasterios y aun en casa de algunos individuos ricos. Se celebraban exámenes para conferir los grados de bachiller y maestro. Algunos estudiantes no eran siempre gente bien portada. Ruidosos y turbulentos, algunos prestaban más atención a actividades no aprobadas por las autoridades universitarias que a sus estudios. Los más aprovechados podían hacerse doctos — licenciados u « ordenados » — en la teología, la medicina o el derecho. El programa de estudios, la estructura de las universidades, el hábito — el uniforme — de los universitarios y otros muchos rasgos nos chocarían hoy, pero en lo fundamental no estaban muy lejos de nosotros. Profesores y estudiantes son tipos perennes y se reconocería hoy sin gran dificultad a las siete mil personas que formaban la población universitaria salmantina en sus días más esplendorosos.

No existía la instrucción primaria fuera de la Iglesia. Los muchachos listos podían tal vez encontrar a un clérigo amable que se ocupara de ellos. Los ricos podían pagar maestros privados. Se suponía que las muchachas no tenían necesidad de la instrucción libresca y muy pocas la recibían. En realidad el noventa y tantos por ciento de la población total carecía en absoluto de tales conocimientos y lo pasaban sin ellos lo mejor que podían. Los españoles como los demás europeos empezaron a sentir la comezón de la cultura y el celo por la ciencia después de la invención de la imprenta en la segunda parte del siglo XV.

VII

La poesía medieval, épica y lírica

Poemas épicos. No se puede fijar de una manera precisa la época en que la lengua española quedó consagrada por la expresión literaria. Los primeros monumentos datan del siglo XII, pero evidentemente suponen cierta tradición. El latín se estableció como lengua oficial en la Península en el año 206 a. de J. C., y a través de los novecientos años que precedieron a la llegada de los invasores africanos la lengua hablada en la Península se había desviado mucho de la que hablaban en las Galias, Italia y en otras partes del antiguo mundo romano. Los pocos que escribían se esforzaban por aproximar su lengua lo más posible al latín clásico, pero tal lengua no era la base del hablar cotidiano. Los soldados romanos que vinieron a España hablaban un lenguaje (*sermo vulgaris*, latín vulgar) que era muy distinto del habla cultivada de escritores y poetas exquisitos como César, Virgilio y Horacio, o aún por hispano-romanos como los Séneca, Marcial y Quintiliano. Al habla popular de origen y resonancia romana la llamaban *romance*, por mucho tiempo considerado como muy inferior al latín. Este romance o bajo romance, hablado por el mundo romanizado en los siglos VI a X, que había de convertirse más tarde en el español, el portugués y el catalán, se encuentra con alguna frecuencia en los documentos desde el siglo X en adelante.

La primera manifestación del arte literario en España es la épica, que existía ya probablemente en el siglo X. ¿ Dónde nació ? Por falta de documentos, no se pueden ofrecer pruebas concretas. Los eruditos han rechazado la teoría del siglo XIX de que las epopeyas nacieron de cantos breves o cantilenas compuestas muy poco después de ocurrir los acontecimientos que celebran y refundidas luego en composiciones más extensas. Sería posible aplicar a España la teoría de Joseph Bédier de que los poemas épicos franceses nacieron en los monasterios donde se guardaban las reliquias del héroe al que iban dedicados. D. Julián Ribera, catedrático de árabe de la Universidad de Madrid cree que existieron epopeyas en la Andalucía musulmana y que de allí pasaron a otras regiones de España, pero hasta hoy los argumentos del docto arabista han convencido a pocos. La teoría de un origen francés de la poesía épica española parece menos inverosímil, pero no bastaría para explicar toda la materia. El más grande de los actuales eruditos españoles, D. Ramón Menéndez Pidal, cree que el origen de la épica española es germánico. En otras tierras las tribus germánicas cantaban a sus héroes: los escandinavos en sus sagas, los alemanes en su *Hildebrandslied*, los sajones en su *Beowulf*. Así los godos que vinieron a España habrían mantenido su amor a los cantos épicos, usando la lengua adoptiva: la del país vencido.

Por interesantes que sean las teorías de los orígenes épicos, no explican el gran valor literario y humano del *Poema del Cid* (*Cantar de Mio Cid*), primera muestra llegada hasta hoy y el mejor ejemplo del género épico en España. Está dividido en tres cantares y consta de unos 3.700 versos, habiéndose perdido algunos del principio. Cada cantar está divido en estancias más o menos largas e irregulares, y el número de sílabas de cada verso varía considerablemente. La mayor parte de los eruditos creen que la desigualdad se debe al juglar que compuso el poema hacia el año 1140. Se emplea no la consonancia sino la asonancia, en la siguiente forma:

III

Mio Cid Roy Diaz — por Burgos entrove,
en sue compaña — sessaenta pendones;
exien lo veer — mugieres e varones,

burgueses e burguesas — por las finiestras sone,
plorando de los ojos — tanto avien el dolore.
De las sus bocas — todos dizian una razone:
« ¡ Dios, que buen vassallo, — si oviesse buen señore ! »

En español moderno:

III

Ya por la ciudad de Burgos el Cid Ruy Díaz entró.
Sesenta pendones lleva detrás el Campeador.
Todos salían a verle, niño, mujer y varón,
A las ventanas de Burgos mucha gente se asomó.
¡ Cuántos ojos que lloraban de grande que era el dolor !
Y de los labios de todos sale la misma razón:
« ¡ Qué buen vasallo sería si tuviese buen señor ! »[1]

La historia a la que se refiere el poema es sencilla. Rodrigo (Ruy) Díaz de Bivar, desterrado por su rey, Alfonso VI, se va con sesenta leales suyos hacia el este, peleando contra facciones moras y ganando victorias notables. Sus ejércitos crecen y por fin gana la gran ciudad de Valencia. Entonces envía por su mujer y sus dos hijas. Es perdonado por su soberano. Sus hijas se casan con los Infantes de Carrión, muy nobles pero muy cobardes, que son el blanco de las burlas de todos los cortesanos valencianos. Los Infantes salen de la corte con sus jóvenes esposas para Castilla, y para vengarse de las burlas de los caballeros del Cid desnudan a sus mujeres, las azotan y las dejan atadas a los árboles del robledal de Corpes, donde por fin las descubre y salva un sobrino del héroe. El Cid pide satisfacción del agravio y en el duelo judicial los Infantes quedan vencidos y convictos. Sus hijas contraen nuevas bodas con los infantes de Navarra y Aragón.

Veed qual ondra crece al que en buena nació
Quando señoras son sues fijas de Navarra y de Aragon
Oy los reyes de España sos parientes son . . .
Estas son las nuevas de mio Cid el Campeador;
en este logar se acaba esta razón [composición].

1. Poema del Cid. Texto antiguo según la edición crítica de Ramón Menéndez Pidal y versión en romance moderno de Pedro Salinas. Buenos Aires, Editorial Losada, [1938], págs. 16, 17.

El paisaje de Castilla es austero, grave, sobrio, intenso, severo, sencillo, y así es este poema típicamente castellano. Es realista, sin afectación; notablemente fiel a los hechos históricos, como era de esperarse en una obra escrita por la generación siguiente a la del héroe. Los elementos imaginarios y sobrenaturales son muy pocos, y en esto difiere mucho de la *Chanson de Roland* francesa y el *Niebelungenlied* de los alemanes.

El autor presenta al Cid como tipo del español ideal medieval, valeroso, inquebrantable en su lealtad, franco, incansable, de una entereza que nunca flaquea, ejemplo de la dignidad que desde siglos acá se viene notando en sus compatriotas. En el poema no se piensa en el amor romántico ni en galanterías, pero el Cid siente muy fuertemente el cariño paternal por su familia. Cuando se ve forzado a separarse de su mujer e hijas,

> Llorando de los ojos, que non vidiestes atal,
> Assís parten unos d'otros commo la uña de la carne.

Es decir que este héroe épico no es ningún semidiós sino un hombre de una calidad humana profunda y sencilla. Cuando la gente oía recitar a un juglar en un mercado o en las calles un poema con tantos valores humanos debía sentir gustosamente que el Cid era un hombre como los demás, y que a él como a todos le preocupaba el problema eterno de ganarse el pan, pero al mismo tiempo seguramente se entusiasmaban con su grandeza.

El autor del *Cid* tiene una visión de la realidad que le emparenta con Velázquez y además un fuerte sentido de lo dramático. Dibuja a sus personajes y traza los paisajes con un pincel rápido pero seguro y logra un verdadero efecto de grandeza primitiva. Sus líneas son fuertes, densas, seguras y el poema se destaca como los accidentes de la meseta castellana, sin ornamentación ni galas pero con atisbos de fortaleza y permanencia invencibles.

Parece indudable que se compusieron otros poemas épicos quizás una veintena o más. Algunos se han podido reconstruir sobre las crónicas en prosa, forma final a que poco a poco fueron reducidos. Porque se prosificaron los poemas, pero quedaron muchos versos dentro de la prosa y se puede obtener una idea de lo que fué la forma primitiva. Rodrigo el último godo tuvo sus leyendas rimadas, y asímismo el conde Fernán González, los Infantes de Lara (Salas), Sancho García y otros, que un día también fueron personajes enteramente históricos. La figura de Bernardo del Carpio, que debió tener su epopeya y que aparece en muchos romances posteriores, parece ser una invención española para rivalizar con el Roldán francés.

Estos poemas, recitados al son de instrumentos musicales, representaban para el pueblo la historia, la biografía, la novela y la poesía. Eran el equivalente medieval de la conferencia, de los programas de radio, de la prensa y de los conciertos musicales. Los autores no salieron de lo anónimo, fundiendo así mejor su espíritu con el del pueblo. Estando pues estas composiciones en manos de juglares, pertenecen al llamado *mester de juglaría* y tuvieron su apogeo en los siglos XII y XIII.

La mayor parte de los que sabían escribir en la Edad Media pertenecían a la Iglesia. Sus composiciones poéticas más cultas en lo formal constituyen otro género: el *mester de clerecía*. Los autores eclesiásticos tenían como propósito principal aleccionar a los lectores más que divertirlos, y es posible que el lector moderno de estas homilías no se detenga ni penetre mucho en su lectura. Si ha cultivado el gusto de lo primitivo, puede que descubra resplandores de belleza, rasgos sencillos y frescos, como los encontrará en una iglesia románica o en una pintura italiana prerrafaélica.

Los clérigos que compusieron obras pertenecientes al mester de clerecía empleaban una estrofa monorrima y muy monótona de cuatro líneas, de catorce sílabas cada una. Se llama a esa técnica de versificación *cuaderna vía*.

Puede que los extranjeros necesiten unas palabras de explicación acerca del verso español. Su base es silábica pero no cuantitativa, y no se divide en pies. Para saber el número de sílabas de un verso, se cuenta hasta la última escrita y se añade una más si el acento está en ella. Si el acento está en la penúltima no se añade ninguna, y si en la antepenúltima — caso obligatorio con palabras esdrújulas — hay que suprimir de la cuenta la sílaba final. Así estos versos son para los efectos poéticos, todos de cuatro sílabas (tetrasílabos): Yo no sé, Todavía y En la víspera.

El primer poeta español cuyo nombre conocemos es un hermano lego del monasterio benedictino de San Millán de la Cogolla: Gonzalo de Berceo, nacido hacia fines del siglo XII. Vivió una vida larga y devota y nos ha legado unos 13.000 versos, siendo la mayor parte de ellos dedicados a las vidas que relataba con una sencillez ingenua. Se enorgullece de contar las sílabas (*silabas cunctadas*) de los versos, y en esto consiste a veces su mérito principal. Sus versos interesan más al medievalista que al hombre del siglo XX. Sin embargo el lector moderno de fina sensibilidad puede percibir de vez en cuando un hálito de frescura lírica y un sabor popular. Algunos devotos de su poesía encuentran en ella un primitivismo encantador y gran delicadeza de estilo. Tiene el buen hermano lego más admiradores hoy que en los siglos pasados.

A pesar de las palabras « mester de clerecía, » no toda la poesía escrita en cuaderna vía versa sobre asuntos religiosos. Ejemplo de ello es un poema acerca de la vida de Alejandro Magno, el *Libro de Alexandre*, escrito hacia mediados del siglo XIII, en un dialecto con muchos localismos leoneses, tal vez por Juan Lorenzo Segura. Quienquiera que fuese el autor, poseía bastante erudición, y no vaciló en hacer gala de ella. La figura de Alejandro fascinaba a la Edad Media y el autor de este poema está familiarizado con composiciones anteriores como el *Alexandreis* en latín de Gautier de Chatillon, el *Roman d'Alexandre* de Alejandro de Paris y Lambert le Tors, y posiblemente también con fuentes árabes. El poema español es largo, con más de 10.000 versos y pesado excepto en algunos detalles y descripciones sugestivas, como el cuadro delicadamente plateresco de la tienda de Alejandro. Al autor le gusta narrar y describir, y no le disgusta sermonear. Da muestras de un interés cosmopolita y como a sus contemporáneos no les molestaban mucho los anacronismos, hace cantar un *Te Deum* en la antigua Macedonia.

El *Libro de Apolonio*, de la misma edad que el *Alejandro*, es más corto y más novelesco. El asunto, basado en alguna novela griega post-clásica, interesó también al poeta inglés Gower (*Confessio amantis*) y a Shakespeare (*Pericles, Prince of Tyre*). Es como una moderna aventura cinematográfica, llena de andanzas complicadas, niños perdidos, tormentas, naufragios, piratas, raptos, reencuentros y reconocimientos súbitos (anagnórisis), todo con un final muy feliz. El desconocido autor posee bastante vigor narrativo y destreza poética.

Tanto el *Alejandro* como el *Apolonio* eran conocidos del autor del *Poema de Fernán González.* Esta es una composición castellana acerca de un héroe castellano, derivada probablemente de un poema perdido del mester de juglaria. Si flaquea la inspiración del monje en aquel territorio burgalés en donde lo compuso, nunca falta en cambio la nota patriótica. El estilo es erudito, pero el espíritu es el de la epopeya primitiva.

Los poemas heróicos o cantares de gesta degeneraron en los siglos XIII y XIV y muchos se prosificaron. Siguió usándose la cuaderna vía para fines narrativos, y llega al sumo grado de perfección en la obra de Juan Ruiz. Con versos más cortos existen algunas poesías en forma de diálogo polémico como la *Elena y María*, en que dos mujeres disputan sobre los méritos de sus respectivos galanes, uno clérigo y el otro caballero. Ejemplo de versificación irregular es la *Vida de Santa María Egipcíaca*, la dama ilustre que pecó y volvió a pecar, arrepintiéndose por fin.

El *Poema de Alfonso Onceno* narra la historia del gran rey desde 1312 en adelante. Está escrito no en cuaderna vía, sino en versos octosílabos, tipo que había de prevalecer después en la poesía popular española.

El *Poema de Yuçuf* es notable por ser árabes sus fuentes y por estar escrito en caracteres arábigos aunque en lengua española y en cuaderna vía. Tales obras pertenecen a la literatura aljamiada. (Aljamía es el nombre que daban los árabes a la lengua española.) El poema cuenta la historia de José hasta el momento en que su padre Jacob vino a Egipto.

La poesía épica es un producto típico castellano, y es de notar la falta de tales poemas en portugués y en catalán.

La poesía lírica en Galicia y Portugal. ¿En qué parte de la Península se oyeron por primera vez los acentos de la poesía lírica? No hay datos ciertos. Se sabe que la primera poesía peninsular llegada a nosotros está en la lengua del oeste, la galaico-portuguesa. Es muy probable que haya existido una poesía primitiva en esa región, como existió también en Castilla, porque se ha creído siempre que los portugueses son esencialmente poéticos y líricos. Además, aun los poetas castellanos usaban el portugués al escribir poesías líricas, y algunos siguieron la misma costumbre hasta fines del siglo XIV. Se conservan tres grandes cancioneros galaico-portugueses, no descubiertos y estudiados hasta el siglo XIX, con un total de más de 2000 poesías. Hay tres clases de canciones: las cantigas de escarnio que son injuriosas poesías y muchas veces obscenas con fines de sátira y envilecimiento. Las cantigas de amado son canciones formales de amor que se suponen dirigidas por el galán a su amada. La clase más simpática de las tres son las cantigas de amigo, en que la dama enamorada lamenta ausencias o infidelidades del amante. De estas cantigas algunas se remontan seguramente a una tradición popular, y muestran una estructura característica de estrofas paralelas que repiten la misma idea en consonantes o asonantes diferentes. Hé aquí un ejemplo:

Ay frores, ay frores do verdo pino
Si sàbedes novas do meu amigo?
Ay Deus, e hu è?

Ay frores, ay frores do verde ramo,
Si sabedes novas do meu amado?
Ay Deus, e hu è?

Aunque las más antiguas de estas poesías deben ser de origen popular, las más de ellas están basadas sobre modelos provenzales o franceses. Los trovadores del Mediodía de

Francia, algunos de los cuales vinieron a la Península, ejercieron una gran influencia sobre los poetas catalanes, cuya lengua era casi la misma que la lemosina, sobre los gallegos y portugueses, y más tarde e indirectamente sobre los rimadores castellanos.

En cuanto a la forma y la substancia de sus composiciones los trovadores provenzales eran más perfectos, pero los portugueses les ganaban en la expresión delicada de sus sentimientos. Los poetas portugueses no eran sólo juglares humildes de las clases bajas sino también representantes de la alta nobleza y hubo hasta cuatro reyes que fueron trovadores. En todo caso escribieron sus poemas para los castillos y para la corte, no para la plaza. No se olvide que la música de instrumentos y las calidades tonales de la voz humana aumentaban el encanto de esos versos, pues todos se compusieron para ser cantados. Se dan comúnmente como fechas de la poesía trovadoresca galaico-portuguesa de 1025 a 1325. Llegó a su apogeo durante el reinado del rey Dionís (1261–1325), quien fué también por cierto un trovador de dotes no despreciables.

La primitiva poesía lírica en Castilla. Si se han perdido la mayor parte de los poemas épicos castellanos, las composiciones líricas primitivas han corrido igual suerte. Su forma favorita no era de estrofas paralelas como la portuguesa, sino que se componía generalmente de un estribillo monorrimo de dos a cuatro versos preliminares que anunciaban el tema, glosado en las estrofas siguientes. El último verso del estribillo terminaba con la *vuelta*, que mantenía el consonante del estribillo, de modo que el público recordara y pudiera cantar a coro al llegar el juglar al final de cada estrofa. Esta forma de composición debe de haber existido en la Península desde muy antiguo, porque la encontramos en la Andalucía mora del siglo XI. El profesor Julián Ribera cree que se originó allí tal vez en ese siglo. Estas canciones populares eran sin duda de varias clases, según el asunto, como las cantadas por centinelas, serranas (*serranillas*), segadoras, romeras, pastoras y otras más. Había canciones para determinadas ocasiones, como la Navidad (*villancicos*), el día de San Juan, del primero de mayo (*mayas*) y otras muchas. Se encuentran sus huellas en muchas poesías de épocas posteriores y más cultas.

La poesía lírica castellana que se conserva escrita la encontramos en canciones y poemas que se compusieron hasta mediados del siglo XV y que pertenecen a la escuela trovadoresca; es decir que siguen en general el estilo de los poetas provenzales y galaico-portugueses. La primera obra lírica que se conserva en castellano es la *Razón de amor*, que da señales claras de la influencia trovadoresca y describe con mucha frescura y elegancia el encuentro de una dama de talle gentil, ojos negros y labios bermejos con su amante galán cerca de una fuente aromada por rosas frescas, lirios y violetas. Esta poesía está toscamente enlazada con los *Denuestos del agua con el vino*. Puede que sea un poco más temprana una canción de centinela que aparece en el *Duelo de la virgen* de Gonzalo de Berceo.

De seguro que habrá habido muchas más canciones en castellano, pero estaba de moda el escribir composiciones líricas en gallego-portugués. El poeta a quien más poesías se atribuyen en los *Cancioneiros* fué el trovador real Alfonso X de Castilla, y tan sólo una de sus obras líricas está en castellano.

VIII

El Rey Sabio. Orígenes de la novela y del drama

Alfonso el Sabio y la cultura medieval. Si se compara con la de la España musulmana, la cultura francesa y la del resto de Europa iba muy rezagada, y aún más rezagada la de la España cristiana. Tal vez se consagraba la mayor parte de la atención y de la actividad a las luchas contra los moros, como en los tiempos de Fernando III. Sin embargo, fué durante el reinado de ese monarca cuando surgió y comenzó a desarrollarse la prosa literaria española y se empezaron a manifestar señales de verdadera actividad cultural.

La ciudad de Toledo, recobrada por los cristianos en 1085, convirtióse en un centro de estudios para cristianos, musulmanes y judíos. Se hicieron traducciones de obras árabes y hebraicas, tales como las de Averroes y Avicebrón. Se tradujeron al latín, y aunque la calidad del latín dejó algo que desear, esto no impidió que se difundieran por toda Europa. La prosa española se había limitado principalmente a obras morales y didácticas y no había llegado a un grado muy alto de desarrollo artístico. Las primeras obras pertenecen al siglo XIII, que produjo varios catecismos políticomorales y compilaciones de máximas y sentencias de origen oriental, como las *Flores de filosofía*, el *Bonium* o *Bocados de Oro*, y la *Poridat* (‹ *secreto* ›) *de poridades*. La historia en lengua vulgar está representada por secos cronicones. Historiadores más cultos, como Lucas de Tuy y Jiménez de Rada, componían sus obras en latín. El hijo de Fernando

III, Alfonso X, fué el primero que dió verdadera dignidad a la prosa española.

Alfonso el Sabio fué un monarca culto y brillante que tuvo menos éxito en los asuntos de la administración de su reino, pero animó e inspiró extraordinariamente la vida cultural de su pueblo. « Emperador de la cultura » se le ha llamado. Se rodeó de hombres de ciencia sin considerar su religión ni su nación, e hizo de su corte una mezcla de universidad, instituto de investigaciones, academia de letrados y abogados, cenáculo de poetas, conservatorio de músicos y empresa editorial — sin imprenta — todo presidido y fomentado por el genio benéfico del mismo rey.

No se sabe a ciencia cierta hasta qué punto intervino personalmente el rey sabio en las muchas obras que salieron de su corte, pero seguramente dirigió, revisó y siguió con gran interés el desarrollo de sus proyectos. Sus versos son probablemente su contribución más personal. Alfonso compuso más de cuatrocientas canciones llamadas *Cantigas de Santa María*, escritas según la moda de la época no en castellano sino en gallego-portugués. Cuentan las cantigas de una manera sencilla e ingenua los milagros atribuidos a la Virgen o dedican loores poéticos a la Reina de los Cielos, y todas van acompañadas de su música para ser cantadas. La métrica es rica y variada porque Alfonso poseía todos los recursos de la escuela trovadoresca gallego-portuguesa. Sólo en contadas ocasiones llegan estos versos a tener verdadera gracia lírica.

La curiosidad científica del rey sabio se manifestó sobre todo en el estudio de la astronomía. El valor de sus *Libros del saber de astronomía* y de las *Tablas alfonsíes* es ahora sólo arqueológico, pero ¿ qué iba a saber Alfonso del cosmos más de lo que escribiera Ptolomeo ? De modo que mandó traducir del árabe las obras ptolomaicas que sirvieron de base a su *Astronomía* y que revisó y vertió al español. El *Lapidario* se basó también sobre fuentes árabes. Describe en él las propiedades de las piedras preciosas. Si algunos creen todavía que los ópalos, por ejemplo, traen mala suerte, ¿ qué mucho que las gentes medievales identificasen las piedras con los signos del zodíaco y les atribuyesen toda clase de efectos raros y fantásticos?

Alfonso aprobaría muy probablemente los modernos deportes atléticos y los entretenimientos caseros como el « bridge. » Para los hombres recomienda en sus libros los juegos al aire libre que fortalecen el cuerpo y alivian los sinsabores y las preocupaciones de la vida. Para las mujeres y para los hombres no bastante fuertes, los viajes por mar. Para los períodos de reclusión forzosa, recomienda los dados, las damas, y las tablas (ajedrez), y acerca de tales juegos mandó componer un libro, un « Hoyle » medieval que se acabó de escribir en 1283. Los peritos dicen que señala un avance sobre las obras de la misma clase que ya existían en lengua árabe.

Fernando III mandó a su hijo que compilase las leyes del reino y Alfonso empezó a hacerlo un año antes de subir al trono. Su obra se titula sobriamente *Las siete partidas* según el número de sus capítulos, cada uno de los cuales empieza con una letra del nombre Alfonso. No se trata de magia ni astrología, ni de lo que llamaríamos leyes tampoco, porque contiene reglas de conducta para todas las clases, los « estados » de la sociedad y las actividades de la vida. La parte legal está basada en la obra del emperador y legislador romano Justiniano.

Las aportaciones de Alfonso X a la ciencia y a las leyes fueron considerables, pero son sus grandes obras históricas las que le han valido el título de « padre de la prosa española. » Se le puede llamar también padre de la historiografía española, porque las historias anteriores no resisten la comparación con las suyas. La famosa historia de España inspirada por Alfonso es la *Crónica general*, llamada comúnmente la *Primera crónica general* para distinguirla de las posteriores. Es natural que no se espere de una obra del siglo XIII la exactitud que actualmente se exigiría, pero no cabe duda de que los compiladores al servicio de Alfonso estudiaron con diligencia sus fuentes ni de que por otra parte Alfonso mismo lograra un estilo verdaderamente claro y ameno. La idea que tiene de su país no es meramente local ni actual, porque se esfuerza por presentar su pasado, remontándose al Diluvio, las andanzas de Jafet, la fundación de Roma, las aventuras de Hércules y las dominaciones griega, cartaginesa y romana. Saca materiales tanto de los poetas romanos, Virgilio, Ovidio, Lucano, como de historiadores como Suetonio. Y no es sólo la historia de Castilla sino también de Portugal, Navarra y Aragón. Puso adrede la palabra general en su título. Los compiladores españoles sintieron evidentemente una cierta solidaridad y simpatía por los godos, porque narran al pormenor los reinados de los monarcas visigodos. La primera parte de la *Crónica*, a poco de describir la pérdida del rey Rodrigo, termina con un loor y un lamento de España, ambos de singular belleza. En la segunda parte, compuesta algo más tarde, llega la historia hasta la muerte del padre de Alfonso, Fernando el Santo, y es de notar que se utilizan como fuentes varios poemas épicos, porque éstos eran considerados como testimonios verdaderos y fehacientes. Constituye su totalidad una tentativa notable de historiografía. Una refundición del siglo siguiente, la *Segunda crónica general* o *Crónica de 1344* utiliza por la misma razón formas más tardías de los primitivos poemas épicos. La primera refundición que se publicó fué la *Tercera crónica general*, por Florián de Ocampo. De esta edición, muy poco dotada de sentido crítico, sacaron los autores de romances y los dramaturgos como Lope de Vega asuntos y episodios sin cuento para sus composiciones.

Se escribieron también crónicas de los reinados posteriores al de Alfonso: Sancho IV, Alfonso XI, Pedro I, etc. Tres son de la pluma del viejo y grave canciller de Castilla, don Pero López de Ayala, y son notables por su penetración psicológica y su estilo incisivo. Fernán Pérez de Guzmán, que vivió hasta después de mediado el siglo XV, es también famoso por los retratos de sus contemporáneos, que dan la impresión de aguafuertes hábilmente grabados, en sus *Generaciones y semblanzas*. La obra de Hernando del Pulgar, los *Claros varones de Castilla*, 1486, forma un diccionario biográfico excelente para la época anterior a los Reyes Católicos.

Alfonso X prestó un gran servicio a la literatura de su país al hacer de la prosa española un instrumento apto para la expresión literaria. Aunque el monarca fomentó en especial los estudios de ciencia física, de derecho y de historia, también demostró su interés por las obras literarias de imaginación. Los primitivos cuentos transcritos en España fueron fábulas orientales, con una intención moral. Los clérigos los utilizaban para inculcar tal o cual enseñanza para edificar a la grey o escarmentarla.

La primera colección de tales cuentos o apólogos fué compilada por el judío converso aragonés Pedro Alfonso, bautizado en 1106. Sus treintaiséis cuentos están en latín, y su manera de contar es poco viva, pero el libro, llamado *Disciplina clericalis*, fué muy popular en toda Europa y las narraciones aparecen y reaparecen en colecciones posteriores.

Alfonso el Sabio es responsable de la primera obra de ficción oriental que se vió en lengua española, pues que fué traducida por orden suya en 1251. Se llama *Calila y Dimna.* Los cuentos habían aparecido primero en sánscrito. Luego fueron traducidos al persa antiguo (siglo VI) y más tarde al árabe. Del árabe pasaron al español y a otras muchas lenguas. Calila y Dimna son dos lobos cazadores de ciervos, y la mayor parte de los otros cuentos, aunque no todos, son fábulas de animales, compuestas y combinadas novelescamente. Las virtudes que pregonan son muchas veces la astucia y el artificio sagaz y no la bondad pura.

Una colección más corta y mucho más viva de cuentos de origen sánscrito es el *Sendebar* o *Libro de los engannos y assayamientos de las mujeres.* La traducción del árabe fué hecha en 1253 por orden del príncipe Fadrique, hermano de Alfonso X. Esta famosa colección llegó a Europa por dos conductos, uno oriental y el otro occidental, y es la versión occidental la que mejor se conoce en francés (*Sept sages de Rome*, etc.) y en inglés (*Book of the Seven Sages*). Habiéndose perdido las versiones sánscrita y árabe, la colección española es la más próxima a la original. Los veintiséis cuentos están dentro de un mismo marco. Una reina viciosa y exasperada como la mujer de Putifar porque su hijastro es indiferente a sus encantos femeninos se venga acusando al joven de quererla seducir y le hace condenar a muerte. Los sabios del rey al consultar el horóscopo del joven príncipe saben que morirá sin remedio si despliega los labios dentro de los siete días siguientes a la sentencia. Logran aplazar la ejecución contando cada día al rey un cuento donde se recuerda que la palabra de una mujer no es nunca de fiar. Es natural que la madrastra replique cada vez con un cuento o dos que ilustran la falsedad de los sabios, pero de día en día se aplaza la muerte, que es lo que éstos quieren. A los siete días el príncipe puede hablar y sale triunfante su inocencia. ¿ Y la reina ? « El rey la mandó quemar en una caldera en seco. » Para los que aman los cuentos sabrosos es una lástima que no se prolongara el plazo de los siete días. No es de extrañar que el librito esté todavía con vida después de dos mil años.

En un tercer libro de origen oriental que ha influído también en la novelística española se discuten materias más edificantes. El *Barlaam y Josafat* se atribuye a San Juan Damasceno (676–754). Aunque los santos Barlaam y Josafat están en el martirologio de las iglesias romana y griega, el libro representa una cristianización de la leyenda de Sakia Muni o Buda. Además de la historia principal de la conversión de Josafat por Barlaam, se intercalan cuentos que han ganado después gran popularidad. Uno de ellos es el de los tres anillos que simbolizan las tres religiones (empleado por Boccaccio) y otro el de los tres cofres que gustó a Shakespeare (*El mercader de Venecia*). Lope de Vega compuso su *Barlaam y Josafá* en 1618.

Como los cuentos orientales se adaptaban fácilmente a la ética cristiana, se utilizaban frecuentemente en el púlpito y se hicieron muchas colecciones de ejemplos o apólogos tanto en España como en otras partes. Los compiladores se limitaban a repetirse unos a otros con un celo que hacía más honra a sus dignos propósitos morales que a su talento. Uno de ellos, llamado Clemente Sánchez de Vercial, logró reunir poco menos de quinientos cuentos en su *Libro de los ejemplos*.

El cuentista mejor dotado de la Edad Media española fué un hombre de alta alcurnia real y literaria: el infante don Juan Manuel, sobrino de Alfonso el Sabio. Pasó la mayor parte de su vida (1282–1349 ?) en la corte o peleando contra los moros, pero insistió siempre en que tenía el derecho de pasar sus ocios escribiendo así como sus amigos cortesanos los pasaban jugando a los dados o a otros deportes aristocráticos. Don Juan Manuel fué un español grave y digno. Sentía el deber de mejorar el estado moral de sus compatriotas, y en esa tarea mostró tener bastante tacto. Su *Libro del caballero y del escudero* ofrece a los jóvenes aristócratas muchos datos sobre la astronomía, la ciencia en general y la teología, y sobre la manera de conducirse para con sus superiores y sus inferiores. Una obra más extensa, el *Libro de los estados* debe mucho al *Barlaam y Josafat.* Don Juan Manuel hizo lo que pudo por conservar y legar al futuro copias fieles de sus obras, pero se perdieron algunas de ellas, como su tratado sobre los « engeños » o instrumentos mecánicos para la guerra y los asedios, su *Libro de caballería* y, lo que es más de sentir, su libro de poesías. Se conservan su *Libro de la caza*, sus crónicas, una genealogía de su familia y su *Libro infinido*, obra didáctica y pedagógica.

Estos trabajos debieron proporcionar al sobrino de Alfonso un rango muy alto entre los escritores que tratan de instruir y de mejorar a la sociedad, pero la verdadera fama de don Juan Manuel se debe a otra obra: *El conde Lucanor* o *El libro de Patronio.* El joven conde Lucanor pide consejos a su viejo ayo Patronio, quien contesta cada vez con un cuento apropiado. Como pregunta el conde cincuenta veces, los cuentos son cincuenta, y la mayor parte de origen oriental. Don Juan Manuel pudo quizá haberlos leído en árabe, idioma que sabía bien. La virtud principal del infante no es la inventiva ni los vuelos de la fantasía. De hecho la originalidad se admiraba mucho menos en la Edad Media que ahora. Don Juan Manuel ni deseaba ni pretendía crear nada nuevo. Era siempre el profesor de las verdades viejas y probadas, pero nos dice en su prólogo que trataba de envolver las sanas lecciones morales con una apariencia agradable, así como las píldoras para el hígado se cubren de algo dulce (el símil es del mismo autor). Lecciones morales aparte, don Juan Manuel tiene estilo propio y un verdadero sentido de lo que es el arte literario en cuanto a la selección de materiales. Sabe construir sus cuentos, eliminando lo superfluo y subrayando lo esencial. No es exuberante, ni hay señales de embellecimiento superfluo, pero es evidente ya el progreso en el arte de la narración desde la época en que Pedro Alfonso transcribió en latín sus escuetas fábulas orientales. Es de notar también que don Juan Manuel no escribe para los predicadores sino para el común de los lectores. Se interesa el autor por la virtud, pero no deja de acentuar lo importante que es la astucia, la sagacidad, la habilidad en la vida de cada momento. El lema de muchos cuentos es: « No te dejes engañar. » No aparece en ellos el amor como motivo literario.

El conde Lucanor fué escrito unos trece años antes que el *Decamerón* de Boccaccio. Al español le habría chocado sin duda la ligereza despreocupada, el desparpajo del italiano, si bien habría admirado su estilo ciceroniano. Boccaccio fué un joven amante de la vida y algo travieso, aunque con los años se arrepintió de sus locuras juveniles. Don Juan Manuel parece haber nacido barbiluengo y grave, y rara vez llega a sonreír entre los cuidados serios de esta trabajosa vida. De vez en cuando deja su gravedad acostumbrada, como al contar de nuevo el cuento de los tejedores que tejían la tela mágica repetido por Cervantes y por Andersen, o el del joven «que se casó con una mujer muy fuerte y muy brava, » esbozo excelente para « The Taming of the Shrew » Shakespeariano (*La fiera domada*). Es probable que sea el más artístico de todos el cuento *De lo que contesció a un Deán de Santiago con don Illán*, *el grand maestro de Toledo*, que sirvió tres siglos después a Juan Ruiz de Alarcón como base de la excelente comedia, *La prueba de las promesas*, sobre el tema de la ingratitud. El pensamiento de don Juan Manuel es medieval y ni siquiera sugiere el paganismo renacentista de Boccaccio, autor sin duda más importante. Pero el cuentista español posee ya un estilo personal y una verdadera noción del arte literario. Para cuentos mejores España tuvo que esperar la época de Cervantes.

Los libros medievales de caballerías. La literatura española hasta 1300 no es muy rica de imaginación, pero hay un género donde muestra su inventiva, al menos en la primera época: la literatura caballeresca. Se conocía en tiempos de don Juan Manuel, y siguió floreciendo durante tres siglos hasta que Cervantes, con su sonrisa irónica, la desterró al absurdo en los primeros años del siglo XVII.

Los libros de caballerías llegaron a España por vía de Francia, donde se habían escrito gran número de poemas en tres ciclos: el de Carlomagno y sus paladines, el de la antigüedad y el de los héroes arturianos. Para la literatura que estaba llegando el más importante de los tres fué el ciclo arturiano. Los asuntos, tratados por los bardos célticos, fueron recogidos por los poetas cortesanos de Francia, como Chrestien de Troyes, y tejidos en una trama romántica de aventuras caballerescas y amorosas que cautivó a toda Europa. Testigos de su vitalidad son innumerables obras literarias y musicales, antiguas y modernas, como el *Tristan und Isolde* wagneriano, los *Idyls of the King*, de Tennyson, el *Tristram* del casi contemporáneo Edwin Arlington Robinson. En el siglo XIII los poemas épicos empezaron a ser compuestos o transcritos en prosa. Muchas de estas novelas se vertieron al español, directamente del francés o por intermedio del portugués o el italiano, y en el siglo XIV circularon sin obstáculos por la Península. Estas traducciones no eran verdaderas obras de arte, pero eran en todo caso eminentemente sugestivas. Su popularidad prueba que el gusto literario, al menos en los círculos cortesanos, ya no se contentaba con relatos de hechos militares, de proezas épicas, sino que se exigía algunos de los refinamientos del amor y de la galantería. Se supone que el pueblo castellano es severo y realista, pero parece que esta clase de varones graves es también en el fondo sensible a los valores de la imaginación, y si los documentos son fidedignos, las historias arturianas y sus semejantes fueron tan celebradas entre los enérgicos castellanos como entre los sentimentales portugueses, o los volubles andaluces. ¿ Quién no ha cedido alguna que otra vez al encanto de Tristán e Iseo, de Lanzarote y Ginebra ?

La primera narración extensa y con sabor nacional en España es *El caballero Cifar*, extraña mezcla de leyenda hagiográfica (San Eustaquio o San Plácido en este caso), relatos de viajes, como los de la novela griega, sermones y otros elementos didácticos con aventuras caballerescas, sin que falte una buena dosis de elementos mágicos. Fué compuesto *El caballero Cifar* muy cerca del año 1300. Aunque sus numerosas fuentes son extranjeras, el desconocido autor logra combinarlas en un todo bastante coherente e infundir a su obra un espíritu netamente español. Una de sus creaciones es la figura del escudero Ribaldo, astuto, práctico, muy poco idealista, pero eminentemente fiel, cuyas palabras y cuyo carácter son como un esbozo crudo é imperfecto de Sancho Panza.

Una de las novelas más populares que ha producido el mundo se llama *Amadís de Gaula*, que es el nombre del invencible protagonista. La obra apareció en la Península antes de 1350, aunque por desgracia no sobrevive ningún manuscrito primitivo. Sus orígenes se encuentran en los temas arturianos franceses. Ha habido grandes controversias sobre si la obra fué escrita primero en portugués o en castellano. El texto más antiguo que ha llegado a nosotros es la versión impresa, en español, del año 1508. Amadís es un caballero sin par, leal a su rey y fiel a su dama, la bella Oriana, a cuyo servicio mata muchos dragones y endriagos, y también a muchos malandrines y malvados. Al final celebra santas nupcias triunfales con la nunca bastante celebrada y alabada Oriana. Una historia de la victoria de las ambiciones ideales del hombre que termina con toda felicidad. Verdadera novela, porque toda la acción está justificada y no ocurre sólo al azar y al capricho de la imaginación. Feliz mezcla de dos elementos que apenas pueden fallar, el amor y las aventuras. Quienquiera que fuese el autor, es evidente que se esforzó por escribir bien, buscando un estilo al mismo

Publishers Photo Service

« Castillos en España. » (El Alcázar de Segovia).

Gramstorff Bros.

El Acueducto de Segovia. Construcción romana.

El Puente de Alcántara, Toledo. Construcción romana, mora y española.

Gramstorff Bros.

L. A. Wilkins

La ciudad amurallada de Ávila de los Caballeros.

La Sinagoga de Toledo, ahora llamada Santa María la Blanca.

Culver Service

Gramstorff Bros.

Algunas de las mil columnas de la Mezquita de Córdoba.

Gramstorff Bros.

La torre mora de la Giralda, adjunta a la Catedral de Sevilla.

Gramstorff Bros.

El Patio de los Arrayanes, en la Alhambra de Granada.

El Patio de los Leones, en la Alhambra.

Gramstorff Bros.

Gramstorff Bros.

La Sala de Embajadores, en la Alhambra.

Hispanic Society of America

Zuloaga: « Albarracín. » Pueblo de la Provincia de Teruel.

Un baile en el barrio gitano de Granada.

tiempo llano y pintoresco. Las descripciones son en general vivas y ajustadas a la acción.

La enorme boga de esta novela vino después de la generalización de la imprenta, pero doscientos años antes de darse a la estampa era muy conocida ya en España.

Casi contemporánea del *Amadís* es una obra de más de 1100 capítulos que relata la historia de las cruzadas hasta 1271. Se llama *La gran conquista de Ultramar*, y está basada en fuentes francesas, o es posible que sea una traducción de un texto original perdido. Para explicar la genealogía de Godofredo de Bouillon se presenta entre otras leyendas la de Lohengrín, el Caballero del Cisne, asunto que no ha perdido aún su frescura.

El drama medieval. Como ejemplo del drama medieval español queda una sola pieza litúrgica, incompleta: *El auto de los Reyes Magos*. El asunto es la Epifanía, y la pieza la más antigua en cualquier lengua romance con excepción del *Jeu d'Adam* francés. El fragmento que se conserva contiene unos 150 versos, y el auto fué compuesto hacia mediados del siglo XII. Gaspar, Melchor y Baltasar aparecen uno por uno y después juntos, hablando de la curiosa estrella en el oriente. Creen que la estrella anuncia el nacimiento del Mesías y deciden ir a ver al Niño, para ver cuál de sus regalos escogerá, oro o incienso o mirra. Informan a Herodes acerca del nacimiento del Niño, y se interrumpe la obra donde Herodes consulta a sus astrólogos. El auto está escrito en versos rimados pero irregulares, y tiene una dignidad sencilla, bastante viveza y un sabor netamente popular.

El drama litúrgico debe de haber seguido en España el mismo curso que en otras partes, apareciendo primero en latín y después en lengua vulgar, en el siglo XII. Se sabe que existieron no sólo piezas religiosas sino también profanas, porque hay en las *Siete partidas* de Alfonso X un pasaje donde se anima a los clérigos a que tomen parte en las piezas dramáticas que versan sobre la vida de Cristo, pero prohibiéndoles que representen o que permitan representar dentro de las iglesias piezas satíricas que pudieran dar origen a manifestaciones impetuosas.

IX

Juan Ruiz y su época

El Arcipreste de Hita. Si a los que aman la literatura española se les dijese que iban a ser destruidos todos los libros pero que podrían salvar a su elección uno de la Edad Media, ése sería sin duda el *Libro de buen amor*.

Su autor, Juan Ruiz, fué un hombre de cuello de toro, ancho de espaldas, narigudo, de orejas largas, pecho robusto y voz varonil. Gustaba del vino, del canto y de las mujeres, y de un modo u otro se hizo clérigo, arcipreste, en efecto, del pueblo de Hita, no lejos de Guadalajara. Nació en Alcalá de Henares y pasó la mayor parte de su vida en Castilla la Nueva, con un largo paréntesis de trece años en la cárcel episcopal de Toledo, donde le metió su arzobispo por causas desconocidas. Esto no le hizo perder el buen ánimo. La cronología de su nacimiento, su vida y su muerte es dudosa. Nació a últimos del siglo XIII y murió hacia mediados del XIV. Es decir que se saben muy pocos detalles de su vida, pero se puede saber mucho acerca de su personalidad si se lee su libro, uno de los más profundamente originales que se han escrito y de los más reveladores.

El Libro de buen amor. Juan Ruiz comienza en un tono solemne, asegurando al lector que el buen amor es el amor a Dios y que su libro conducirá a los hombres a tal amor, apartándolos del amor mundano, del loco amor, el cual es peligrosísimo. Nos dará ejemplos de él para que podamos evitarlo y aprendamos a aferrarnos al bien. Abre el libro Juan Ruiz de manera piadosa con una invocación al Señor para que le libre de la cárcel, y con un sermón en prosa autorizado por citas de la Biblia y de los Padres de la Iglesia. Siguen dos pequeñas poesías sinceras y bellas acerca de los Gozos de Santa María, acompañadas de una fábula. Se intercalan en toda la obra otras muchas fábulas en verso, contadas con una gracia y una viveza no sentidas ni conocidas hasta La Fontaine. Entonces el Arcipreste cuenta cómo se enamoró y envió a un mensajero a requerir a su dama. El mensajero salió muy agresivo:

> El comió el pan más duz (dulce) . . .
> El traidor falso marfuz (engañador) . . .
> ¡ Dios confonda mensajero
> Tan presto y tan ligero!

Entonces se volvió a enamorar de una « dueña de buen linaje e de mucha nobleza . . . de talla muy apuesta e de gesto amorosa, loçana, doñeguil (chica), plazentera, fermosa . . . , » pero la suerte no le sonrió tampoco esta vez. Por la noche aparece don Amor, a quien el Arcipreste dirige una larga invectiva contra los efectos de tal pasión. Don Amor replica largamente, con ejemplos y advertencias muy útiles, como el « fabliau » de origen francés; (el « enxiemplo de lo que contesció a don Pitas Payas, pintor de Bretaña. ») La « señora doña Venus, mujer de don Amor » da al Arcipreste consejos aún más eficaces, y éste al enamorarse de una viudita de Calatayud, ve sus súplicas coronadas por el éxito. Pero no: esta aventura larga y alegremente narrada no le pasó a él, según dice, sino a doña Endrina y a don Melón de la Huerta:

> Entyende bien la historia de la fija del Endrino:
> Díxela por dar enxiemplo, non porque a mí avino . . . "

Aun si este episodio fuese sólo literario, no sería imposible que estuviera basado en la realidad personal del autor. En esta aventura presenta y describe diestramente a una tal doña Urraca, tercera profesional muy ducha en su oficio, capaz de consolar y de ayudar a los amantes necesitados.

Los amoríos que siguen no son de feliz resultado, y el Arcipreste va a buscar una como cura moral en la atmósfera elevada y pura de las montañas. Los rigores de las alturas son atenuados por encuentros galantes con varias serranas, a quienes dedica Juan Ruiz canciones o serranillas deliciosas, ya sinceras, ya burlescas. La proximidad de la Cuaresma lleva al Arcipreste a pensar en cosas más piadosas, y compone un himno a la Virgen y dos poesías sobre la Pasión de Cristo. Entonces describe con gran fruición una batalla entre don Carnal y doña Cuaresma. Esta triunfa por algún tiempo, pero por fin don Carnal con sus huestes de aves de corral, puercos, ganado vacuno, ciervos y jabalíes bate a la generala ascética que se retira con su ejército de sardinas y otros peces, anguilas, camarones y ostras, hasta huir del país por el Puerto de Roncesvalles. El victorioso don Carnal y « clérigos e legos e flayres e monjas e dueñas e joglares . . . Todos van rrescebir cantando al Amor. » Entre los que más se regocijan está el buen Arcipreste, que sigue con diversas aventuras galantes. Se para a meditar sobre la muerte que le ha arrebatado a su fiel tercera doña Urraca (« Trotaconventos ») pero se consuela:

> Ay ! Mi Trotaconventos, mi leal, verdadera . . .
> Cierto en parayso estás tú asentada . . .

La obra termina con una miscelánea desconcertante: unas estrofas que explican « de quáles armas se deve armar todo xristiano para vencer el diablo, el mundo e la Carne, » una docena de estrofas encantadoras sobre « las propiedades que las dueñas chicas han, » un retrato poético de don Furón, nuevo auxiliar de galanterías del Arcipreste, y una explicación de cómo se debe entender toda la obra en donde se dice que ésta es un manual « de la santidat mucha » y un pequeño breviario « de juego e de burla. » A los lectores dice el autor:

> Y un galardón vos pido: que por Dios en rromería
> Digades un Pater Noster por mí e Avemaría.

Aquí termina uno de los manuscritos, pero otro añade canciones sobre los Gozos de Santa María, para escolares que piden limosna, más Loores de Santa María y una « cantica de los clérigos de Talavera, » quienes se quejan amargamente porque el cruel arzobispo de Toledo, don Gil de Albornoz, había mandado cartas diciendo:

> Que clérigo nin cassado de toda Talavera,
> Que non toviese mançeba, cassada nin soltera.

Un análisis tan somero de las 1700 estrofas del alegre Arcipreste no hace más que sugerir lo que contienen, si bien demuestra el carácter heterogéneo de esta hermosa miscelánea medieval. El erudito puede tratar de hallar gustosamente las fuentes en que había bebido el autor. A pesar de lo que dice de su propia ignorancia (« escolar so muy rrudo, » etc.), Juan Ruiz sabía bastante. Como clérigo se había familiarizado con la Sagrada Escritura y con varios libros de derecho canónico o de devoción, que cita con orgullo. No conocía bien las obras de la antigüedad clásica, pero le era familiar el *Arte de amor* de Ovidio. En un largo episodio continúa y amplía la comedia pseudo-ovidiana, *Pamphilus de amore*, obra de un monje medieval que imitó al gran maestro latino. Cuando el Arcipreste cita a Aristóteles, a Catón, a Ptolomeo y a Hipócrates, las citas son de segunda mano. Conocía seguramente uno o más de los *Isopetes* o colecciones de fábulas que circulaban en la España de la época. De la lengua árabe sabía algo o tal vez mucho. Debe de haber conocido francés, pues algunas de sus fuentes apenas existían en español, como su descripción de la batalla de don Carnal y doña Cuaresma, basada en una *Bataille de Karesme et de Charnage*. Es posible que conociera directamente algunas poesías provenzales, aunque lo más probable es que le llegaran por intermedio gallego-portugués. Menciona a Tristán e Iseo, a Flores y Blancaflor. La descripción de la tienda de don Amor está basada en el *Libro de Alexandre*.

El inquieto Arcipreste debe de haber pasado más tiempo en la calle o en otros sitios un poco más privados que en el estudio o en la meditación solitaria, pero es claro que leyó u oyó muchos versos y canciones. La parte narrativa de *El libro de buen amor* está escrita en cuaderna vía, y Juan Ruiz figura entre los últimos que la emplean. Aligera y aviva admirablemente esta forma monótona, de modo que las cuatro rimas sucesivas de cada estrofa no hacen más que arrullar el oído en vez de aburrirlo. En las composiciones de versos más cortos emplea Juan Ruiz una gama muy variada de combinaciones métricas, pues que destina el libro a servir de manual a los poetas y juglares. Muchas de entre las estrofas son las usadas regularmente en la primitiva lírica castellana. El juglar recitaba la parte narrativa del poema, pero debía cantar las canciones, y el público le acompañaba a coro cuando llegaban los estribillos. El Arcipreste nos informa que ha compuesto multitud de canciones:

> Después fiz' muchas cántigas de dança e troteras,
> Para judíos e moros e para entenderas [curanderas por ensalmos]...
> Cantares fiz' algunos, de los que dicen los ciegos,
> E para escolares, que andan nocherniegos,
> E para otros muchos por puertas andariegos,
> Cazurros e de burlas: non cabrían en dyez pliegos.

Es de lamentar que se hayan perdido estas canciones. El Arcipreste demostró también mucho interés por los instrumentos musicales, de los cuales da una larga lista.

Si el contenido del *Libro de buen amor* parece excesivamente desigual y heterogéneo, hay un factor que lo unifica: la personalidad de Juan Ruiz. Nos ha dado su retrato físico (coplas 1485–89), pero a través de la obra revela aún mejor su anatomía espiritual. Tenía la idea, poco común en la Edad Media, de que su propia individualidad, tan interesante para él mismo, también debía serlo para los demás. Escribe alegremente en primera persona y nos pinta el retrato de uno de los pecadores más simpáticos del mundo. La filosofía y la teología que profesa son ortodoxas y no hay derecho a sospechar de sus afirmaciones piadosas ni de la sinceridad de sus devociones, pero el Arcipreste nació para pecar como las aves para volar. Por la mañana se arrepiente fervorosamente y por la noche vuelve a pecar con gran gozo. Es tan grande su vitalidad y tan ardiente su entusiasmo por la vida que no se acuerda mucho tiempo de las prohibiciones de orden moral. Le distrae en un santiamén de todos sus principios la vista de un par de ojos centelleantes o de un cuerpo gallardo.

Juan Ruiz representa el conflicto entre lo vital y lo ascético, y en él triunfa lo vital, como en Chaucer y en Boccaccio. Los moralistas pudieron encarcelarle pero no apagar el fuego de su espíritu ni quebrantar su energía ni su vitalidad. Salió de la cárcel con una obra autobiográfica que le inmortaliza cuando yacen muertos y olvidados sus piadosos perseguidores. Posee una juventud perenne y un fresco encanto que no se marchita con la edad.

El *Libro de buen amor* es de un atractivo universal, pero es también típicamente español. Tiene mucho movimiento, es alegre y regocijado y — podía decirse — de aliento popular y democrático. Pinta a los hombres tales como son y está escrito para todas las clases sociales. No es un producto de la torre de marfil, sino de la observación directa; brillante aunque no cuidado en el plan, ferviente aunque no pulido, quintaesenciadamente humano.

Sátiras medievales. Como antídoto de la despreocupación bulliciosa y vital del Arcipreste de Hita tenemos las obras del grave moralista y patricio don Pedro López de Ayala. Vivió una vida larga y austera, y este mundo le pareció sombrío y triste. Nacido en 1332, en el reinado de Alfonso XI, como nos cuenta en sus crónicas, vivió durante los reinados enteros de cuatro reyes más, Pedro I, Enrique II, Juan I y Enrique III, y murió (1407) un año después de llegar Juan II al trono. Ocupó puestos muy altos en el ejército, la marina y en la corte, mostrando siempre gran vigor e inteligencia, sin olvidar nunca su propio provecho. Una vez fué capturado por el Príncipe Negro, Eduardo de Inglaterra, quien le forzó a pagar un rescate muy elevado. Los portugueses también le capturaron, en 1385, en la batalla de Aljubarrota, y le tuvieron preso un año en una jaula de hierro. Su mujer, su primo el Maestre de Calatrava y los reyes de España y de Inglaterra sentían por él una gran estimación pues pagaron 30.000 doblas de oro por su rescate. Fué embajador en Francia y canciller de Castilla.

Durante su vida de soldado, erudito, poeta y cortesano encontró bastante tiempo para escribir. Tradujo al español algunas de las obras de Livio, Boecio, San Isidoro y San Gregorio, la *Crónica troyana* de Guido delle Colonne, e hizo una traducción parcial de la *Caída de príncipes* de Boccaccio; prueba temprana de que la influencia extranjera en España iba empezando a ser italiana más bien que francesa. Escribió un buen tratado técnico sobre halconería y crónicas notables de los reinados de los cuatro reyes a quienes sirvió.

La obra más famosa de don Pedro López de Ayala se conoce bajo del título de *Rimado de Palacio*. Es una composición en cuaderna vía, de contenido misceláneo, con poesías intercaladas en varios metros. El verso suele ser algo pedestre, porque el numen poético del canciller es flaco. Interesa por su sátira, su pintura algo baja de color de la vida de su época. Su contemporáneo más joven, Juan Ruiz, podía ver y veía la corrupción eclesiástica, las evidencias de la depravación de los hombres con una sonrisa burlona y alegre. Ayala fué, si no misántropo al menos amargado, y habla agriamente de la maldad de todas las clases de la sociedad, desde el rey hasta el más humilde aldeano. Le interesa profundamente el mal estado del mundo y su espíritu se halla deprimido porque no puede hacer nada por remediarlo. No se puede decir que no tuviera base su pesimismo en el siglo XIV (o en el actual) pero de un modo u otro el mundo sigue su curso alrededor del sol. La voz de Ayala se levantó en definitiva para decir exactamente lo que sentía ante la sociedad de su tiempo, con una entereza vigorosa y una considerable dosis de resentimiento.

Otra de las últimas muestras del mester de clerecía es el *Libro de la miseria del homne*. El asunto es el mismo que el de *De contemptu mundi* del Papa Inocencio III. El autor fué probablemente un monje del siglo XIV.

Las consideraciones del mísero estado de los hombres llevan naturalmente a pensar en la muerte. En Francia el asunto de la *Danza de la muerte*, en la cual la Parca poderosa manda a todas las clases que comparezcan ante ella y entren en su danza macabra, fué de fértil inspiración en la literatura y también en el arte, como atestiguan los famosos grabados de Holbein. La *Danza de la muerte* castellana, basada en alguna fuente francesa, pertenece al siglo XV, y muestra la misma actitud de miedo y perplejidad ante el fin ineluctable del hombre y considera también a la muerte como la gran niveladora, que avasalla y arrastra consigo al Papa y al siervo, al gran emperador y al pobre portero. En esta composición no se reflexiona sobre la serenidad del morir, y la muerte se ve como la veía Villon: algo horrible y espantosamente fatal. La *Danza* española tiene poco mérito literario.

Las sátiras de Ayala, y las que vemos en la *Miseria del homne* y en la *Danza*, se dirigen a abstracciones sociales. Otras están más individualizadas, como las *Coplas del provincial*. Esta diatriba satirizó tan ferozmente a las familias más importantes de Castilla en el reinado de Enrique IV que se hicieron grandes esfuerzos por destruirla o evitar su divulgación. Las *Coplas de Mingo Revulgo* constituyen una sátira poética, en forma alegórica, del mismo reinado. Los versos de *Ay, Panadera* se burlan de la cobardía de los que huyeron en la batalla de Olmedo (1445), donde quedaron en el campo después de la batalla y la derrota sólo 37 cadáveres. Se nombra a los cobardes.

No todas las sátiras estaban en verso. La mejor prosa satírica del siglo XV se encuentra en una obra llamada *El Corbacho*, por Alfonso Martínez, Arcipreste de Talavera. También escribió la vida de San Isidoro y de San Ildefonso y una *Atalaya de las crónicas*, pero su fama está basada en su *Corbacho* (« azote »), de 1438. Es la segunda de las cuatro partes la más estimada, al menos por los hombres, ya que se trata de una sátira muy viva de las mujeres, de sus afectaciones, sus vanidades, sus caprichos, su extravagancia en el vestir. Hay muchos detalles pintorescos y realistas, y todo el libro está escrito en un lenguaje picante y popular. Parece extraordinario lo que sabe el autor sobre el tocador de las damas del siglo XV, el cual contiene toda suerte de ungüentos y lociones para la piel y los cabellos, perfumes, especias para el aliento, adornos para cualquier ocasión, canciones, cartas de enamorados « e muchas otras locuras, » pero por el contrario, « Horas de Santa María . . . , estorias de santos, salterio en romance, ¡nin verle del ojo! » Por vanas y coquetas que fuesen las damas que describe Alfonso Martínez, la verdad es que nos han hecho el servicio de ofrecerse como blanco a una sátira excelente. En el estilo del Arcipreste de Talavera ya se ven los gérmenes de la *Celestina* y de la novela picaresca. El autor sintió la influencia de Juan Ruiz. En efecto, se ha dicho que fué tan buen arcipreste el de Talavera en la prosa como el de Hita en la poesía. Aunque esto no sea exacto, Alonso Martínez poseía verdaderas dotes satíricas.

X

Poetas del siglo XV. Romances

El Cancionero de Baena. Juan II, que reinó en la primera mitad del siglo XV (1406–1452), fué un rey débil, constantemente dominado por su poderoso favorito, don Alvaro de Luna. Sin embargo, su corte fué un lugar placentero para músicos y poetas. En 1445 el secretario real, Alfonso de Baena, ofreció al rey una antología conocida como *El cancionero de Baena.* Los poetas representados son cincuenta y cuatro, y las composiciones cerca de seiscientas. Es exacta la frase desdeñosa frecuentemente repetida: « muchas poesías, poca poesía. » Contiene versos cortesanos y no populares, de representantes de la escuela trovadoresca castellana, los cuales datan desde el siglo anterior hasta Baena mismo. Uno de ellos es Macías, que siguió la tradición antigua de poetizar en gallego-portugués y que es conocido en la literatura española como arquetipo de los trovadores que murieron de amor. La leyenda de Macías, tan repetida después de su muerte, es más poética que las poesías suyas que se conservan. Otro poeta del *Cancionero*, Villasandino, posee bastante destreza en la invectiva, a pesar de ser muy prolijo. El grupo más viejo de los poetas del *Cancionero de Baena* seguía imitando la escuela gallego-portuguesa, pero los más jovenes muestran ya la influencia italiana. De éstos el más importante es Francisco Imperial, platero genovés que vivía en Sevilla. Imperial comprendía y amaba al Dante y escribió a imitación del gran italiano un *Decir de las* *siete virtudes*. Las poesías de Imperial eran menos estériles que las de casi todos los poetas que Baena juzgó dignas de figurar en su antología. Todos menos uno.

Este fué Juan de Mena (1411–1456). Nació en Córdoba y algunos han visto en él rasgos que le unen a sus compatriotas hispanolatinos los Sénecas y Lucano, y a Góngora. Mena había estudiado en Italia y era secretario (para textos latinos) del rey don Juan II. La prosa de Mena que conocemos hoy es mala, y malas son algunas de sus poesías, pero no todas. Tenía ciertas ideas renacentistas. Por ejemplo, insiste en que el vocabulario de la poesía debe ser distinto del de la prosa. Toma prestados del latín y del italiano muchos vocablos para enriquecer el español. También retuerce la sintaxis española y es evidente que hace de la poesía un misterio abierto sólo para los iniciados. Aumenta la dificultad de su poesía por medio de constantes alusiones a la mitología y a la historia clásica. Muy estimado en su época, Mena tuvo una influencia considerable sobre sus sucesores. Su importancia se debe más al emplazamiento histórico del poeta en un momento crítico de la poesía castellana que a sus méritos intrínsecos. Su obra más significativa es su *Laberinto de Fortuna*, llamada también *Las trescientas* porque contiene cerca de este número de estrofas (297). Es una franca imitación del *Paradiso* de Dante. El metro favorito de Mena es la copla de arte mayor, estrofas de ocho versos dodecasílabos con rima abbaacca, que tuvo gran boga por más de cien años, aunque en manos inhábiles es muy poco menos monótona que la cuaderna vía.

El marqués de Santillana. No se incluyó tampoco en el Cancionero de Baena al mejor poeta del siglo XV, el muy magnífico y muy noble don Iñigo López de Mendoza, marqués de Santillana, conde del Real de Manzanares, señor de Hita y Buitrago, etc. Sus hazañas fueron aún más grandes que sus títulos de nobleza. Intervino constantemente en la política y en la guerra, y todavía encontró tiempo para el estudio y para la creación literaria. Algunas de sus obras reflejan la misma inspiración indígena que las de sus contemporáneos, pero otras muestran una tendencia más moderna en la que puede verse la influencia de los modelos italianos.

El marqués de Santillana fué un poeta que sabía lo que hacía, y lo que habían hecho sus antecesores. Su *Proemio e carta*, que envió con la colección de sus poesías a don Pedro de Portugal, es el primer documento de historia y crítica literaria en español. Muy interesante es su definición de la poesía: « un fingimiento de cosas útiles, cubiertas o veladas con muy fermosa cobertura, compuestas, distinguidas et scandidas por cierto cuento, peso y medida. » Se insiste, pues, en la utilidad del fondo, de la intención, en el poder creador y la hermosura y regularidad de la forma. El marqués divide la poesía del pasado en tres clases: la sublime, la de los clásicos; la mediocre, la de sus contemporáneos; y, 3°: « Infimos poetas son aquellos que, sin ningún orden, regla ni cuento, facen estos cantares y romances, de que las gentes de baja y servil condición se alegran. » A pesar de este desprecio del marqués aristocrático por lo popular las poesías suyas que más se estiman hoy están basadas en temas populares. No conocía al parecer los poemas épicos de Francia y España, ni conocía directamente a los poetas provenzales, pero sí a los franceses y a los gallego-portugueses. Entre los poetas recientes de su tiempo estimaba más a los italianos. Estaba familiarizado con la poesía catalana y alabó a Mosén Jordi de San Jordi y a Ausías March. Afortunadamente se conserva aún casi intacta la biblioteca de Santillana, con un ejemplar magnífico del *Roman de la rose*.

El marqués escribió poco en prosa, aparte del *Proemio e carta*. De gran interés es su colección de refranes populares, los *Refranes que dicen las viejas tras el fuego*. Es la primera colección de ese carácter hecha en lengua vulgar, y sugiere la rica fuente proverbial en que Sancho Panza iba a beber más tarde.

La mayor parte de las poesías de Santillana están en estilo alegórico dantesco. La *Comedieta de Ponza* en estrofas de arte mayor, describe la batalla naval en que fueron derrotados y capturados Alfonso V de Aragón y sus dos hermanos, y está henchida de adornos mitológicos y pedantes. Se introduce a Boccaccio para consolar a las tristes mujeres de los personajes referidos, y a Fortuna para vaticinarles a todos un porvenir risueño. La poesía contiene una imitación del *Beatus ille*, la primera imitación de Horacio en España. El *Diálogo de Bías contra Fortuna* es una meditación poética bastante larga sobre la vanidad de la vida. El *Doctrinal de privados* (« Manual para favoritos ») es una sátira dirigida contra su enemigo don Alvaro de Luna, que había sido ya decapitado. Los *Proverbios de gloriosa doctrina* fueron escritos especialmente para Enrique III, hijo de Juan II, y trae citas extensas de Salomón, Sócrates, Platón, Aristóteles y otros, con una intención didáctica.

Todas estas obras prueban que el marqués es un poeta culto y digno de estima, pero su encanto y su gracia son mucho más evidentes en sus *Canciones y decires* y en sus diez *Serranillas*. Ya se ha visto el desprecio con que Santillana miraba las composiciones populares, pero en algunos casos se las apropió y las estilizó con su delicada sensibilidad poética. Tal vez las considerara simples bagatelas, pero para el gusto de cualquier moderno son muy superiores a sus composiciones más largas y ambiciosas. Son también más universales en su encanto y formalmente más logradas. Siguen en general la escuela galaico-portuguesa, aunque están siempre en castellano. Los metros son sencillos y los versos cortos. Una de las más agradables es la cancioncita sentimental que empieza:

> Si tú deseas a mí
> Yo no lo sé;
> pero yo deseo a ti
> en buena fe.

Otra que figura en casi todas las antologías es el *Villancico para unas tres fijas suyas*, basada en cuatro temas populares.

De todas las obras del marqués de Santillana las más celebradas, y con razón, son las *Serranillas*. Algunas de ellas, en que la protagonista es una vaquera más bien que una serrana, se parecen más a las pastorelas francesas. El robusto Arcipreste de Hita había descrito a algunas de sus serranas más realista e incluso más burdamente, porque la delicadeza aristocrática no era su estilo. El marqués, en cambio, las poetiza, las dota de atractivos múltiples, les atribuye encantos según su graciosa fantasía y vierte en sus poesías su propia sensualidad refinada. La serranilla más unánimemente admirada es *La vaquera de la Finojosa*. Esta bella taimada se ríe de las solicitaciones del caballero enamorado:

> Bien como riendo
> dixo: « Bien vengades;
> que ya bien entiendo
> lo que demandades:
> non es deseosa
> de amar, nin lo espera
> aquessa vaquera
> de la Finojosa. »

En otras serranillas el encuentro resulta más idílico y feliz. La fina estilización de los temas rurales se encontrará igualada por otro gran lírico, Lope de Vega.

El marqués de Santillana se destaca en la literatura española no sólo por su empleo admirable de las formas tradicionales, sino también por una innovación muy importante: fué el primero que compuso sonetos en español. A sus cuarenta y dos composiciones en el género las llama francamente *Sonetos fechos al itálico modo*, y son en verdad imitaciones, no del todo logradas, de Petrarca. El soneto no se naturalizó por completo en la Península hasta el siglo siguiente, en la edad de Boscán y de Garcilaso de la Vega.

Villena y Manrique. Una de las poesías de Santillana versaba sobre *La defunción de don Enrique de Villena*. Este, de abolengo real por ambos lados, demostró en su vida una mezcla extraña de erudición y de superstición. Sus ambiciones políticas fracasadas, tuvo que retirarse a su palacio, dedicándose entonces a los placeres de la alquimia, la literatura, la gastronomía y el amor. Tenía fama de hombre inquieto. Se le consideraba como adicto a la magia negra y persona que había pactado con Satanás, y bajo tal aspecto se le alude a menudo en las obras literarias hasta el siglo XIX.

Se conservan sólo fragmentos de su *Arte de trovar*, bastantes para probar que la obra está basada en las teorías de los preceptistas provenzales. También se le ha atribuido al llamado marqués de Villena un tratado de astrología, y es cierto que se conserva de él un librito sobre el mal de ojo, en cuyos efectos nocivos creía firmemente. Su tratado sobre la lepra y sus *Trabajos de Hércules* son de menos interés. Solicitado por el marqués de Santillana hizo una traducción, la primera en lengua española, de la *Divina Comedia* de Dante. Tradujo también la *Eneida* de Virgilio y ésa fué la primera traducción del poeta latino en una lengua moderna. Por desgracia su dicción es altisonante y su estilo muy tortuoso. La obra más amena de Villena es, probablemente, una especie de libro de cocina, el *Tratado del arte de cortar del cuchillo*, o *Arte cisoria*. Algunos de los platos descritos parecen productos culinarios muy raros, que quizás hayan tenido su parte de responsabilidad en la muerte prematura del autor.

Villena, por su simple credulidad, pertenece a una edad que nosotros nos complacemos en considerar intelectualmente inferior y rudimentaria. Por el interés que mostró hacia Italia y hacia la literatura clásica, anuncia sin embargo el Renacimiento. Por su inclinación hacia los placeres menos delicados de esta vida podría pertenecer — ¡ ay ! — a cualquier época de la humanidad.

Algunos de los poetas que siguieron a Santillana y a Mena eran no obstante menos modernos que ellos, menos susceptibles a la influencia italiana. Fueron bastante numerosos. Los mejores del reinado de Enrique IV eran Juan Alvarez Gato y los dos Manriques. El primero, un versificador hábil, sobresalió en la poesía festiva, aunque algunos prefieren sus obras religiosas. Gómez Manrique (¿ 1412 ?–¿ 1490 ?) fué guerrero, político y cortesano, muy activo en las tres profesiones. Como gobernador de la ciudad de Toledo fué celebrado por dos motivos: reedificó el famoso puente de Alcántara sobre el Tajo y logró que su cuidad no se pusiese del lado de los portugueses. Además, con cien lanceros, escoltó a don Fernando de Aragón en su viaje para encontrarse con su regia prometida doña Isabel de Castilla. Estimó en poco sus cien composiciones poéticas, conservadas sólo por casualidad, pero en realidad merecen un puesto no muy inferior a las de su tío, el marqués de Santillana. Gómez Manrique es también importante en la historia del teatro español. Escribió un drama litúrgico, *La representación del nacimiento de Nuestro Señor*, en el que actuaron como actrices la princesa Isabel y sus damas; escribió también las *Lamentaciones* dramáticas (para Semana Santa) y dos momos no religiosos para las fiestas de la corte.

Gómez Manrique era sobrino de un gran poeta, Santillana, y tío de otro, Jorge Manrique. Este murió en 1478, antes de llegar a los cuarenta, a consecuencia de las heridas sufridas mientras defendía a la causa de doña Isabel. Las más de sus poesías son convencionales, pero hay una extraordinaria: sus famosas *Coplas* por la muerte de su padre (don Rodrigo Manrique, Maestre de Santiago) que bien merecen el lugar que ocupan en todas las antologías de poesía española. El asunto es un lugar común: lo transitorio de la vida humana y lo inevitable de la muerte. En esto no hay nada nuevo, y no es la novedad que da a los versos graves de Manrique su encanto perenne. Es su dignidad, la gracia de la expresión, la perfección de la forma, la transformación del dolor personal en tristeza universal ante la fatalidad del hombre, la meditación solemne y mesurada sobre la vanidad de las glorias que fueron. El poema de Manrique, como la *Ballade des dames du temps jadis* de Villon, ha sido traducido a muchos idiomas. Especialmente feliz es la versión en inglés de Longfellow.

Se abre el poema así:

> Recuerde el alma dormida,
> Avive el seso y despierte,
> contemplando
> cómo se pasa la vida,
> cómo se viene la muerte
> tan callando . . .

Se comenta así la fuerza niveladora de la muerte:

Nuestras vidas son los ríos
que van a dar en la mar,
que es el morir:
allí van los senoríos
derechos a se acabar:
y consumir.

allí los ríos caudales,
allí los otros medianos
y más chicos,
allegados son iguales
los que viven por sus manos
y los ricos.

El poeta insiste en lo vano de las glorias mundanas, la « vanitas vanitatum » del Libro de Eclesiastés, y se pregunta dónde están los esplendores de antaño:

¿ Qué se hizo el rey don Juan ?
Los infantes de Aragón,
¿ Qué se hicieron ?
¿ Qué fué de tanto galán ?
¿ Qué fué de tanta invención
como truxieron ?

Las justas y los torneos,
paramentos, bordaduras
y cimeras,
¿ fueron sino devaneos ?
¿ qué fueron sino verduras
de las eras ?

Al elaborar extensamente el tema e insistir en la vida que aguarda después de la muerte, Manrique funde su dolor personal en una fe universal, y termina describiendo así la muerte de su padre:

Así con tal entender,
todos sentidos humanos
conservados,
cercado de su mujer
de sus hijos y hermanos
y criados

dió el alma a quien se la dió,
el cual la ponga en el cielo
en su gloria,
y aunque la vida murió,
nos dió harto consuelo
su memoria . . .

El Romancero. Santillana y Mena marcan la transición de la Edad Media al Renacimiento, y el romancero muestra las mismas tendencias. Los romances, completamente medievales en su origen, fueron muy populares entre los poetas del siglo XIV y después, y se emplearon temas del romancero en dramas y novelas del Siglo de Oro, como siguen empleándose hasta nuestros días, no sólo en España, sino también en el extranjero.

Hase de entender que la palabra romance que significaba primero la lengua vulgar por oposición al latín, finalmente se aplicó al poema relativamente corto, a base de versos octosílabos, que tan popular ha sido en la literatura española. El verso octosílabo parece estar en perfecta armonía con el genio del idioma español, y desde hace quinientos años es la más popular de todas las formas poéticas. Algunas composiciones están en romance menor, o sea en versos de seis sílabas, forma que gustó a Góngora y a muchos poetas posteriores.

Hay magníficos ejemplos de romances desde la época temprana hasta García Lorca. En el romance que sigue se ve el espíritu heroico y sencillo, la narración rápida y elíptica de las edades tempranas. Se trata del sitio de Zamora, ciudad heredada por doña Urraca y que quiere arrebatarle su hermano don Sancho:

Rey don Sancho, rey don Sancho, — no digas que no te aviso
que de dentro de Zamora — un traidor ha salido.
Llámase Vellido Dolfos — hijo de Dolfos Vellido.
Cuatro traiciones ha hecho — y con ésta serán cinco.
Si gran traidor fué el padre — mayor traidor es el hijo.

Gritos dan en el real: — a don Sancho han mal herido;
Muerto le ha Vellido Dolfos; — gran traición ha cometido —

Desque le tuviera muerto, — metióse por un postigo.
Por las calles de Zamora — va dando voces y gritos:
— Tiempo era, doña Urraca — de cumplir lo prometido.

Otro romance, de diferente estilo, figura entre los más líricos y sugestivos. Es el del conde Arnaldos:

¡ Quién hubiera tal ventura — sobre las aguas del mar
como hubo el conde Arnaldos — la mañana de San Juan !
Con un falcón en la mano — la caza iba cazar.
Vió venir una galera — que a tierra quiere llegar.
Las velas traía de seda, — la ejercia de un cendal.
Marinero que la manda — diciendo viene un cantar
que la mar facía en calma — los vientos hace amainar;
los peces que andan 'nel hondo — arriba los hace andar;
las aves que andan volando — en el mástil las face posar.
Allí fabló el conde Arnaldos, — bien oiréis lo que dirá:
— Por Dios te ruego, marinero — dígasme ora ese cantar. —
Respondióle el marinero, — tal respuesta le fué a dar:
— Yo no digo esta canción — sino a quien conmigo va.

Se ve que en este caso, como en todos los romances viejos, se emplea la asonancia y no la consonancia, que vino más tarde.

La difícil cuestión de los orígenes de los romances españoles ha sido muy discutida. Es muy probable que los romances sean fragmentos de poemas largos, trozos sacados porque atraían la fantasía de los oyentes o del juglar que los recitaba y que fácilmente quedaban fijos en la memoria. Una vez iniciado el género, fué natural y muy fácil que los juglares imitasen sus modelos primitivos y que compusiesen romances siguiendo la norma usual. Los romances viejos, primitivos, como los poemas épicos, son anónimos. Son « de nadie, » es decir, pertenecen al dominio popular, pero esto no quiere decir que nacieron de un grupo colectivo, de un coro improvisador y cantante. Son productos de autores conscientes, aunque sin duda sufrieron muchas modificaciones según el gusto de los que los oían y los repetían. Muy generalizados, como todo lo que representa el gusto popular, llegaron hasta nosotros por la constante repetición de boca en boca y de generación en generación.

No se puede calcular con exactitud la edad de los romances más viejos. No hay ninguno que estuviera en su forma actual antes del siglo XV. Es muy posible, sin embargo, que algunos se compusieran con anterioridad. Se llaman romances viejos a los conocidos antes del año 1600. Los más de los viejos son cortos, de tema épico, y suponen en el oyente (o el lector) un conocimiento más extenso del héroe o del suceso de que se trata. Los romances fronterizos conmemoran episodios de la guerra entre moros y cristianos en el sur de España. También éstos son romances viejos y cortos. De todos ellos el más antiguo es probablemente el que empieza « Cercada tiene a Baeza . . . » refiriéndose al sitio de esta ciudad en 1368 y compuesto quizás no mucho después. Los romances juglarescos son como refundiciones de trozos de poemas épicos. Suelen ser más largos, más personales, más románticos, y muchos de ellos se refieren a Carlomagno y sus paladines. Los romances eruditos fueron compuestos después de 1550 por hombres más o menos doctos, y son como refundiciones en verso de las crónicas, poco inspirados y muy prolijos. Se llaman romances artísticos los escritos por poetas célebres de los siglos XVI y XVII, tales como Cervantes, Góngora, Quevedo, Lope de Vega y muchos más, en los cuales el romance constituye una parte fresca y encantadora de su obra total. Los romances vulgares muchas veces cantados por ciegos o por músicos callejeros, celebran fechorías de ladrones, bandidos y otros individuos de igual calaña, o comentan los últimos acontecimientos escandalosos o pintorescos. Están fuera del dominio del arte, pero interesan por la continuidad de la tradición que representan.

Se empezaron a imprimir hojas sueltas de romances a poco de la invención de la imprenta y siguen imprimiéndose (romances vulgares) aún hoy en el mundo hispánico. La primera colección impresa fué el *Cancionero de romances*, Amberes, antes de 1550, aumentada en ese año y muchas veces reimpresa. La *Silva de varios romances*, en tres partes, 1550–51, también fué reimpresa varias veces. A estas colecciones anónimas siguieron algunas de autores que incluyeron sus propias composiciones, con muchos romances eruditos. Del gran *Romancero general* se hicieron tres ediciones hasta 1604, y se añadió una segunda parte en 1605. Después se publicaron varias colecciones de romances sobre asuntos especiales: El Cid, Carlomagno, etc. Los alemanes comenzaron a estudiar científicamente los romances españoles a principios del siglo XIX. En España, Agustín Durán, desde 1828, publicó su *Romancero general*, que incluye 1.900 romances. Después de Durán se han descubierto y publicado muchos más. No pocos se han traducido a lenguas extranjeras, sobre todo al alemán, al inglés y al francés.

XI

La época de las catedrales

La arquitectura. Los monumentos más impresionantes de la Edad Media son las catedrales, testimonio extraordinario del sentido artístico y del poder del esfuerzo colectivo de una época que algunas veces consideramos como inferior a la nuestra. Las iglesias primitivas de España eran románicas: relativamente bajas, con arcos de medio punto y paredes espesas, estilo que llegó a su apogeo en la gran catedral de Santiago de Compostela, contemporánea de la de San Sernín en Tolosa de Francia. Como entonces los moros ocupaban el sur de España, la arquitectura románica se encuentra sólo en el norte. Se inspiró frecuentemente en modelos franceses. Las fuentes del gótico español, que aparece en el siglo XIII, también son francesas. Así se ve en los orígenes de la magnífica catedral de Burgos, ejemplo temprano y exquisito de la arquitectura gótica en España. La reina Berenguela mandó al obispo Mauricio a la corte de Enrique II de Alemania a pedir la mano de Beatriz de Suabia para Fernando III de Castilla. El obispo pasó seis meses en su embajada y durante su viaje vió varias catedrales en construcción. Le impresionó sobre todo la de Nuestra Señora de París. Por eso al comenzar a levantar la catedral de Burgos en 1221 (las obras se prolongaron por tres siglos), el estilo general era el gótico francés, con su insistencia en la línea vertical: arcos altos y apuntados, contrafuertes volantes y flechas ascendentes que parecen buscar el cielo. Con los siglos la piedra labrada se ha cubierto de una pátina de oro, y ver desde lejos la catedral por encima del río Arlanza constituye una visión de cuento de hadas. La catedral de León por muchos considerada como el ejemplo más bello del gótico español, es casi en su totalidad un producto del siglo XIII. La de Sevilla, construida alrededor de una antigua mezquita, es la iglesia gótica más grande del mundo cristiano. Vista desde fuera, impresiona y no sólo por sus proporciones. El interior, con más luz que la mayor parte de las catedrales españolas, da una impresión singular de grandeza y de majestad. Muchas de las iglesias españolas son combinaciones de varios elementos nacionales y extranjeros, pues España no acepta fácilmente innovaciones de fuera sin modificarlas con su genio propio.

Es cierto que las catedrales son monumentos del fervor religioso, pero también dan testimonio del vigor cívico y del espíritu de cooperación. Se dedicaban principalmente a fines religiosos, pero servían también de salas de reunión, de centros municipales, de teatros y de bibliotecas. Al talento de los artistas brindaban magníficas ocasiones, y no sólo al arquitecto sino también al escultor en piedra y en madera, al vidriero, al orfebre, al platero, a todos los artífices, incluso a los que hacían la magnífica rejería y obra de forja que tanto abunda en España. Al trabajar el hierro, parece que los españoles, con su tesón característico, se complacían en domeñar un metal tan duro, retorciéndolo y labrándolo en formas graciosas y delicadas según su fantasía. De este arte menor los españoles hicieron un arte noble que produjo obras maestras. Afortunadamente para nosotros hay ejemplos imperecederos.

La Europa medieval en general piensa en dos clases de arquitectura, la románica y la gótica, pero en España existía una tercera, una mezcla del arte europeo con el oriental. Es decir, el arte mudéjar. Los mudéjares eran los musulmanes a quienes los cristianos habían subyugado en varias épocas y en varias regiones y a quienes habían permitido mantener su propia religión. En sus construcciones los mudéjares empleaban mucho la arquería decorativa, los ladrillos sin rebozo, el arco de herradura, aunque fuesen puramente europeos otros elementos de su arquitectura. Se ven buenos ejemplos en Toledo, en las sinagogas, en la Puerta del Sol y la antigua Puerta de la Bisagra, en la iglesia de San Lorenzo, de Sahagún y en otras partes de España, muy especialmente en Aragón. Los numerosos artesonados (techos esculpidos y dorados) que se ven por casi toda España son excelentes muestras del arte mudéjar, cuya influencia se observa también en el cuero repujado al fuego, en las encuadernaciones y en las miniaturas.

La escultura y la pintura. La escultura se consideraba como un arte accesorio a la arquitectura y las dos se desarrollaron juntas. Los asuntos eran principalmente religiosos: Santa María, los apóstoles y otros santos. En los siglos XI y XII los españoles crearon estatuas notables no sólo de piedra sino también de marfil. En los dos siglos siguientes la escultura española era superada sólo por la francesa, y se ven ejemplos notables de ella en las catedrales de Burgos, León, Toledo y Pamplona. Las tallas e imágenes de piedra, mármol, alabastro, jaspe, etc., se hacían más vivas y menos convencionales. En el siglo XV aparecieron en las iglesias y los conventos españoles estatuas de verdadera belleza y originalidad. Dos de los escultores más famosos fueron Gil de Siloé y Diego de la Cruz. La hermosa Cartuja de Miraflores, cerca de Burgos, posee ejemplos excelentes de su obra en el retablo del altar mayor, muy ricamente adornado, y en las estatuas del rey don Juan II y su esposa, doña Isabel de Portugal, dorados, según se dice, con el primer oro traído de América. Las estatuas yacentes de los mismos reyes, obra de Gil de Siloé, en el mausoleo de Miraflores, tienen una grandeza y sencillez muy renacentistas y una serenidad muy española. Los artistas trabajaban bajo el patronato de doña Isabel la Católica.

La pintura no se desarrolló en España tan temprano como otros géneros artísticos. Las pinturas más antiguas, en retablos y murales de los siglos XII y XIII, reproducen asuntos religiosos ya sabidos pero muestran rasgos de observación personal de los artistas. Desde el siglo XII hasta el XVI España fué un crisol de varias influencias en el arte de la pintura, y vinieron a trabajar a la Península muchos artistas sieneses, florentinos, franceses, flamencos. Los artistas españoles estudiaron y practicaron también la pintura en el extranjero, sobre todo en Italia. El arte tierno, humano y realista de Giotto (1276–1336) ejerció sobre ellos una influencia señalada.

Durante el reinado de Juan II, en 1428, el flamenco Jan van Eyck visitó España, y su influencia en la Península duró largos años. La suntuosidad de sus tonalidades (que recuerda las de las miniaturas) su realismo exacto y la detallada perfección de sus cuadros fueron imitados por muchos, como Luis de Morales (1509–1586), llamado « El Divino. » Los asuntos de Morales son siempre religiosos, y logró en ellos efectos de una emoción tierna e idílica.

El espíritu de los pintores italianos, como Giotto y Fra Angélico era alegre y luminoso, pero sus discípulos españoles no eran así. No hay nada alegre, por ejemplo, en la obra del discípulo de Rafael, Luis de Vargas, de quien se cuenta que guardaba siempre al lado de su cama un ataúd abierto, para meditar sobre la inevitabilidad de la muerte. No fueron tan lúgubres todos los pintores españoles, pero es cierto que no asimilaron el tono sensual y pagano de un Ticiano o de un Giorgione.

La música. Se conservan muchos monumentos de las otras artes españolas pero los anales de la música son escasos. El estudio de la música medieval española es fascinador y sería interesantísimo saber a ciencia cierta cómo cantaban sus canciones un trovador de la corte de Alfonso X, un grupo de peregrinos camino de Santiago de Compostela o una banda de alegres estudiantes, pero faltan sobre el particular datos precisos. Es cierto que se ha descifrado una parte de la primitiva música española, pero los musicógrafos no están de acuerdo sobre la exactitud de su interpretación.

Se sabe por lo menos que tanto la música sagrada como la profana florecieron en la España cristiana. Para el siglo X el canto llano se había desarrollado plenamente, y la música eclesiástica siguió las mismas líneas que en Francia. El canto de los mozárabes o cristianos en territoro musulmán fué suprimido oficialmente en 1076, pero persistió incorporado a las costumbres liturgicas aun cuando el rito romano, con música gregoriana, había sido adoptado en casi todo el país.

¿ Qué influencia ejerció la música árabe, mora, andaluza sobre la española y la europea ? Cuestión quisquillosa, sobre la cual los peritos difieren aún más que sobre el problema de las influencias árabes en general. No hay duda de que los árabes poseían una cultura superior, de que eran músicos y preceptistas muy diestros, y de que estuvieron constantemente en contacto con españoles de todas las clases sociales durante algo menos de ocho siglos. ¿ No era más que probable que los españoles tomaran algo de ellos ? El profesor don Julián Ribera trata de probar, en su *Música de las cantigas* (de Alfonso X) que los moros andaluces usaban la escala diatónica y un sistema armónico completo, que se conocía en Castilla hacia el siglo XIII o antes. Pocos aceptan sin grandes reservas las afirmaciones del entusiasta arabista. Con su preferencia por lo árabe el profesor Ribera sugiere que su influencia fué dominante no sólo en la Península ibérica sino también en Francia, como por ejemplo entre los trovadores provenzales. El crítico inglés J. B. Trend es más cauto. Dice en su *The Music of Spanish History*, Oxford, 1926: « Es difícil saber hasta qué punto la música española sufrió la influencia del árabe, porque los árabes no tenían una notación musical fija . . . La aportación árabe a la música española es, pues, el estilo mudéjar — es decir, una manera de ejecución más bien que un tipo de construcción musical, y esta manera oriental de ejecución ha sido siempre exagerada y sigue siendo exagerada todavía, por los tocadores gitanos. » Para el oído del auditorio menos enterado hay algo decididamente oriental, por lo menos no europeo, en estas melodías sencillas pero muy adornadas, vacilando graciosamente alrededor de una nota, con ritmos muy distintivos, generalmente dentro del límite de una sexta, y con sonoridad siempre briosa e intensa. Si bien no es tipicamente árabe esa música, por lo menos es distinta, muy poco vulgar y muy conmovedora.

XII

De los Reyes Católicos a Felipe II

La unificación de España. El desconocido autor del *Poema del Cid* tenía una noción de la unidad hispánica, que fué creciendo durante la Edad Media. Ninguna región por sí misma hubiera podido llegar a ser la gran nación que fué la España de Carlos V y Felipe II. El reinado de Fernando e Isabel fué un período de preparación, sobre el cual edificó Carlos V un gran imperio en Europa y América. Después, en la época de los Felipes, perdió España su excelsitud y su gloria.

La unión de Castilla con Aragón en los desposorios de Fernando e Isabel no implicaba la inmediata unión política de los dos reinos, pero dejaba bien asentados los cimientos. Continuaban en boga por los antiguos reinos leyes y costumbres diferentes, de las que quedan reminiscencias hoy mismo en las regiones, pero era inevitable que se adoptara una política común. El primer paso parecía ser el establecimiento del orden en el reino, suprimiendo a los nobles altivos y poderosos y centralizando la autoridad real, que no existía más que en teoría en la época anárquica de Enrique IV. Los nobles que resistieron tuvieron que arrepentirse porque fueron tratados con mano dura y enérgica. A muchos se les sentenció a muerte y sus rentas fueron confiscadas por la corona, sobre todo en Galicia y en Andalucía. En un plazo de pocos años se llevó a cabo la pacificación de todo el país. La clase media fué mucho menos reacia a esas medidas porque era partidaria de los reyes contra los nobles y se prometía grandes ventajas con un gobierno centralizado y fuerte. Los municipios dependían cada vez más directamente de la autoridad central. Los soberanos pusieron de manifiesto su intención de reinar sin la intervencion de nadie, y rara vez convocaron cortes. En Aragón se celebraban de tarde en tarde; en Castilla sólo nueve veces en los años 1475–1503. En el período 1482–1498, años sumamente importantes para España, no se consultó a las cortes ni una sola vez.

La autoridad principal en los asuntos de gobierno era el Consejo Real, antiguamente compuesto de la alta nobleza y de las jerarquías de la Iglesia. En 1480 los letrados (abogados reclutados en la burguesía) llegaron a constituir la mayoría del Consejo. Los nobles podían asistir pero no votar, y más tarde fueron excluidos como clase y corporación. Entonces el Consejo quedó a merced de la voluntad de los soberanos. Se formaron otros consejos para fines especiales: para regular y dirigir la Inquisición, para la administración de América (Consejo de Indias), para presidir y armonizar las Ordenes Militares, y para administrar las formas forales y regionales de justicia. Se requerían muchos funcionarios para llevar a cabo los decretos de los consejos, y se formó así una burocracia muy complicada.

El tribunal más alto de la justicia era la Cancillería Real, bajo la cual estaban varios tribunales regionales llamados audiencias. Doña Isabel se esforzó por purificar en Castilla la administración de la justicia e impedir que los tribunales eclesiásticos se entremetiesen en la jurisdicción real. Don Fernando hizo otro tanto para Aragón.

En sus planes de liberación de la Península y consolidación de la unidad del reino, Fernando e Isabel se dieron cuenta de que les hacía falta un ejército mayor y una hacienda real rica y saneada. A satisfacer esas dos necesidades se aplicaron con ahinco. Se regularizó y se hizo más eficaz el recaudo de toda clase de impuestos, que los había sobre documentos, sobre compras (alcabalas), y derechos de aduana, se aumentó la venta de las Bulas de la Cruzada (indulgencias vendidas, según la teoría oficial, para las guerras contra los moros), y con todos esos elementos formaron una base permanente para fortalecer las rentas reales. El total de los ingresos en 1504 fué de este modo treinta veces más grande que en 1574. Estaba terminantemente prohibido sacar del país dinero, oro, plata ni cobre.

Se aumentó el ejército, reclutando un varón de cada doce entre las edades de veinte y cuarenta años para el servicio militar. Se abolieron las levas señoriales, y las unidades de combatientes se uniformaron: 500 hombres bajo cada capitán, y doce capitanías, o sea 6.000 hombres bajo cada coronel. Algunos cuerpos de infantería empleaban fusiles (arcabuces), y cada brigada tenía 64 piezas de artillería, que disparaban bolas de piedra. A cada coronelía (6.000 hombres) se asignaron 600 hombres de a caballo. También se reorganizó y se reforzó la marina.

Expulsión de moros y judíos. Pacificado el país, el siguiente paso fué la conquista de Granada. Se había iniciado una nueva guerra contra los musulmanes en 1481. Fernando, con la ayuda de algunas victorias locales y aún más por medio de mentiras y traiciones, artes en que era tan diestro como los dictadores modernos, logró años después llegar hasta la Vega de Granada y poner sitio a la ciudad misma. Fué ésta valerosamente defendida por Boabdil, pero el hambre forzó al rey moro a rendirse, el 2 de enero de 1492, después de cumplidos 781 años de la incursión de Tarik. Ya no se izaba la bandera de la Media Luna sobre ningún alminar español. Según el convenio de la rendición, no se molestaría en Granada ni en otras partes a los musulmanes y éstos podrían practicar libremente su religión. Poco después los españoles hicieron nulo el convenio, y según un real decreto de 1502 los musulmanes debían hacerse cristianos o abandonar el país. Muchos de los hombres principales del reino pidieron al rey que volviera de su acuerdo, pero fué en vano. La mayor parte de los musulmanes prefirieron quedarse. A éstos se les llamó después moriscos. Como habían adoptado su nueva religión a la fuerza, se sospechó muchas veces de su ortodoxia y se vieron perseguidos a medida que crecía la intolerancia religiosa española.

Desde 1492, Fernando e Isabel poseían toda la Península ibérica excepto Portugal y Navarra. Portugal no había de unirse a España hasta 1580, pero en 1512 Fernando aprovechó la ocasión para tomar Navarra. El Papa aprobó la conquista de la parte de aquel reino que quedaba al sur de los Pirineos y que se añadió de manera permanente al dominio español.

Parece comprobado que para los españoles de la época de Fernando e Isabel el acontecimiento principal del año 1492 fué la conquista de Granada. Es probable que hicieran poco caso de un visionario testarudo llamado Cristóbal Colón. Este no pudo tampoco llamar la atención del resto de Europa, pero los soberanos españoles, aunque no rebosaban de entusiasmo, por lo menos le facilitaron tres carabelas bastante diminutas, con las cuales realizó hazañas peregrinas. Los soberanos no dejaron de reservarse legalmente para el futuro cualquier beneficio que resultase de su viaje de exploración ni de proveer la administración de cualesquiera tierras que fuesen descubiertas. Así se descubrió a América y se fundaron los cimientos del imperio colonial más grande que jamás había visto el mundo.

Las colonias americanas, conocidas como Indias, recibieron la forma de gobierno en boga en la madre patria. Se formó un Consejo Supremo de Indias para encargarse de las nuevas tierras. La corona nombraba a los gobernadores, siendo el primero (y no muy afortunado) Colón mismo, y la tesorería española aumentó adecuadamente el número de funcionarios para recaudar toda clase de nuevos impuestos. El sistema legal y eclesiástico de las colonias era también el de España. La reina Isabel hizo una innovación sorprendente: declaró a los naturales de América libres ante la ley. La general actitud europea hacia los pueblos salvajes no les concedía ningún derecho y los consideraba como seres nacidos para la esclavitud. Teóricamente la decisión de Isabel era extraordinariamente liberal. Por desgracia en la práctica los hechos no armonizaban con sus propósitos idealistas y la codicia humana abusó frecuentemente de los indefensos americanos. Sin embargo, los indios de la América hispánica sobrevivieron en mayor número que en las naciones que se suponían después más civilizadas, como los Estados Unidos y el Canadá.

Además de la conquista de Granada y el descubrimiento de América ocurrió en 1492 otro acontecimiento de mucha importancia: la expulsión de los judíos. No se puede dudar de la piedad de la reina Isabel, y su motivo fué quizá la purificación de la fe. Los judíos, como era natural, resistieron a la conversión, aunque algunos se habían hecho cristianos sinceros, y fueron un estorbo para la implantación de una sola religión en todo el país. Muchos de los judíos eran ricos envidiados, y a veces profundamente odiados por una parte importante de los españoles cristianos. Comoquiera que fuese, los soberanos decretaron el 31 de marzo de 1492 que todo judío que no aceptara la conversión fuera expulsado del reino en los cuatro meses siguientes al decreto. Este se aplicó a Aragón como a Castilla, y pronto lo promulgaron también Navarra y Portugal. Algunos judíos aceptaron el bautismo, pero fueron más los que prefirieron el destierro. Se ha calculado su número, por cierto exageradamente, en dos millones. Los cálculos más moderados dicen haber sido 165.000 los expulsados, 50.000 los conversos, y 20.000 los muertos camino del destierro. Los prófugos se dispersaron por muchas tierras, y ahora se encuentran grupos de sus descendientes que todavían hablan español y siguen el rito llamado sefardí en Turquía, en Grecia, en el norte de Africa y en los Balcanes. También hay una colonia bastante numerosa en Nueva York.

La inquisición española. No cabe duda de que en tiempos de los Reyes Católicos se había llegado a creer que la unidad nacional debía llevar consigo la fe y la práctica de una sola religión. Ya habían pasado los días en que Alfonso el Sabio pudo mantener en su corte con entera tolerancia a eruditos y artistas cristianos, moros y judíos. La fe de los españoles era profunda y había que mantenerla pura e intacta. A los

Gramstorff Bros.

La Puerta de Visagra, Toledo.
Estilo morisco-cristiano.

Hispanic Society of America

Aldabón, c. 1500. Estilo mixto.

Plato típico hispano-morisco.
Siglo XV.

Hispanic Society of America.

San Francisco. Bordado en alto relieve, del siglo XVI.

Hispanic Society of America

San Francisco. Figura de madera por Alonso Cano (1601–1667), escultor y pintor.

Culver Service

Underwood and Underwood

Vista de la bella Catedral de Burgos.

Gramstorff Bros.

San Juan de los Reyes, Toledo. Estilo gótico tardío.

San Lorenzo del Escorial. En forma de parrilla. Arquitecto, Juan de Herrera.

Gramstorff Bros.

R. Balaco: « Colón ante los Reyes Católicos. »

F. Pradilla: « Juana la Loca. » Llevaba consigo en sus viajes el cadáver de su esposo, Don Felipe el Hermoso.

L. F. Usabal: Retrato (algo efectista) del gran conquistador, Hernán Cortés.

Culver Service

El conquistador Pizarro ante el emperador Carlos V.

Metropolitan Museum of Art

Antonio Moro (Antonis van Dashorst): « Felipe II. »

Reyes Católicos les pareció lógico y plausible pedir al Papa que formase un cuerpo eclesiástico bastante extenso y compacto para lograr la unidad más perfecta en la Iglesia y en la nación, y asegurarlas contra todo elemento disidente. El 1° de noviembre de 1478 el Papa Sixto IV promulgó una bula que autorizaba a Fernando e Isabel a establecer la Inquisición. Los jueces habían de ser cuidadosamente escogidos, hombres conocidos por su virtud y su sabiduría, de más de cuarenta años, maestros o doctores en ciencia sacra, para investigar, descubrir y castigar la herejía. No se podía condenar a nadie sin el testimonio de dos testigos. Otra de las reglas establecía un plazo de treinta o cuarenta días, en el cual el acusado de heterodoxia pudiera reflexionar, arrepentirse y reconciliarse con la Iglesia. El acusado se consideraba culpable hasta probarse inocente, y no sabía quiénes le acusaban, pero podía dar antes del juicio una lista con los nombres de sus enemigos, cuyo testimonio por solo ese hecho se declaraba inválido. Algunas veces la gente olvida que la Inquisición no tenía que ver con los infieles, es decir, con judíos ni musulmanes, sino únicamente con los que profesaban la fe cristiana. No existió el problema de los gentiles después de 1492, porque los de sangre y religión judía o mora que quedaban tuvieron que aceptar el catolicismo.

Era grande el número de judíos conversos en España, y había muchos ricos y poderosos que ocupaban altos puestos en el gobierno y aún dentro del clero católico. Se sospechaba de la sinceridad de su fe y muchos eran acusados de judaísmo. La *Catholic Encyclopedia*, artículo *Torquemada*, dice lisa y llanamente que España estaba llena de Marranos, palabra fea aplicada por el pueblo a los conversos, que estos Marranos « trataban de judaizar toda España, » y que « la fe católica estaba en gran peligro debido a ellos. » Estas afirmaciones representan un punto de vista extremista. No se puede negar que algunos eran conversos insinceros y que seguían con prácticas judías o musulmanas en secreto. Esos eran los herejes más perseguidos.

Los procesos inquisitoriales aun acompañados del encarcelamiento, del tormento y de la muerte en lenta agonía, no eran nada nuevo en el mundo a últimos del siglo XV. Un escritor contemporáneo, William T. Walsh, en *Characters of the Inquisition*, Nueva York, 1940, sugiere que el primer verdadero inquisidor fué Moisés. Cuando los israelitas, tolerados y aun ayudados por Aarón, adoraban el becerro de oro, Moisés les obligó a reducir el ídolo a polvo y a beber ese polvo mezclado con agua, y mandó a los hijos de Leví que arremetiesen contra los idólatras. «... y perecieron en aquel día como veinte y tres mil hombres.» (Vúlgata, Exodo XXXII, 28; la versión King James dice que unos tres mil). Moisés vertió aún más sangre cuando los israelitas incorregibles tomaron como amigas a las hijas de Moab y adoraron a Beelfegor. Es decir que procedió con gran severidad para castigar la herejía.

Prevaleció un espíritu más cristiano en los tres primeros siglos de nuestra era, cuando la Iglesia trató de evitar el derramiento de sangre (« Ecclesia abhorret sanguine »). El principio, aprobado por San Agustín y otros Santos Padres, fué enunciado por Lactancio (m. 325): « Si tratáis de defender la religión con el derramiento de sangre y el tormento, lo que lográis no es la defensa sino la execración y el insulto. » Se consideraba como castigo suficiente entre los infieles la exclusión de la comunión cristiana. No prevaleció sin embargo ese principio, y empezó la persecución que pronto llegó a los mayores extremos, incluso la muerte en la hoguera, de los herejes. Estas persecuciones fueron llevadas a cabo más frecuentemente bien por un pueblo airado o bien por un soberano con celo excesivo mientras que la Iglesia se esforzaba por proceder lenta, justa y piadosamente.

La Inquisición como cuerpo oficial durante la Edad Media fué establecida por el Papa Gregorio IX, que ocupó el solio pontifical entre 1227 y 1241. Gregorio nombró jueces especiales permanentes que habían de cooperar con los obispos para suprimir la herejía. Los inquisidores eran miembros de las órdenes de dominicos y franciscanos, fundadas poco antes y actuaron sobre todo en el sur de Francia, contra los albigenses. Se estableció la Inquisición en Aragón en 1232. Uno de los inquisidores más famosos fué un español de

Tarragona, Nicolás Eymeric, que pasó cuarenta y seis años husmeando cuidadosamente, tratando de suprimir la herejía. Legó a la posteridad un *Directorium Inquisitorum* o *Manual de Inquisidores*. No se sabe el número de herejes muertos en la hoguera como resultado de sus investigaciones.

La Inquisición española de los tiempos de Fernando e Isabel no representa una novedad. La única innovación consiste en que era independiente de los obispos y en que por estar bajo el dominio directo de los soberanos parece mejor organizada. El producto de la confiscación de los bienes de los condenados por la Inquisición ingresaba en la tesorería real. Esta disposición no debía disgustarle a Fernando, que siempre necesitaba dinero para sus guerras. Era natural que surgiese la sospecha de que la Inquisición tenía a veces en cuenta las grandes riquezas al mismo tiempo que las herejías.

Los primeros inquisidores nombrados por Fernando e Isabel fueron dos dominicos poco misericordiosos que empezaron su obra en Sevilla, celebrando su primer auto de fe en 1480. Procedieron cruelmente y cometieron muchos abusos. El Papa Sixto IV halló muy fundadas las quejas contra ellos y amenazó con destituirlos. El verdadero organizador de la Inquisición española fué el confesor de la reina, un dominico también, llamado Tomás de Torquemada. No tenía ambiciones personales; era devoto, vigoroso, tenaz, hábil, sin temor de nadie, servidor del Dios de la Justicia más bien que del Dios de la Misericordia. Hizo de la Inquisición un instrumento eficaz para sus fines. La dedicación total a sus deberes poco simpáticos hizo que muchos abominasen de él, y su nombre causa horror todavía entre muchas gentes, sobre todo protestantes y judíos. « Feroz fanático dominico, » « hombre arrogante bajo la capa de la humildad, » quien « tenía sed de sangre herética » (M.A.S. Hume, *The Spanish People*): se le han aplicado éstos y peores juicios. El historiador Walsh, ardiente apologista católico, dice: « Para casi todos los católicos españoles Torquemada fué un hombre docto y manso que había abandonado el claustro para desempeñar una tarea difícil pero necesaria, con un espíritu de justicia templado por la misericordia . . . Para algunos era más que eso; era un santo . . . Después de su muerte la gente comenzó a orar ante su tumba. Sin embargo, no ha sido canonizado. » Verdad es que no.

Es muy difícil saber el número de herejes sacrificados en la hoguera en tiempos de Torquemada. Juan Antonio Llorente, renegado y ex-Secretario General de la Inquisición, dice en su *Histoire Critique de l'Inquisition* que fueron quemados unos 8.000 y otros 100.000 condenados a otras formas de castigo. Llorente es un testigo sospechoso y hay que rebajar sus cifras. Quizás hubo unos 2.000 quemados. La Inquisición también procedió contra los muertos, y fueron desenterrados y quemados los cuerpos de algunos condenados « post mortem. » Los vivos que se escaparon fueron quemados en efigie y su hacienda confiscada. Pero hay que distinguir: la Inquisición por sí misma nunca quemó a nadie. Los condenados eran entregados al brazo secular (civil) para su castigo. Como las autoridades podían ser excomulgadas, y así pasó algunas veces, si no llevaban a cabo las disposiciones de la Inquisición, la distinción es algo sutil. No se empleaba el tormento como castigo sino para averiguar los hechos. El tormento no era método exclusivo de la Inquisición sino que se empleaba en los tribunales civiles por toda Europa (a excepción del territorio aragonés). El tormento inquisitorial según la ley no debía poner en peligro ni la vida ni la salud del interrogado. ¿ Fué así en la práctica ? Aun en el siglo XVIII cierta abadesa, la madre Agueda de Luna, murió a consecuencias del tormento, pero esto era una excepción. Confesó haber tenido cinco hijos con un discípulo « perverso » de Miguel de Molinos, el padre Juan de la Vega, a quien encarcelaron bajo condena de cadena perpetua.

Es cierto que se ha hablado con exageración de las severidades de la Inquisición española, por gentes hostiles a España o a la Iglesia Católica. También es cierto que España y la Iglesia Católica han sufrido en la estimación general que se tenía de ella. Duró la Inquisición mucho tiempo en España y en la América española, porque no fué suprimida definitivamente hasta 1820.

La expansión territorial. Fernando e Isabel habían cimentado la unidad política y religiosa de la Península. Para el espíritu ambicioso de Fernando esto no bastaba. Quería hacer de España un gran poder mundial, y al llegar a la vejez tenía muchas razones para creer que lo había logrado. Fué imperialista sin freno, y luchó con todas sus energías, que eran muchas, para ensanchar su dominio y para frustrar la política de Francia y del Sacro Romano Imperio. Inglaterra no era importante todavía y no había en el horizonte rivales serios. Portugal tenía una historia gloriosa de descubrimientos y colonizaciones, y después del primer viaje de Cristóbal Colón era evidente que España y Portugal se verían en conflicto. Se resolvió el problema con la línea de demarcación establecida por el Papa Alejandro VI, de la familia aragonesa de los Borjas. El Tratado de Tordesillas (1494) consolidó el acuerdo. Sin embargo, surgió un conflicto en Africa, después del cual España quedó en posesión de las Islas Canarias, Bugía y Argel.

España extendió sus territorios en Europa a expensas de Francia. En 1494 Carlos VIII de Francia y Fernando hicieron un tratado proveyendo que Francia restaurara a España la parte catalana de la Cerdaña y del Rosellón, y que Fernando no ayudara a ningún enemigo de Francia excepto al Papa, que no favoreciera alianzas matrimoniales entre miembros de la familia real española y las de Inglaterra, Austria ni Nápoles. No hay noticia de que Fernando guardara la palabra en promesas embarazosas para su política. El y su reina proyectaron casar a sus hijos en seguida con la mayor ventaja possible para el imperio. Una serie de muertes prematuras anularon la unión proyectada con Portugal, y no tuvo mayor éxito un plan de alianza con Navarra. Enrique VIII casó con Catalina de Aragón, y su escandaloso divorcio precipitó el rompimiento entre la Iglesia de Inglaterra y el Papado. Uno de esos casamientos tuvo resultados importantísimos, el de la princesa Juana con Felipe el Hermoso, hijo de Maximiliano de Austria.

Carlos VIII de Francia había esperado que Fernando estaría dentro de sus fronteras mientras él maduraba sus planes para apoderarse del reino de Nápoles. El rey español también quería mantener encerrada a Francia dentro de sus propios límites mientras ensanchaba sus dominios. Los dos reyes hicieron varias gestiones y ensayaron una guerra, con varia fortuna y con varias alianzas, tratados secretos, treguas y hostilidades renovadas. Por fin el famoso guerrero español, Gonzalo de Córdoba, llamado « El Gran Capitán, » ganó una serie de victorias que dieron a España posesión del reino de Nápoles en 1504.

El mismo año se produjo la muerte de la reina Isabel. En su testamento ésta declaró heredera a su hija Juana, conocida en la historia por el nombre de Juana la Loca. Estaba la joven esposa extraordinariamente celosa de su marido austríaco, Felipe el Hermoso, no sin algún fundamento, y tenía el cerebro desquiciado, aunque con intervalos de cordura. Felipe I era ambicioso, y tomó las riendas del gobierno de Castilla, y Fernando se retiró a Nápoles. Felipe murió en 1506, y Fernando fué llamado como regente. Se ocupó en intrigas contra Luis XII de Francia, cuyas tropas fueron por fin expulsadas de Italia. El antiguo confesor de Isabel, ahora arzobispo de Toledo, el cardenal Jiménez de Cisneros, uno de los verdaderos grandes hombres de la época, armó con su propio dinero una expedición para combatir en el norte de Africa. El éxito fué considerable, y la capital de Río de Oro (Sahara Español) lleva hoy el nombre de Villa Cisneros.

Por sospechosos que parezcan al moralista los métodos de Fernando, sus esfuerzos habían elevado a España al primer rango entre las naciones europeas. Tenía tan pocos escrúpulos como sus rivales y contemporáneos y como algunos de los nuestros. A su muerte en 1516 España estaba preparada para hacerse la nación más poderosa de la tierra si encontraba otro soberano a la altura de Fernando. Le encontró en la persona del nieto de los Reyes Católicos, Carlos de Gante.

El reinado de Carlos Quinto. Juana la Loca, madre de Carlos, vivía aun a la muerte de Fernando pero estaba mentalmente incapacitada para reinar, y su hijo fué llamado de los Países Bajos a ser rey de Aragón y Navarra y regente de

Castilla. El cardenal Cisneros sería regente interino. Carlos pidió que le proclamaran rey de Castilla, y consintió Cisneros, a pesar de la resistencia de las Cortes. En 1517 el joven soberano llegó a España, rodeado de un numeroso grupo de cortesanos flamencos, cordialmente odiados por los españoles. Carlos destituyó a Cisneros sin concederle ni una entrevista siquiera.

El reinado de Carlos I de España abarca toda la historia de Europa. De su madre doña Juana y su abuelo Fernando heredó Castilla, Aragón, Navarra, la Cerdaña y el Rosellón, Cerdeña, Sicilia, el reino de Nápoles y las posesiones españolas en Africa y en América; de su padre Felipe I obtuvo varios territorios en Francia, Flandes, Luxemburgo y los Países Bajos. Era además heredero de Maximiliano, y pretendiente de bien fundados derechos al trono del Sacro Imperio Romano. En efecto fué elegido para este puesto a la muerte de Maximiliano en 1519, y como tal emperador Carlos V rigió uno de los imperios más extensos que había conocido el mundo. Es decir que trató de regirlo, pero estaban sus posesiones flojamente unidas, y tenían interés y problemas muy distintos. Existían muchas posibilidades naturales y políticas de disensión. Además fué en tiempos de Carlos V cuando surgió el protestantismo para complicar aún más sus problemas. Es probable que el reinado de Carlos V hubiera sido más ventajoso para España si las circunstancias le hubieran permitido concentrar sus energías sobre sus propios intereses nacionales. La verdad es que España perdió muchísima sangre y grandes riquezas tratando de resolver los problemas del resto de Europa que no eran problemas intrínsecamente suyos. Carlos se consideraba campeón del Catolicismo, y se esforzó por imponerse en todos sus dominios. Los protestantes resultaron ser muy tercos y el emperador no logró sus ambiciones de unificación. Francisco I de Francia fué su constante rival, y los dos estuvieron casi siempre en guerra. Ambos aceptaron la ayuda de los príncipes protestantes alemanes cuando les era provechosa, y Francisco se alió incluso con los turcos. En resumen de cuentas, Carlos salió victorioso sobre su rival

Francisco. El rey francés, completamente derrotado en 1525 (batalla de Pavía) fué preso y llevado como tal prisionero real a Madrid. Fué entonces cuando Francisco escribió a su madre las palabras famosas: « Señora, todo se ha perdido salvo el honor. » Cabe observar que para Francisco y muchos de sus contemporáneos, el honor no implicaba la obligación de guardar la palabra empeñada. El resultado más visible de las guerras franco-españolas en Italia fué que Carlos se apoderó de Milán. Guerrear en el norte de Africa era una necesidad práctica, porque los piratas bereberes apoyados por los turcos, no sólo atacaban buques españoles en alta mar, sino que asolaban la costa española penetrando a veces tierra adentro. El pirata Barbarroja, renegado griego, se hizo tan poderoso que gobernaba los reinos de Argel y Túnez. Le hicieron almirante de la marina turca y desde Túnez amenazaba a la Italia española. Carlos mismo condujo una expedición contra él en 1535, y Barbarroja fué destronado. El éxito fué pasajero, y otra expedición española contra Argel en 1541 fracasó por completo. Los musulmanes africanos y los turcos siguieron con sus piraterías contra los españoles durante todo el siglo XVI. Las tropas españolas también combatieron por tierra a los turcos, pues la Media Luna había conseguido retener como prisioneros en Hungría a muchos españoles.

Aunque estas guerras parecían traer al país ventajas por el momento, eran por demás costosas. En muchas ocasiones no se pudo sacar partido de las victorias por falta de dinero para organizarlas. Por fortuna los gastos de estas guerras podían ser costeados con el oro de otro origen: América. El reinado de Carlos V fué la época de la conquista y de la colonización de los nuevos territorios en las Indias Occidentales (América), fué la época de los aventureros intrépidos y de conquistadores como Cortés, Pizarro, Núñez de Balboa y otros muchos. Las guerras en Europa y la conquista y la organización de América consumieron una parte no pequeña del caudal humano, pero España recibió en cambio oro y plata abundantes, y la madre patria gozaba con sus nuevas colonias de un comercio rico y provechoso

Los puertos favoritos eran Sevilla y Cádiz, y toda la flota mercante estaba en manos de españoles.

En suma España estaba gozando de un período de gran prosperidad. Creció su industria, aunque desgraciadamente a expensas de la agricultura. Los que labraban la tierra sufrían de los privilegios concedidos a los ganaderos y a su poderosa organización la Mesta. Los pastos ocupaban mucha tierra que habría convenido arar y cultivar. Todas las formas de actividad económica estaban reguladas severamente por numerosas ordenanzas, y aunque el propósito era facilitar las manufacturas y el comercio dentro del país, el resultado fué contrario y se limitó en suma el desarrollo económico. Muchos agricultores o industriales fracasados entraban en el ejército o en la Iglesia o se iban a Indias, y el comercio y la producción agrícola disminuían a paso lento pero constante. A fines del reinado de Carlos V el esplendor económico del Imperio se apoyaba en cimientos inseguros. Al final del siglo XVI, el ganado lanar, por ejemplo, se había reducido de siete a dos millones de ovejas. El número de telares en Sevilla, estimado en la primera parte del reinado de Carlos en quince o diez y seis mil descendió a cuatrocientos. En el año 1558 Toledo había perdido la mayor parte de su industria de seda. A pesar de los grandes esfuerzos por parte de España para echar los cimientos de una verdadera prosperidad económica, no se pudo evitar el fracaso que anunciaba el futuro eclipse del país como gran potencia mundial. Quizás hubiera convenido que los españoles, en vez de correr entusiasmados hacia las altas empresas y las aventuras fantásticas, se hubieran quedado en casa para ganarse la vida tranquila y seguramente. Sabido es que les sobraban fuerzas y energías. Carecían sin duda de la prosáica virtud de la prudencia.

XIII

El Renacimiento en España

Las corrientes de la cultura. Si el período generalmente llamado el Renacimiento en la Península ibérica parece mostrar todos los síntomas de una decadencia económica y política, muestra en cambio un vigor artístico y cultural que ha legado a la posteridad monumentos permanentes. Cuando España comenzó sus conquistas en Italia ganó algo más que nuevos territorios. Los españoles conocieron allí el calor vivificante de una cultura que había de propagarse por toda Europa. Hasta principios del siglo XV, Francia había sido el centro cultural más importante. Ahora le tocaba a Italia, y el nuevo deseo de saber, la recreación del pensamiento y el sentimiento latinos, y la revaloración creciente de la cultura de la antigua Grecia inflamó la imaginación de la humanidad con un nuevo y verdadero frenesí.

El descubrimiento tan oportuno de la imprenta durante este período abierto al entusiasmo de las ciencias y las artes se puede considerar de una transcendencia inestimable. La imprenta fué introducida en España casi al mismo tiempo que Caxton la llevaba a Inglaterra. Es muy posible que el primer libro impreso en España fuera *Trobes en lahors de la Verge Marie*, Valencia, 1474. Poco tiempo después abundaban las imprentas por toda la Península. La mayoría de los primeros impresores eran extranjeros, principalmente de origen alemán.

La antigua cultura no se había interrumpido en Europa, y es absurdo creer que la humanidad se acostó una noche con sus ideas y sentires en las nieblas medievales y se levantó a la mañana siguiente bajo el brillante sol del Renacimiento. Las ideas y las costumbres humanas cambian de una manera muy lenta, y en este caso el cambio ocurrió también de un modo gradual. Las manifestaciones de la cultura en España, por ejemplo, eran muy diferentes en los tiempos de Carlos V de lo que habían sido durante el reinado de su bisabuelo Juan II. Durante la vida de éste no existía en España un verdadero conocimiento del griego, y el latín no se estudiaba con mucho vigor. Por lo general la instrucción se confinaba dentro de la Iglesia y la única universidad en la España de entonces era la de Salamanca, que había sido fundada a principios del siglo XIII. Impelidos por el deseo de obtener mayores conocimientos, algunos españoles empezaron a estudiar en el extranjero, por ejemplo, en Bolonia. Se fundaron muchos « estudios generales » en Sigüenza, Valladolid, Sevilla, Toledo, Santiago de Compostela, Avila, Barcelona, Valencia, y la mayor parte de esos centros pronto se convirtieron en universidades. En 1619 ya había treinta y dos. De todas las nuevas instituciones la más importante fué la de Alcalá de Henares, fundada en 1508 por el munífico cardenal Cisneros, quien desempeñó un papel muy importante en la religión, la política, la guerra y la educación. Fué creada especialmente para el estudio de humanidades, al que se dedicaban la mayoría de las cuarenta y dos cátedras. Los profesores y los estudiantes que querían ese género de cultura iban a Alcalá no solamente de España, sino también del extranjero, y aquella universidad continuó con una tarea gigantesca de cooperación bajo los auspicios de Cisneros: la redacción e impresión de una Biblia poliglota, la Biblia Poliglota Complutense. Fué el primer esfuerzo hecho para publicar una edición crítica de las Sagradas Escrituras: el Antiguo Testamento en hebreo y caldeo, junto con la Vulgata, y el Nuevo Testamento en griego y latín, con glosarios asimismo en hebreo y caldeo. Los manuscritos fueron traídos e todas partes de Europa, y un gran número de hombres doctos trabajaron juntos durante quince años para llevar a cabo esa empresa. El Nuevo Testamento en griego fué el primero en ser publicado, siendo impreso dos años antes que el dado a la imprenta por Erasmo en Basilea. Los seis tomos en folio constituyen un hecho tipográfico de cierta originalidad porque una gran cantidad del tipo de imprenta tuvo que ser especialmente fundido para esa obra. Solamente seiscientas copias fueron impresas y muchas de ellas se perdieron en el mar cuando le eran enviadas al papa León X.

El deseo de aprender se notaba en todas las clases sociales, incluso en la familia real. La reina Isabel habíase entregado al estudio después de su coronación y llegó a ser una latinista bastante buena. Sus hijos recibieron después una educación excelente. Juana (la Loca) podía contestar con discursos — más o menos estrafalarios — en latín a los saludos de bienvenida que recibió en varias municipalidades viajando por los Países Bajos. La nobleza siguió el ejemplo real, y aunque esa actitud olía mucho a dilettantismo, por lo menos el nivel general de la cultura ascendió considerablemente. Este fondo de cultura ofreció los cimientos necesarios para las grandes obras artísticas que habían de aparecer en los siglos XVI y XVII.

Antonio de Nebrija. El erudito que más se destacó en la corte de los Reyes Católicos fué Antonio de Nebrija (Lebrija) (c. 1441–1522). Empezó sus estudios en Salamanca, pero a los diez y nueve años de edad fué a Italia donde pasó diez más, dedicado a tareas muy fructíferas. Regresó a España a propagar los conocimientos humanísticos que había obtenido. Nebrija enseñó en Salamanca, pero el cardenal Cisneros le llevó a Alcalá, donde continuó hasta su muerte. Nebrija estuvo a cargo de los textos latinos y griegos de la Biblia Complutense, pero este gran esfuerzo no consumió todas sus energías. Una de sus primeras obras fué una gramática latina (*Introductiones Latinae*), que fué más tarde traducida al español. Los diccionarios latino-español y español-latino preparados por Nebrija fueron sin duda alguna los mejores de su tiempo. En 1492 escribió la primera gramática conocida en los idiomas modernos, la *Gramática sobre la lengua castellana*. Además, dejó obras sobre teología, leyes, arqueología, pedagogía, y retórica, y compuso elegantes poemas en latín. Su vida familiar fué también fructífera, ya que al final de sus años era padre de siete hijos. La posteridad no ha contradicho la alta opinión que Nebrija tenía de sus propios éxitos. Fué uno de los más grandes humanistas, aunque no el único. El y sus colegas, muchos de los cuales estudiaron en Italia, contribuyeron más a la propagación del Renacimiento en España que los eruditos italianos que enseñaron en la Península, como Pedro Mártir de Anglería, Lucio Marineo y los hermanos Geraldini, aunque la contribución de estos extranjeros fué importante.

La influencia del Renacimiento en la literatura. Como es natural, un cambio en el espíritu y en las formas artísticas españolas se produjo con la transformación de la vida intelectual a fines del siglo XV. Sin embargo, el cambio fué gradual porque España ha sido siempre un país bastante conservador. La influencia italiana había empezado a señalarse antes de 1450; tenemos por ejemplo a Santillana, Mena, Imperial, pero el tono de la literatura española seguía siendo el mismo. A principios del siglo XVI ya se nota una diferencia mayor, y hay nuevas manifestaciones en el arte literario que son específicamente características del Renacimiento. Estos elementos son nuevos, pero he aquí un punto que merece la pena de ser esclarecido: la literatura española, a pesar de todas las influencias extranjeras, mantuvo siempre un sabor propio. En fin, permaneció española. El Renacimiento la modificó y la enriqueció, pero no la cambió en su esencia.

Otro punto de la misma naturaleza que merece subrayarse es la continuidad de la literatura española, la persistencia de los temas y las formas. En la literatura francesa del siglo XVI la ruptura con el pasado fué casi completa, pero no así en España. Tomemos el romance español, por ejemplo. Los romances fueron populares en el siglo XV, y siguieron siéndolo en los siglos XVI y XVII. Todavía hoy se escriben en el mismo metro tradicional de la Edad Media. Los temas de los romances antiguos fueron usados muy a menudo por los dramaturgos del Siglo de Oro; lo mismo se advierte en las famosas comedias sobre el Cid de Guillén de Castro. España se enorgullecía de su pasado y nunca se separó de él.

La fusión de lo tradicional y lo nuevo se nota de una manera excelente en la mejor novela de España después del Quijote y cronológicamente anterior a él: *La Celestina.*

La novela. Siete años después de que América fué descubierta, Granada capturada, y los judíos arrojados de España u obligados a convertirse al cristianismo, apareció en Burgos, sin nombre de autor, una obra en forma de drama en diez y seis actos, llamada la *Comedia de Calisto y Melibea.* La obra es sin duda de Fernando de Rojas, judío converso, abogado, que había sido alcalde mayor de Talavera, cerca de Toledo, porque en 1525 el suegro de Rojas, de setenta años de edad, fué juzgado por la Inquisición por judaísmo, y en sus testimonios se incluye la declaración de que su hija Leonor Alvarez era la esposa del bachiller Fernando de Rojas, « que compuso a *Melibea.* »

En 1501 otra edición de la comedia aparece en Sevilla. Contiene una carta del autor a un amigo suyo, en la que dice haber hallado el primer acto por azar y encontrándolo admirable se pasó unas vacaciones de dos semanas, añadiéndole un acto cada día. No se puede asegurar con certeza que la carta sea del autor, pero de todos modos casi todo el mundo está de acuerdo en que los diez y seis actos son la obra del mismo Fernando de Rojas. Unos versos acrósticos en ésta y en subsiguientes ediciones lo declaran explícitamente.

En 1502 apareció otra edición en Sevilla, con cinco actos nuevos insertos a partir del acto 14, y se titula *Tragicomedia de Calisto y Melibea.* El problema del origen de estos cinco actos interpolados no se ha resuelto todavía, aunque la mayoría de los críticos están de acuerdo en que su inserción fué desafortunada desde el punto de vista de la estética.

Por lo general cuando se habla del libro se le da el nombre de la *Celestina*, derivado del nombre del personaje principal. Aunque por lo corriente se considera esta obra una novela, es sin duda por su composición un drama, si bien no escrito para ser representado en las tablas. He aquí el argumento:

Calisto, guapo y rico joven de distinguida familia, al querer recuperar su halcón entra en un jardín, donde ve a una joven rubia de belleza sin igual llamada Melibea. Enamorado al instante le declara su pasión y ella le reprende y le despide lacónicamente. Las quejas de Calisto son oídas por su astuto criado, Sempronio, quien le sugiere que consiga la ayuda de Celestina. Calisto, locamente enamorado, está dispuesto a aceptar cualquier medio de conquistar a Melibea. Celestina por fin consigue hablar con la desdeñosa Melibea, quien le promete escuchar a Calisto en su jardín la próxima noche. Los criados de Calisto van a casa de Celestina a reclamar lo que les corresponde del regalo de su amo. Ella no quiere darles nada por lo que al fin la asesinan, siendo luego prendidos y ejecutados. Pero volvamos al idilio. La noche prometida Melibea y Calisto se unen en un amor carnal pero muy poético. (En la versión de veinte y un actos, estos amores se prolongan por un mes.) Al bajar una noche desde lo alto del muro que circunda el jardín por una escala de cuerdas Calisto resbala, cae y se mata. Melibea, para quien la vida ha perdido todo significado, se tira de una alta torre. El drama termina con una invectiva del padre de Melibea contra el amor.

Puede ser que el lector de la *Celestina* se encuentre también en un valle de lágrimas, pero saldrá intelectualmente enriquecido.

La importancia literaria de la *Celestina* consiste en una magistral fusión del idealismo y el realismo. De un lado está el mundo aristocrático de Calisto y Melibea y la pasión irresistible que los impele a darse uno al otro. Su amor es puro hasta la quintaesencia porque se crea sin causas extrínsecas, y existe sólo para y en sí mismo, como el amor de Romeo y Julieta; y los amantes se olvidan de todo menos de sí mismos, mutuamente consagrados, ardientes y, sin embargo, llenos de ternura, concentrados en su pasión, libre de toda idea material. Al otro lado de este mundo se encuentra Celestina, prostituta ayer y alcahueta hoy, poseedora de gran experiencia y de muchas malas artes, quien es incapaz del amor desinteresado. Ella ha conocido amantes impetuosos e inexpertos, y sabe aprovecharse de ellos para ganancia propia. Su crimen principal es la avaricia, y su muerte es el resultado de su egoísmo, que convierte en asesinos a los criados de Calisto. El libro presenta al mismo tiempo la actitud plebeya y la aristocrática, ejerciendo su efecto la una sobre la otra, sin ser presentada separadamente. Por desgracia, es Celestina quien mantiene la unidad a través de mil sabrosas incidencias, hasta que la pecadora llega a su mortal fin. Tal vez el amor, presentado como una fuerza mística, irrestible y trágica, sea el verdadero criminal: una especie de Cupido ciego cuyas flechas, volando a la ventura, enardecen las pasiones y matan a sus víctimas.

La *Celestina* presenta la tendencia típica del Renacimiento a orientar el arte hacia lo humano y no hacia lo divino; su atmósfera es homocéntrica. Algunas de las declaraciones de Calisto llegan a la herejía: por ejemplo, que él es más feliz con el amor de Melibea que todos los santos del paraíso con el amor de Dios; que Dios no es bueno en esencia sino porque ha dotado a Melibea de una belleza humana tan perfecta. El suicidio de la heroína es, desde luego, un pecado sin remisión.

Los personajes de menos importancia están también muy bien trazados: los astutos criados, Pármeno y Sempronio, cuyos amoríos hacen contrapunto en un plano más bajo al amor de Calisto y Melibea; las sensuales enamoradas Elicia y Areusa; el valentón Centurio, y muchos otros.

El estilo de Rojas, mitad clásico y mitad producto del renacimiento, es exuberante, superabundante, y hasta un poco turbulento. El lenguaje de los personajes aristocráticos es altivo, lleno de alusiones mitológicas. El lenguaje de Celestina y sus pupilas es mucho más enérgico, picante familiar, con un verdadero sabor popular.

Es muy probable que la *Celestina* fuera escrita durante la

primera parte de la última decada del siglo XV. También fué escrita durante este período una novela titulada la *Cárcel de amor*, de Diego de San Pedro, que ha sido considerada por Menéndez y Pelayo como la mejor definición sentimental de su tiempo. (Una anticipación de *Werther*.) Pertenece a la clase de novelas llamadas sentimentales, en las cuales la atracción amorosa es el tema principal y también el más discutido. En esta novela todo es muy triste; el protagonista Leriano, rechazado por Laureola, tiene que guardar cama, y al fin se suicida tomando una poción en la cual ha echado rotas en pedazos muy pequeños las cartas que ella le había escrito en tiempos más felices. Si hoy día no nos divierte la complicada alegoría y la extremada sentimentalidad de este pequeño libro, debemos por lo menos recordar que constituye un primer esfuerzo en el estudio de la psicología del amor. Su popularidad queda completamente demostrada por veinticuatro o más ediciones conocidas en español y también por el hecho de que fué traducida a más de veinte idiomas.

Juan de Flores escribió a fines del siglo XV una continuación de la extremadamente sentimental *Fiammetta* de Boccaccio, con su *Grimalte y Gradissa*. Flores lleva a Fiammetta a una triste muerte por desesperación, y hubo muchos lectores que se quejaron de ese final. Flores también escribió la *Historia de Grisel y Mirabella*, que fué un gran triunfo, y tuvo mucha influencia en España lo mismo que en Italia (el *Orlando Furioso* de Ariosto), en Francia, y en Inglaterra (*Women Pleased* de Fletcher).

La novela anónima *Cuestión de Amor* (1513) está trazada sobre esta pregunta: ¿ cuál de los dos amantes es más desgraciado, aquél cuya amada ha muerto, o el que ama y sirve sin esperanza a una bella cruel ? Los cabelleros son españoles, pero la acción se desarrolla en Nápoles, y la novela nos da detalles pintorescos de las fiestas y las costumbres en la calurosa ciudad italiana convertida en corte del virreinato español. La obra es una combinación de prosa y verso, y los personajes son genuinos: el cardenal de Bruges es el cardenal Borgia, Belisena es la famosa Bona

Sforza, etc. En la *Cuestión de Amor* la acción es más vigorosa, y su sentimentalismo es más ligero que el de San Pedro o el de Flores.

Los españoles de la primera parte del siglo XVI que se abandonaban a lánguidas emociones leían al mismo tiempo con pasión una especie de novela mucho más viril, el *Amadís de Gaula*, que sus antepasados pudieran haber leído dos siglos antes. Sin embargo, fué la redacción hecha por Garci-Rodríguez de Montalvo en 1508 la que se hizo verdaderamente popular. Este autor añadió un libro de su propia invención en el que narraba las hazañas de Esplandián, hijo de Amadís. La serie iniciada por el *Amadís* continuó a lo largo de dos docenas más de libros. Uno de esos autores, Juan Díaz, mató a Amadís, pero otro lo resucitó para que pudiera ver los hechos de sus hijos, nietos y biznietos. En otra serie de novelas de caballerías se narraban las aventuras de Palmerín, y no pocas más fueron escritas sobre otros héroes. Hay una sin embargo que difiere bastante de todas las demás y que fué la primera que se imprimió en valenciano, en 1490. Se titula *Tirant lo Blanch*, y su autor fué Johannot Martorell. Cervantes la elogió porque en ella los caballeros comían como los demás y morían en la cama haciendo incluso su testamento. Es decir, esta novela era más realista, hasta llegar en algunos pasajes a la obscenidad, y en ella ya se encuentra una base más o menos consciente de sátira contra los libros de caballerías.

Estas novelas no se estiman mucho hoy día, y muy pocas personas las leen por placer, aunque es verdad que muchas de ellas leen peor literatura. Sus exageraciones, sus absurdidades, su falta de verdaderos personajes saltan a la vista. Sin embargo, no es difícil comprender que las aventuras de Amadís les pareciesen menos fantásticas a los españoles del siglo XVI que las de un Cortés, un Pizarro, un Balboa. El hecho es que los libros eran muy leídos, y fueron traducidos a numerosos idiomas. Se dice que Francisco I de Francia leyó el *Amadís* mientras era prisionero de Carlos V en Madrid, y que mandó a Herberay des Essarts que lo tradujera al francés. En 1568 Thomas Paynel lo tradujo al inglés.

Después de todo, ¿ por qué no habían de ser populares estas novelas ? Tenían todas las condiciones esenciales de la novela: muchas aventuras, mucho amor, mucha emoción, hombres fuertes y valientes llevando a cabo actos heroicos para ganarse la mano de bellas damitas; vasallos que demostraban una lealtad admirable a sus señores y a las mujeres que amaban. Estas novelas son vigorosas en el tono y optimistas. Es posible que no reflejen las costumbres de la sociedad del siglo XVI, pero representan de una manera muy concreta y elocuente un ideal. España también era enérgica y confiada; y la popularidad de las novelas de caballerías disminuyó según fracasaban los esfuerzos imperialistas de España. Felipe II murió envuelto en el fracaso (1598), y la última novela de caballerías original apareció en 1602, tres años antes de que Cervantes publicara su inmortal sátira.

El teatro del Renacimiento. Es una lástima que el drama medieval español se haya perdido, con excepción del *Auto de los reyes magos*, obra del siglo XII. No existe antecedente inmediato ni base de comparación para el drama del Renacimiento, el cual, por lo tanto, parece surgir aislado y por generación espontánea. Es fácil comprender que el título de padre del teatro español se le confiriera a un hombre que surgió bastante tarde. Este fué Juan del Encina (1468–1529). Se conoce algo de su vida. Estudió en la Universidad de Salamanca, donde al parecer dió pruebas de talento para la música. Entró al servicio del duque de Alba, en cuyo palacio se presentaban a veces espectáculos teatrales. Encina compuso la música para ellos. Alrededor de 1498 fracasó en su esfuerzo por conseguir un puesto de chantre en la catedral de Salamanca. Cuando fué a Roma tuvo mejor suerte, y le hicieron miembro del coro de la capilla del Papa Leon X. En 1508 fué nombrado arcediano de Málaga, aunque nunca había sido ordenado de sacerdote. Le hallamos de vuelta en Roma en 1512. El cabildo de la catedral de Málaga insistió en que volviera y que tomara los votos de sacerdote, pero al parecer, Juan del Encina prefería vivir en Roma.

Cuando se acercaba a los cincuenta años empezó a arrepentirse de su vida frívola. Nombrado prior de la catedral de Léon, se ordenó de sacerdote, y más tarde fué en peregrinación a Jerusalén y dijo su primera misa en Monte Sión. Parece que después vivió en León hasta su muerte alrededor de 1529.

Afortunadamente muchas de sus composiciones musicales se han conservado, y sesenta y ocho de ellas han sido publicadas. La mayor parte de sus obras literarias aparecieron en su *Cancionero*, Salamanca, 1496, que empieza con un *Arte de la poesía castellana* que no es más que una suma de las teorías de los trovadores modificadas por el Renacimiento. Incluye adaptaciones al español de las *Eglogas* de Virgilio. Las poesías originales del *Cancionero* pertenecen en parte a la escuela alegórica-dantesca, y son pesadas, pero los villancicos sagrados y profanos (poesías cortas escritas en forma popular) son frescos, ligeros, delicados, de una simpática agudeza.

Encina es importante en la historia del drama. Sus comedias no son perfectas, y su arte es rudimentario, pero a Encina le cabe el honor de haber secularizado el drama en España. Sus autos, como por ejemplo el *Auto del repelón*, dan ya idea de la verdadera comedia, y el acompañamiento de música y cantos sugiere las zarzuelas del futuro. Encina vivió en un período de transición, y representa una mezcla de la manera española del período medieval con la del renacimiento italiano. Sus *Eglogas* denotan la influencia de Virgilio, pero son más dramáticas que las del autor latino. Algunas de ellas continúan la tradición de los dramas religiosos relacionados con la Natividad, la Pasión, y la Pascua. Su *Egloga de Fileno*, bajo la influencia del italiano, Tebaldeo, termina con un suicidio (cf. la *Cárcel de Amor*). La comedia titulada *Plácida y Victoriano* desarrolla una vez más el tema del amor, y tiene unos proverbios excelentes sobre los celos. *Cristino y Febea* se refiere a un ermitaño que abandona la soledad en que vive cuando el Amor le presenta una bellísima ninfa. Estas obras muestran un gran avance cuando se comparan con las comedias escritas en siglos anteriores, a pesar de que las de Encina fueron hechas para el palacio y no para el pueblo.

En la historia del teatro español es necesario volver a mencionar la *Celestina*. Después de todo, es un drama, aunque no sea fácilmente representable. Inspiró varias piezas teatrales y ejerció mucha influencia sobre la comedia y el drama en tiempos más recientes.

Por ejemplo, es posible que la *Celestina* sugiriera una de las comedias de Bartolomé de Torres Naharro (murió c. 1531). Este autor tuvo una vida más aventurera que Encina, y escribió también mejores comedias. Nació cerca de la frontera de Portugal, y parece que fué soldado. Después de un naufragio fué capturado y aprisionado por piratas argelinos. Rescatado, se hizo cura y estuvo mucho tiempo en Roma y en Nápoles, donde gozó de la protection del Papa León X y de otras personas de alcurnia. Se cree que murió alrededor de 1531.

Torres Naharro publicó su *Propaladia* en 1517 en Nápoles. Contiene poesías, todas las comedias del autor menos dos, y el primer ensayo sobre la teoría del drama escrito por un español. En esencia los principios son clásicos. Se hace ya una distinción claramente delineada entre la tragedia y la comedia; distinción que más tarde desaparece en las prácticas de la dramática española. La comedia de acuerdo con la definición de Torres Naharro es no más que un ingenioso artificio de notables y finalmente dichosos acontecimientos. Las comedias pueden ser « a noticia, » es decir, realistas, o « a fantasía, » más bien imaginadas y soñadas, aunque ambas « deben tener el color de la verdad. » Se debe observar el decoro porque éste es « como el timón en la nave. » El número de personajes debe ser entre seis y doce.

Las poesías de Torres Naharro escritas a la manera tradicional y no en las formas métricas italianas (tiene tres sonetos, pero están escritos en italiano) no son notables, pero en el drama ocupa un lugar prominente. Su obra alegórica pastoral, *Comedia Trofea*, se representó delante del Papa León X en 1502 cuando la embajada portuguesa llevó a Roma regalos de la India mandados por el rey Manuel de Portugal.

La facilidad del autor para el realismo y la sátira se nota mucho mejor en obras como *Comedia Tinellaria* (« tinella » quiere decir cocina), que ataca la corrupción en el palacio de un cardenal. Sus criados y sirvientes hablan una mezcla de latín, francés, italiano, valenciano, y castellano. La *Comedia Soldadesca* es otra comedia de costumbres, en este caso de la vida militar en Italia. Estas son comedias « a noticia », y en ellas Torres critica desenfadadamente la corrupción del Estado y de la Iglesia. Como ejemplos de la comedia « a fantasía » citaremos la *Comedia Jacinta* y la *Comedia Himenea*. Esta última tiene mayor interés, porque sugiere ya las comedias de capa y espada, en las que el honor ha de desarrollar más tarde un papel tan importante. El arte dramático de Torres es todavía imperfecto, y a sus personajes les falta ardor, pero en todo caso es un importante precursor de los grandes dramaturgos que le siguen.

Dotado de más facilidad poética fué Gil Vicente, nacido en Portugal alrededor de 1470, y a quien se le ha llamado el Plauto portugués. Muy poco se sabe de su vida: solamente que frecuentaba las cortes reales, que era músico, poeta, actor y autor, y que tuvo dos hijos que publicaron sus obras. No se sabe con certeza si el artífice y orfebre llamado Gil Vicente fué o no la misma persona.

Gil Vicente vivió cuando las influencias literarias entre España y Portugal eran recíprocas y la frontera poética no estaba delimitada. De sus cuarenta y tres obras, doce están escritas en portugués, once en español, y veinte de ellas en una curiosa mezcla de los dos idiomas. Vivió durante el período en que Erasmo de Rotterdam (1467–1536) daba ejemplo criticando la impostura, la hipocresía y la mala conducta del clero. Erasmo no atacó los dogmas fundamentales de la Iglesia Católica, en la cual continuó hasta su muerte, y él y Lutero llegaron a ser enemigos violentos. Sin embargo, la sátira de Erasmo era aguda y mordaz, y su influencia fué inmenso. Sus obras no se incluyeron en el Indice hasta después de su muerte.

No podría sorprendernos, pues, que Gil Vicente, como otros muchos autores, hubiera reflejado la actitud de crítica de Erasmo. Pero se da con él una curiosa circunstancia: el dramaturgo portugués fué el único cuya crítica precedió a la reforma de la Iglesia.

El aficionado a la literatura dramática se interesa más en las comedias de Gil Vicente que en su actitud satírica. En 1502 Vicente presenté en el Real Palacio de Lisboa, para celebrar el nacimiento del príncipe que más tarde se llamó Juan III, «las primeras cosas de escena,» como dijo él. Las cosas, en esta ocasión fueron solamente algo más que monólogos, con palaciegos disfrazados de pastores, y demuestran la influencia de las *Eglogas* de Encina. Gil Vicente puede ser llamado con razón el padre del teatro portugués, a pesar de que su primera comedia fué escrita en castellano. Pronto se mostró superior a Encina, y sus composiciones dramáticas son muy variadas. Sus autos, como, por ejemplo, *Las cuatro estaciones* y *La sibila Casandra*, muestran una mezcla de elementos bíblicos con mitología pagana, y canciones populares tradicionales. En *Las cuatro estaciones*, por ejemplo, los ángeles se agrupan alrededor del Niño Jesús, y una figura que representa el Verano le canta este antiguo villancico español:

> En la huerta nace la rosa:
> Quiérome ir allá,
> Por mirar al ruiseñor
> Como cantaba.

Entonces Júpiter invita a las cuatro estaciones del año a visitar al reciennacido, y David recita partes de sus Salmos.

El tema medieval de *La danza de la muerte*, imbuída de delicados rasgos del Renacimiento, aparece en la trilogía de Vicente titulada *Las barcas*, que llevan a todas las clases sociales al Infierno, al Purgatorio, o a la Gloria. La sátira es penetrante, sobre todo en la *Barca de la Gloria*, en castellano. En esa barca van papas, cardenales, arzobispos y prelados. El auto termina de una manera feliz, porque Cristo aparece y se lleva a los pobres pecadores a la gloria.

Menos ricas en temas son dos obras puramente caballerescas, *Don Duardos* (1526) y *Amadís de Gaula* (1553), ambas basadas en otras novelas de caballerías. A Vicente también le corresponde el honor de haber compuesto la primera comedia de magia (*Comedia de Rubena*, 1521), género que había de gozar de mucha popularidad hasta bien entrado el siglo XIX.

Las farsas de Gil Vicente presentan una galería notable de tipos populares, a menudo con mucho y buen humor: el pedante y pomposo médico (*Farsa dos físicos*) anticipándose a Molière; el viejo que les hace el amor a las mujeres jóvenes (*O velho da horta*); el orgulloso hidalgo que tiene muchos pajes pero los mata de hambre; y no faltan negros, gitanos, alcahuetas, galanes, esposos y esposas.

Si la poesía de Vicente es a veces descuidada y floja de espíritu, él es sin embargo un verdadero poeta, y sus delicadas obras, de formas y temas populares, han sido sobrepasadas solamente por Lope de Vega. Su lirismo es una parte fundamental de su obra, más evidente aún en sus comedias que en sus poesías. Aunque trata de la vida, escribe en realidad para un público aristocrático.

Otras comedias de la primera parte del siglo XVI en España han sido conservadas, aunque muy pocas de autores conocidos y ninguna que pueda compararse en calidad con las de Gil Vicente. Una colección de ellas contiene noventa y seis piezas, autos en general, basados en temas bíblicos o vidas de santos y comedias alegóricas llamadas farsas. Sólo tienen valor como documentos para el estudio de la historia del drama.

A Gil Vicente le sigue en importancia Lope de Rueda (1510–1565), batidor de hoja de oro, sevillano, que se hizo dramaturgo, actor, empresario, titiritero, etc. Encina y Vicente escribían y representaban para la aristocracia, Rueda para todo el mundo. Fué el primer dramaturgo español que llevó el teatro al pueblo. Esto no quiere decir que el pueblo no había visto comedias antes, porque existen documentos que demuestran que actores ambulantes italianos se encontraban en España alrededor de 1535, y Rueda muestra de una manera concluyente la influencia italiana, sobre todo en sus cinco comedias. Cuatro de ellas están escritas en prosa, una costumbre que pronto se perdió, y una en verso. Además escribió tres coloquios pastoriles, uno en verso, un diálogo sobre la invención de pantalones, en verso también, probablemente dos autos, bíblicos en tema, y diez pasos. Estos últimos son los que le han dado a Rueda fama, y establecieron en España una tradición que ha durado hasta hoy. Son comedias de un acto, en que se dramatiza un episodio sencillo de la vida cotidiana, con vivas caracterizaciones de tipos populares, agudo humor, y un diálogo muy natural y lleno de proverbios adecuados a los que los usan. Muchos consideran *Las aceitunas* la mejor comedia del siglo XVI.

En el prefacio de sus *Ocho comedias*, Cervantes dice haber visto a Lope de Rueda en la escena, y describe su escenario de tablas sobre banquillos, la orquesta formada por un solo guitarrista viejo, y los disfraces de piel de carnero para las obras pastoriles. Todo el « atrezzo » cabía en un saco. Pero es de notar que Cervantes llama a Rueda un « gran hombre, » y afirma que fué él quien sacó el teatro español de su infancia. En otra ocasión Lope de Vega sostiene que las comedias no eran más viejas que Rueda.

Juan de la Cueva, sevillano, floreció en la segunda mitad del siglo XVI. No fué un hombre de gran cultura, pero sí de importancia en la historia del teatro español. Después de pasar tres años en Méjico (1574–1577), volvió a España y representó su primera comedia en su ciudad natal en 1579. En total, catorce de sus obras se conservan y aunque poseen algún vigor y brillantez, están ideadas de una manera pobre e imperfecta. Algunas de ellas están basadas en Ovidio, Virgilio, y Tito Livio, pero el autor se enorgullecía de haber hecho uso de « la ingeniosa fábula de España »; i. e., temas adaptados de la historia y la leyenda españolas, como por ejemplo, los siete Infantes de Lara, el cerco de Zamora, Bernardo del Carpio. Hubo un tiempo en que su obra *El infamador* fué considerado como precursora del tema dramático de « Don Juan, » pero se ha visto que esto no es exacto. El héroe Leucino no es un don Juan, sino un valentón y un mentiroso, a quien por fin se ejecuta por perjuro y raptor. Cueva redujo el número de los actos de las comedias de cinco a cuatro, y pudo ver antes de llegarle su último día al gran Lope de Vega, reinando graciosa y despóticamente en el teatro español.

Hubo otros muchos dramaturgos antes de Lope de Vega. Por ejemplo, Rey de Artieda (1549–1613) tiene una obra que ha sido conservada (*Los amantes*, 1584), basada en la famosa leyenda de los amantes de Teruel. Cristóbal de Virués escribió melodramas llenos de horripilantes aventuras, y sus personajes principales suelen morir al final del quinto acto. Estos autores trataron de establecer la tragedia en España, lo mismo que el gran Cervantes. Sus obras son defectuosas, imperfectas, como un pálido y prematuro reflejo del genio de Lope y sus contemporáneos.

La poesía lírica. El reinado de Carlos V fué glorioso por sus conquistas, pero las nuevas tierras se perdieron más tarde. Esto no ocurrió con las obras de ciertos poetas líricos de aquel siglo, pues viven todavía y conservan sus calidades y atractivos.

La influencia italiana se hizo notar con el marqués de Santillana, que escribió hasta sonetos, pero les correspondió a dos poetas de la primera parte del siglo XVI aclimatar las formas italianas: Boscán y Garcilaso de la Vega. Como en el caso de Wyatt y Surrey, ambos eran nobles, buenos amigos, uno más entrado en años que el otro, y sus poesías no fueron recogidas hasta después de la muerte de los dos.

Juan Boscán Almogáver, miembro de una familia aristocrática de Barcelona, fué cortesano de Carlos V. En el año 1526 mientras la corte estaba en Granada, Boscán tuvo una conversación notable con el consumado humanista y embajador veneciano, Andrea Navagero. El italiano urgió al español para que tratara de escribir versos en los metros que estaban de moda en Italia, y que consideraba superiores a los españoles. Así lo hizo. Boscán comenzó a usar el verso de once sílabas, tan prodigado desde entonces por los poetas españoles en el soneto o en otras formas. Introdujo la octava italiana, probó la « terza rima, » la « canzone » (canción) y la « silva », una combinación de versos de once y siete sílabas, con rimas aquí y allá. Hay que confesar que Boscán no era un poeta muy hábil y que no pudo dominar la técnica de las formas nuevas, pero así y todo fué un verdadero innovador, y sus nuevos metros habían de enriquecer muchísimo la poesía española.

No faltan quienes creen que la prosa de Boscán es mejor que su poesía, sobre todo en su traducción del más agradable de todos los manuales de cortesanía: *El libro del cortesano* de Castiglione, impreso en 1547. El italiano había sido embajador en España y había muerto allí. Boscán debe haber estado muy de acuerdo con las ideas de Castiglione y su traducción libre está llena de simpatía y es tersa y adecuada. Boscán murió en 1542.

Boscán solía decir que no hubiera perseverado en sus esfuerzos poéticos si no hubiese sido por el estímulo de su joven amigo. Garcilaso de la Vega parece haber sido un dechado de perfección, y los dioses no le habían negado nada — con la excepción de la mujer que amaba. Pertenecía a la alta nobleza por su nacimiento y educación; era un hombre de mucha cultura, familiarizado con el griego, el latín, el francés, y el italiano. Sabía esgrimir la espada y tañer el laúd. Se dice que era el hombre más apuesto de su tiempo y que estaba constantemente enamorado. Murió joven sirviendo al emperador en las guerras del sur de Francia. A muy pocos hombres les es dado ejemplificar de una manera tan perfecta los ideales de una época.

Garcilaso nació alrededor de 1501; distribuyó su corta vida entre la corte, las campañas bélicas entre Carlos V y Francisco I, y las misiones diplomáticas. Se casó poco después de haber cumplido treinta años, con una noble y rica dama llamada doña Elena de Zúñiga, a quien nunca menciona en sus poesías. Su verdadera pasión la había despertado una dama de la casa real, doña Isabel Freyre, quien le rechazó desdeñosamente como había también rechazado al más importante poeta lírico portugués de su tiempo, Sá de Miranda. Doña Isabel se casó con don Antonio de Fonseca en 1529, y murió de parto unos cuatro años más tarde. Su muerte inspiró uno de los sonetos más incisivos del idioma castellano. Garcilaso fué herido de muerte cerca de Fréjus, el 25 de septiembre de 1536, escalando una fortaleza enemiga.

Los poemas de Garcilaso no son muchos, y fueron publicados con las obras de Boscán por la viuda de éste en 1543, en Barcelona. En total son unos cuatro mil quinientos versos: buena refutación a la idea de que la literatura española consiste en una serie de improvisaciones brillantes. Garcilaso tenía un espíritu estrictamente literario, y aunque no era escritor profesional, sentía el anhelo de la perfección tan característico del verdadero artista, y sus composiciones han quedado como modelos vivos para cualquier época.

El fondo artístico y cultural de Garcilaso es típico del Renacimiento. No solamente leyó a los clásicos y a los italianos, sino que también los asimiló y los hizo parte de sí mismo. Sus poemas sin embargo están llenos de originalidad, y ofrecen una interpretación de las cosas del alma exclusivamente personal. Su mundo poético está habitado por ninfas y pastoras, sus ríos y selvas son mitad reales y mitad edénicos, pero sus sentimientos son veraces, su vida emocional intensa, y su expresión delicadamente estilizada. Nunca es obvio, ni demasiado sentimental, sino verdaderamente aristocrático, delicadamente rebuscado, elegante. Su estilo característico es de una melancolía tierna, que no expresa directamente en primera persona sino de un modo impersonal y vago en bellas cadencias regulares que pueden ser interpretadas a su manera por las mentes dispares de los lectores.

Las composiciones más largas de Garcilaso son sus tres églogas, las cuales constituyen más de la mitad de su producción total. La más tierna es la primera, en la cual los pastores Salicio y Nemoroso, ambos representando el sentimiento de Garcilaso, se quejan de la muerte de la pastora Elisa (Isabel Freyre): uno de los pasajes más bellos de la lengua castellana. Dos elegías, una a la muerte del hermano del gran duque de Alba, y otra a la de Boscán, son menos profundas en el sentimiento, pero superiores en la forma.

La epístola, dirigida a Boscán, constituye el único esfuerzo de Garcilaso hacia el uso del verso libre, forma que no ha sido nunca muy popular en España. De las cinco canciones, la tercera, escrita por Garcilaso mientras estaba exiliado en una isla del Danubio, es muy elegante, y respira verdadero amor por la naturaleza. La quinta canción es una imitación admirable del estilo de Horacio. Una fruslería encantadora, escrita para el amigo del autor Mario Galeoto con objeto de ayudarle a conquistar a la hija del duque de Somma. La forma singular imitada por Garcilaso de Bernardo Tasso, todavia se llama en España la lira, debido al primer verso que dice: « Si de mi baja lira . . . » Consiste en una estrofa de cinco versos, de siete y once sílabas, que riman *ababb*, la cual más tarde se hizo muy popular.

Los treinta y ocho sonetos de Garcilaso son superiores a los de Boscán, porque aquél poseía una inspiración más profunda y lírica. Fué él quien consagró la popularidad del soneto en España. El poema más notable entre éstos es el décimo, escrito en ocasión de la muerte de Isabel Freyre: ¡ Oh dulces prendas, por mi mal halladas, . . . Tal vez el soneto XXV, tan sinceramente dolido, se refiera al mismo asunto. El XXVIII es dedicado a Boscán. Petrarca le sirve de modelo a Garcilaso, pero sus sonetos no son imitaciones.

A Garcilaso se le ha llamado el poeta sin tacha, así como también se le consideraba un cortesano perfecto. Su gusto era impecable, la facilidad de su delicada expresión muy pocas veces superada. Su tema principal es el amor, su acento predominante es la melancolía. En sus obras no se hallan ni el fuego romántico ni la pasión, pero el refrenar constante de sus sentimientos sugiere una profundidad afectiva aún mayor. Al lado de sus refinamientos de expresión hay ese espíritu digno y grave que tan a menudo sirve para diferenciar a los castellanos. Sus poesías ofrecen una forma casi perfecta, y de esa perfección proviene la alta estima que mereció en vida y después de su muerte, hasta hoy mismo. El fué el Ronsard de su país y de su época.

Las innovaciones de Boscán y Garcilaso no fueron aceptadas sin discusión. Cristóbal de Castillejo (1490?–1550), clérigo mundano que sirvió de secretario a Fernando, rey de Bohemia y Hungría, y hermano de Carlos V, fué el más decidido impugnador. Castillejo estaba siempre falto de dinero porque Fernando no era generoso. El clérigo se negó a aceptar un obispado porque no era bastante remunerador. Sus aventuras amorosas desdecían del hábito que vestía.

Sin embargo, Castillejo fué un hombre de grandes dotes poéticas. Sus versos morales y religiosos (oratorios) son sobresalientes, pero sus sátiras y sus poesías de amor, dirigidas a varias damas no poseen menos encanto. Defendió los metros tradicionales españoles, y escribió una sátira muy viva « contra los que abandonan los metros castellanos y siguen los italianos. » Como Castillejo pasó la mayor parte de su vida fuera de España y sus obras no se publicaron hasta 1573, sus alegatos en favor de la tradición nacional no surtieron mucho efecto. Bien es verdad que los grandes poetas españoles del Siglo de Oro habían de usar siempre las formas antiguas españolas, pero no usaron con menos frecuencia y de una manera menos liberal los metros importados de Italia.

XIV

Gloria y decadencia de España. Filósofos y místicos

Sería muy facil hacer un símbolo del gran Carlos V, a quien el historiador Karl Brandi sin vacilar llama el mejor soberano de su época, en una nación que como España fué sin duda alguna la más poderosa del mundo por mucho tiempo. Carlos, aunque dotado de vigor físico y energía espiritual, se fatigó y renunció a las riendas del gobierno. En 1556 abdicó y se retiró al monasterio de Yuste. De la misma manera España, a fuerza de una vitalidad enorme, llegó a la cima del poder y del esplendor, y de pronto sus energías parecieron flaquear, y se sumió en una especie de letargo.

No cabe duda de que Carlos hubiera preferido dejar todos sus dominios en manos de su hijo Felipe, pero los alemanes no querían ser gobernados por un español, y la corona del Sacro Romano Imperio pasó a Fernando, hermano de Carlos. Desde la muerte de María de Portugal, primera esposa (y prima hermana) de Felipe, Carlos había tratado de obtener una alianza con Inglaterra por medio del matrimonio de Felipe y María (1553) y el matrimonio se realizó. El príncipe español salió de Inglaterra en 1555. Pero el viejo monarca retirado en Yuste vió fallidas sus esperanzas porque ese matrimonio no tuvo hijos.

El reinado de Felipe II. Felipe II, cuidadosamente educado para el trono por su capacitado padre, fué un verdadero rey español que dedicó su larga y extremadamente industriosa vida al servicio de su país y su religión. Llamado « El demonio del sur » por sus enemigos, fué muy estimado por sus compatriotas. Concentró en sus manos no solamente los asuntos importantes del reino, sino hasta los más insignificantes pormenores. Como no se fiaba de nadie, Felipe II no quiso delegar su autoridad: a veces fué victima de la vacilación, y a menudo descuidó los negocios importantes del reino mientras se dedicaba a resolver problemas más propios de la atención de sus subordinados.

Felipe estuvo en guerra constantemente. Primero peleó con el Papa Pablo IV sobre sus posesiones italianas, y el Papa, aunque excomulgó a Felipe, y se alió con los franceses y hasta con el sultán de Turquía, fué derrotado. Contra los franceses Felipe ganó la importante batalla de San Quintín, pero no se aprovechó de ella y no entró en París. Después de firmar un tratado en 1559, Felipe esperaba sellar la paz, casándose con Isabel, hija mayor de Enrique II. Sin embargo, la paz no llegó, y las guerras con Francia recomenzaron a menudo durante su reinado. Los generales de Felipe y los famosos soldados españoles ganaron muchos hechos de armas, pero debido a distracciones en otras partes, o a la falta de fondos, o a la vacilación, no se aprovecharon de ellas. Felipe se sintió satisfecho cuando Enrique IV de Francia aceptó el catolicismo, porque esperaba que siendo Francia católica no se opondría a sus propósitos.

Los judíos habían sido expulsados de España en 1492, pero quedaban otros grupos étnicos que eran víctimas de la sospecha popular: los moriscos, descendientes de los moros que se habían quedado en el sur de España después de la toma de Granada. Formaban un grupo muy industrioso, pero se dudaba mucho de la sinceridad de su conversión religiosa, y el populacho y el clero no se fiaban de ellos. Se les impusieron restricciones muy severas: no podían hablar árabe ni usar nombres ni vestidos árabes, se les prohibió el uso de armas y hasta el tomar baños, una práctica que se consideraba pagana. En 1567 se dirigió contra ellos un decreto aún más duro, y por fin se les incitó a una rebelión que duró cuatro años. Fueron derrotados al fin por don Juan de Austria, hermano ilegítimo de Felipe, y los moriscos que

Metropolitan Museum of Art

El Greco: « Vista de Toledo. »

Culver Service

El Greco: « El entierro del Conde de Orgaz. » Se muestra sólo la parte inferior del cuadro.

El Greco: Detalle del cuadro arriba reproducido.

Culver Service

Culver Service

El Greco: « Crucifixión. » Se nota el alargamiento de las figuras.

Metropolitan Museum of Art

El Greco: « El Cardenal Niño de Guevara » (Inquisidor General).

Culver Service

Velázquez: « La rendición de Breda » (Las Lanzas).

Velázquez: « Retrato Ecuestre de Felipe IV. »

Historical Pictures

Gramstorff Bros.

Velázquez: « Los Borrachos » (o cuadro de Baco).

Velázquez: « El Conde-Duque de Olivares. »

Culver Service

Culver Service

Velázquez: « Las Meninas. » Velázquez mismo está a la izquierda.

Gramstorff Bros.

Velázquez: « Felipe IV. »

escaparon con vida fueron enviados a otros lugares del reino.

Los moriscos habían recibido la ayuda de los musulmanes africanos y hasta de los turcos. Los piratas africanos continuaron haciendo ataques en la costa española, y los turcos se habían fortalecido en los últimos tiempos de una manera alarmante. Felipe luchó contra ellos con muy buenos resultados. En 1564 obligó a los turcos a levantar el cerco de Malta, y siete años más tarde fuerzas cristianas (compuestas casi por completo de españoles) bajo el mando de don Juan de Austria ganaron la gran batalla de Lepanto. Uno de los españoles heridos fué el hijo de un médico poco afortunado, Miguel de Cervantes. El poder naval de los turcos en el Mediterráneo quedó destruido. Fué una gloriosa victoria, pero el resto de Europa recibió más beneficios que España. Como de costumbre, no se sacó partido de la victoria, aunque don Juan estaba ansioso de aprovecharla, y hasta de apoderarse de Constantinopla, para instalarse como soberano de un nuevo imperio bizantino. Don Juan llegó a capturar a Túnez, pero Felipe negó su apoyo a la empresa, y los españoles tuvieron que retirarse.

Si los mahometanos causaron a Felipe dificultades, los protestantes le causaron muchas más, y el mantener sometidos a sus vasallos en Flandes requería constantes gastos. Sus tropas lucharon allí durante casi todo su reinado, y la guerra mermó de una manera notable el tesoro español. Los flamencos se oponían a ser gobernados por extranjeros, les disgustaba la política de centralización de Felipe, y les encolerizaban las severas medidas tomadas contra la herejía. Los primeros cabecillas de la rebelión en los Países Bajos fueron católicos, pero pronto la lucha asumió los caracteres de una rebelión protestante. El duque de Alba, enviado por Felipe para terminar con ella, ha dejado en la historia fama de crueldad. Su sucesor, Requeséns, siguió una política más moderada. Don Juan de Austria también tomó parte (sus tropas se amotinaron en esas campañas) y Alejandro Farnesio fué en ellas un poco más afortunado. Las tropas españolas podían ganar victorias en el campo de batalla, pero debían abandonar el lugar del triunfo para acudir a otro donde hacían falta. Por otra parte a menudo el dinero y los pertrechos se acababan y las tropas tenían que vivir del robo. El resultado fué que la Holanda protestante obtuvo la independencia por sí sola, aunque España se negó a reconocer históricamente este hecho. Para España el balance fué negativo. Una gran pérdida de hombres y recursos que le hacían mucha falta sin conseguir nada realmente práctico.

En una de sus empresas Felipe obtuvo una victoria completa a muy poca costa y sin derramar sangre. El rey Sebastián de Portugal, sobrino de Felipe, se aventuró en una expedición en el norte de Africa en el verano de 1578. Sebastián perdió la vida en la batalla de Alcazar-Quivir, y como no tenía herederos, Felipe se aprovechó de la oportunidad y reclamó el trono de Portugal. Su madre era una princesa portuguesa, así como también su primera esposa. Las pretensiones de los otros príncipes eran menos autorizadas, y Felipe tenía la ventaja de la fuerza militar. Con la promesa de dar a sus súbditos cierta autonomía, fué coronado rey de Portugal. La cuarta esposa de Felipe, María de Austria, murió en Badajoz en el viaje a sus nuevos dominios. Las cartas del rey escritas en esta época a sus dos hijas están llenas de dolor y cariño, y demuestran un aspecto de su carácter muy diferente al del rey adusto y cruel que presenta por lo general la historia. Sin embargo, Felipe nunca les fué agradable a los ingleses, franceses, turcos, ni portugueses. Si hubiera sido más sabio, tal vez la unidad peninsular habría sido desde entonces permanente. Había razones geográficas, históricas, económicas, y de raza. Pero tal vez la división creada era ya demasiado profunda. De todos modos, Portugal se separó sesenta años después.

Felipe, que había sido el esposo de María Tudor, nunca abandonó por completo la idea de hacerse rey de Inglaterra. Entre 1580 y 1585 sus planes sufrieron contrariedades. Su primer hijo, don Carlos, que parecía haber heredado un poco de la locura de su bisabuela, tuvo que ser confinado, y murió a los veinte y tres años de edad; la cuarta esposa de Felipe también murió. El rey se encontraba en una situación difícil en Flandes, y el poderío de Francia crecía; Nápoles estaba en rebelión, y el Papa y los obispos españoles habían desafiado al soberano español.

A pesar de todo esto, Felipe empezó a hacer preparativos para una expedición contra Inglaterra. Felipe exigía el trono inglés como descendiente de Juan de Gante. El embajador español estaba en contacto con María, reina de los escoceses, a quien por fin persuadieron de que debía desheredar a su hijo Jaime (junio, 1586) en favor de Felipe. La cólera del pueblo español había sido inflamada por los saqueos y tropelías de capitanes intrépidos, como Drake y Hawkins, quienes capturaron muchos galeones españoles. El plan de invasión de Felipe era grandioso: ciento cincuenta barcos de línea y seiscientos barcos más pequeños habían de transportar un ejército de treinta mil marineros, setenta mil soldados, y mil seiscientos caballos. Algunas de las tropas habían de ser transportadas desde Flandes. Los planes tuvieron que ser modificados considerablemente. Las dificultades para reunir el dinero necesario fueron inmensas. Felipe trabajó muchísimo, pero tuvo que batallar contra la miseria, la impericia y la corrupción. Se esperaba que la expedición estuviese lista en 1587, pero no fué así. Drake desbarató los planes españoles cuando valerosamente atacó a Cádiz ese mismo año. Quemó los barcos en la bahía y causó el aplazamiento de la empresa mientras los gastos crecían fabulosamente. Debido al mal tiempo fué difícil reunir — finalmente — los barcos. Santa Cruz, excelente marino que había de dirigir la expedición, fué censurado agriamente por Felipe, y murió, según se dice, de tristeza. Le reemplazó el duque de Medina Sidonia, viejo e incompetente quien rogó a Felipe que abandonara la idea de esa expedición. Farnesio en Flandes le aconsejó lo mismo, porque sabía que sólo saldría bien bajo condiciones ideales cuando las hubiera. Felipe perseveró en su empresa fiándose del coraje español que no se podía poner en duda y de la justicia de su causa, justicia que era ya más discutible.

Al fin unos ciento treinta barcos y veinticinco mil hombres divisaron Lizard el domingo 30 de julio de 1588. El resto de la historia lo sabe todo el mundo. La mitad de los barcos y menos de la mitad de los hombres volvieron a España, derrotados por la fuerza naval inglesa y la tormenta, infelices supervivientes de la derrota más grande sufrida por España desde 711. Es fácil comprender que el plan de acción de Felipe era desastroso, pero se resiste uno en vano a la admiración pensando en su tesón para tratar de llevar a cabo lo que él consideraba mejor para su país y su religión. Los últimos días de su vida fueron muy penosos; era víctima de una enfermedad muy cruel, y la soportó con su característica fortaleza hasta que murió en 1598.

El ocaso del imperio. El reinado de Felipe aparece lleno de espléndidos fracasos. El rey no estaba ciego, pero tal vez ni él ni ninguno de sus vasallos se dieron cuenta del estado de bancarrota en que se hallaba España. La agricultura y la industria habían sufrido mucho después de la expulsión de los moriscos. Los impuestos opresivos destruían los estímulos del comercio y la industria. La pesca había sufrido porque los barcos eran confiscados para la guerra. La población mermaba con las empresas bélicas, las enfermedades, y la colonización del Nuevo Mundo. Para muchos españoles España debía ser un país casi inhabitable.

El período que sigue a Felipe II es de decadencia y pobreza compensadas solamente por el esplendor artístico y literario. Felipe III, como presentía su padre, fué un joven débil, extravagante y amante de los placeres, inclinado a dejarse conducir por los favoritos. Entre los principales privados figuró el duque de Lerma. El rey pudo haber concentrado sus energías políticas si las tenía, porque Flandes le había correspondido a su hermana Isabel, y la paz reinaba en Portugal. Sin embargo, se proyectó otra expedición contra Inglaterra, y una tormenta dispersó de nuevo los cincuenta barcos que iban a tomar parte en ella. Los esfuerzos de los españoles al ayudar la rebelión de Tyrone en Irlanda fueron vanos. Felipe gastó mucho dinero que le hacía falta a él ayudando a su hermana Isabel en los Países Bajos contra los protestantes holandeses. Un general y hombre de estado italiano muy capacitado, al servicio de España, que demostró sus dotes políticas durante este período fué Ambrosio Spínola. Salía por lo general adelante en sus empresas aunque a menudo tuvo que hacer uso de sus propios fondos. Cuando los holandeses le pidieron una tregua, vió la oportunidad de una paz ventajosa, y en 1609 la tregua fué firmada por doce años. Una de las características de la guerra había sido que los holandeses, al desarrollar su poder marítimo, empezaron a apoderarse de las colonias portuguesas.

En 1618 estalló la Guerra de los Treinta Años, y en 1620 España entró en ella en favor del emperador Fernando, por razones de familia y para continuar la costumbre de ayudar a la causa católica. Para España la guerra duró hasta 1659. Spínola la ganó, pero el balance final fué la miseria y la postración para España.

El reinado de Felipe III (1598–1621) se señala por las guerras en Italia y las dificultades renovadas con los piratas turcos y los del Africa del Norte, cuyas actividades en relación con España eran paralelas a las de los ingleses y los holandeses.

Durante el reinado de Felipe III los moriscos, que ascendían a unos quinientos mil, fueron expulsados, primero de Valencia (1609) y más tarde de todo el país. Los moriscos eran muy industriosos y habían contribuido grandemente a la vida económica de España. Por todas las razones señaladas, el tercer Felipe cuando murió en 1621 dejó a su país mucho más pobre de lo que lo había encontrado.

Felipe IV, hijo débil de un padre ya conocido y no por su energía, estaba destinado a ocupar el trono por mucho tiempo, desde 1621 hasta 1665, y a ver a su nación empobrecerse todavía más. El favorito de Felipe IV fué el conde-duque de Olivares, cuya desagradable cara es bien conocida a los que hayan visto su retrato en un cuadro de Velázquez. La larga mandíbula y el débil rostro de Felipe IV en retratos por el mismo artista son conocidos también. La tregua con los holandeses expiró en 1621, y Olivares reasumió las hostilidades, a pesar de los buenos consejos de Spínola. Los españoles no ganaron ninguna ventaja en Holanda por tierra, y sin embargo fueron víctimas de los ataques por mar de los holandeses. España siguió luchando en la Guerra de los Treinta años, y la infantería española parecía que iba a decidir la lucha a favor de los católicos. Francia era católica de nombre, y estaba casi completamente en manos del cardenal Richelieu, pero la nación se interesaba más en el desarrollo de sus propias fuerzas que en problemas de religión, y en 1635 entró en la guerra al lado de los príncipes protestantes. Las tropas españolas ganaron batallas como de costumbre, pero sus efectos eran anulados por la falta de fondos para mantener las ventajas ganadas. Sin embargo, en 1643 las tropas francesas bajo el mando de Condé derrotaron a los españoles en Rocroi, la primera vez que la infantería española había sido derrotada en doscientos años y en condiciones numéricas casi iguales que las del enemigo. El efecto moral fué enorme entre los adversarios de España y las derrotas de las armas españoles iban a ser desde entonces cada vez más frecuentes. La Paz de Westfalia reconoció la independencia holandesa y el derecho de los holandeses a retener las colonias portuguesas que habían ganado en las Indias Orientales. La facción católica de los Países Bajos continuó en manos de los españoles. La guerra entre Francia y España siguió hasta 1659, y según el tratado entonces firmado, España cedió la Cerdaña y el Rosellón, sus territorios borgoñones, gran parte de los Países Bajos católicos, y Cerdeña. Se acordó que la princesa española María Teresa contrajera nupcias con Luis XIV de Francia. Su nieto Felipe V hubo de iniciar a principios del siglo XVIII una nueva dinastía en España.

Mientras tanto había habido sublevaciones en Cataluña, que era entonces, como es ahora, la región más inquieta de España. Los catalanes creían que el conde-duque de Olivares les había restringido sus fueros, y no les gustaban los impuestos que había que dar ni los soldados que había que recibir y alojar. Estalló la rebelión abierta, y en 1640 se estableció una república bajo la protección de Francia, que había fomentado el descontento. En 1641 el rey de

Francia comenzó a gobernar aquella región, pero los catalanes se encontraron con que los franceses eran tan duros e injustos como los castellanos. Estos hechos causaron la caída de Olivares en 1643. Felipe IV confirmó de nuevo los fueros catalanes en 1653, pero la guerra siguió por seis años hasta que Cataluña, al declararse la paz con Francia en 1659, fué declarada otra vez territorio español.

Olivares fué responsable también de dificultades en otras partes. Portugal había sido tratado bastante bien por Felipe II, y aun bajo Lerma, ministro de Felipe III, las condiciones eran relativamente satisfactorias. Lo que se proponía Olivares era la unión de los dos reinos, con las cargas fiscales igualmente distribuidas entre los dos. En 1635 empezó a imponer mayores impuestos a Portugal. Se declaró una rebelión en Evora en 1637. Fué reprimida, pero todo el país se sublevó en 1640, coincidiendo con la rebelión catalana, y el duque de Braganza fué coronado rey de Portugal, bajo el título de João IV. La guerra, desmayadamente conducida por España, se prolongó veinte años más, pero en 1668 se reconoció formalmente la independencia de Portugal y quedó desvanecida la última esperanza de la unidad peninsular ibérica.

El hijo de Felipe IV, Baltasar Carlos (también retratado por Velázquez), murió muy joven. El heredero del trono fué un pobre niño epiléptico de cuatro años, Carlos II, el Hechizado, hijo de Felipe IV y de su segunda mujer y sobrina, Mariana de Austria. El infeliz niño parecía que estaba a las puertas de la muerte, pero vivió y « reinó » treinta y cinco años hasta 1700. Como se vió muy pronto que no iba a tener hijos, su reinado se convirtió en una serie de intrigas para decidir la sucesión. Hubo tres partidos, uno que favorecía a los franceses, otro a los austríacos y un tercero que apoyaba a don Juan de Austria, hijo de Felipe IV y de la famosa actriz, María Calderón. El gallardo don Juan murió en 1679. Luis XIV abrió nuevas campañas contra España, en las cuales intervino hasta la corona de Suecia. Los franceses se apoderaron de las posesiones españolas en los Países Bajos. Carlos II había favorecido al partido austríaco, porque su madre y su segunda mujer eran de Austria, pero Luis XIV era demasiado poderoso. Carlos II vaciló mucho, pero al fin hizo un testamento legando el reino a Felipe de Anjou, nieto de Luis XIV, con la estipulación de que España y Francia no se unieran nunca bajo el mismo rey. Así fué como la Casa de Austria llegó a su fin desgraciado. Los Borbones iban a ocupar el trono español hasta 1931.

Políticamente la Casa de Habsburgo en España fué caracterizada por la obstinada tendencia a concentrar toda la autoridad en manos del soberano o de su favorito, por medio de una compleja organización burocrática. Si en tiempos de Felipe II hubiesen sido más fáciles las comunicaciones, es posible que aquel monarca hubiera gobernado su país tan autocráticamente como cualquier dictador moderno. Las cortes perdieron gran parte de su autoridad, porque fueron convocadas sólo para autorizar impuestos, y aprobaron casi siempre las demandas reales. En 1665 el privilegio de imponer tributos fué conferido exclusivamente a los municipios y las cortes castellanas no se reunieron ni una sola vez durante el largo reinado de Carlos II. Las cortes de Aragón, Cataluña, Valencia y Navarra siempre se reunieron por separado y no estaban tan dispuestas a conceder prerrogativas reales. No titubearon en presentar sus quejas. Los municipios del reino perdieron la mayor parte de su autonomía, y la mano real pesó más duramente sobre ellos que durante la Edad Media. El rey ejercía su dominio principalmente a través del Consejo Real y de sus diferentes secciones o delegaciones.

Guerra y despilfarro. Las guerras que España mantenía constantemente eran tan gravosas que fué necesario aumentar los impuestos ya existentes y añadir muchos nuevos. Se ha calculado que en tiempos de Felipe IV la tercera parte de las rentas de la nobleza y la octava parte del valor de todos los comestibles iban directamente al estado, además de un impuesto del catorce por ciento sobre todas las ventas de cualquier clase. Las complejidades de la historia financiera de ese período hacen muy difíciles los cálculos; se han estimado los impuestos en España bajo Felipe III en 24 millones de ducados, unos cincuenta millones de dólares, de los cuales tal vez la mitad entraban en los cofres reales. La deuda nacional en un momento dado alcanzó la suma de $1.500.000.000. Las rentas de la familia real en tiempos de Fernando e Isabel eran unos $250.000; las de Carlos V, $2.225.000; y las de Felipe IV unos $20.000.000. Es notorio que hubo además gastos extraordinarios, como los que se hicieron para casamientos reales. Cuando en 1615 Felipe III fué a San Sebastián a casarse, había seis mil quinientas personas en su séquito, además de una escolta de cuatro mil guipuzcoanos; mil setecientas cincuenta mulas con esquilones de plata, dos mil setecientas cincuenta mulas de montar, con el número adecuado de carruajes, coches y literas. Se dice que un baile de máscaras dado por Olivares para el príncipe de Gales, el futuro Carlos I de Inglaterra, huésped de la corte española, costó cinco millones de dólares. A pesar de todo, las fiestas cortesanas eran relativamente baratas. En Flandes entre los años de 1598 y 1609, la guerra española costó unos seiscientos millones, y otras guerras costaron aún más. Y eso que los ejércitos de los siglos XVI y XVII por regla general no estaban formados sino por masas de veinte a cuarenta mil soldados. Tampoco era grande la población de España: menos de siete millones a mediados del siglo XVI y menos de seis a fines del XVII. Se ha calculado que la quinta parte de la población se había consagrado a la religión — clérigos, monjes y monjas de varias órdenes — que contribuían muy poco o nada a la vida del país en el sentido militar o económico.

Una gran parte de la deuda española estaba en manos de banqueros extranjeros: flamencos, alemanes, y sobre todo genoveses, que cobraban interés del quince y treinta por ciento al año. Estos intereses subían aun al treinta y tres por ciento si se trataba de renovar un pagaré vencido y no cubierto por el rey español. Los banqueros considerando sin duda que el riesgo era grande, buscaban compensaciones.

No sólo eran los ejércitos relativamente pequeños sino que constaban muchas veces de mercenarios. Los ejércitos españoles no estaban muy bien organizados, sobre todo en la segunda mitad del siglo XVII, y en muchos casos la paga no llegaba a manos del soldado, habiéndose detenido o distraído por el camino. Los ejércitos europeos de la época iban acompañados de mujeres que mostraban un gusto especial por la vida militar. No existen estadísticas, pero se relata que la expedición de Carlos V a Túnez iba acompañada de cuatro mil enamoradas.

Aunque las armas de fuego eran ya de uso general, las tropas así armadas se consideraban como auxiliares. Los cuerpos principales iban armados de lanzas, como se ve en la célebre pintura de Velázquez, La rendición de Breda, llamada comúnmente Las Lanzas. Las piezas de artillería se habían mejorado considerablemente y los cañones se usaban ya mucho en la última parte del siglo XVII.

La marina española de guerra no era una organización oficial. Se compraban o se alquilaban buques a españoles o a extranjeros, o se servían de barcos mercantes, con menoscabo del comercio marítimo. España sufrió grandes desventajas desde el momento en que Inglaterra, Francia y Holanda establecieron sus marinas mercantes propias. En el siglo XVI los buques españoles tenían tripulaciones de voluntarios pero en el XVII los pescadores tenían que hacer antes el servicio naval. La mayor parte de las galeras tenían tres bancos de remos, como los trirremes romanos, y los remadores eran criminales condenados por la justicia o esclavos. El armamento principal era de cañones, pero la táctica española consistía en acercarse al buque enemigo y abordarlo. La línea de tiro de más alcance de los cañones ingleses fué un factor decisivo en la batalla naval de 1588. También los buques ingleses, más pequeños y más ligeros, eran más fáciles de maniobrar que los pesados galeones españoles.

El papel de la Iglesia. Por mucho que digamos no caeremos en el riesgo de exagerar la importancia de la Iglesia y de la religión en la España de la Casa de Austria. Bien es verdad que la tolerancia no era una de las virtudes de la época ni entre católicos ni entre protestantes. El espíritu de Lutero y de Calvino no era muy distinto quizás del de Torquemada. El protestantismo no tuvo atmósfera propicia en España, aunque nunca faltó la crítica — a veces muy dura — de los abusos dentro de la Iglesia. Erasmo, secretario de Carlos V, tuvo en España, sin embargo, una influencia mayor de lo que se sospecha. España jugó un papel muy importante en la Contrarreforma y en el Concilio de Trento (1545–1563). Los españoles prepararon y llevaron a cabo muchas reformas dentro del catolicismo. La Inquisición desempeñó eficazmente su tarea, y surgió otra organización de gran eficacia para mantener y propagar la fe: la Compañía de Jesús. San Ignacio de Loyala fué un hombre de energías inusitadas, aún en la enérgica España, un verdadero conquistador y « caballero andante » de la religión. Después de una juventud borrascosa y una temporada en el ejército, fué herido defendiendo a Pamplona contra los franceses en 1521. Durante la convalescencia pasó el tiempo leyendo libros religiosos. Hizo después una peregrinación a Jerusalén y estudió teología en Barcelona, Alcalá, Salamanca y París. En España, la Inquisición le mandó cesar en sus predicaciones por las calles, pero en Roma tuvo mayor éxito. El y sus amigos se hicieron llamar la Compañía de Jesús, y en 1539 se organizaron como una orden seudomilitar, aprobada por el Papa en 1540. Loyola fué el primer general. Los jesuítas ofrecían la obediencia ciega a sus superiores, sobre todo al Papa, y se dedicaron con ahinco a la educación popular. Pudieron ejercer una influencia especialmente grande porque no se congregaban en monasterios sino que vivían en el mundo, entre los seglares. Las órdenes religiosas más viejas, los agustinos y los franciscanos, secundados por el clero ordinario, se oponían a los jesuítas, y en los primeros tiempos Felipe II también les fué desfavorable. Como tenían el apoyo del Papa, Felipe se dió cuenta por fin de que ayudarían mucho a la unificación religiosa de sus dominios. La Inquisición encarceló al Provincial en España, pero

Felipe se puso del lado de los jesuítas y éstos prosperaron rápidamente, porque poseían conocimientos superiores y ponían grandísimo celo en el logro de sus ambiciones y la realización de sus ideales. Juntos con las otras órdenes, propagaron la fe en las colonias españolas y portuguesas, y unas y otras se han mantenido hasta hoy fundamentalmente católicas. Loyola murió en 1556 y fué canonizado en 1609.

Aun siendo España una nación profundamente religiosa, no se puede decir que fuera perfecta la moralidad pública ni privada. Estaba lejos de serlo, pero el ideal religioso era dominante e influía en todos los aspectos de la vida mucho más que ahora. Había en la Iglesia corrupción y fanatismo, pero también devoción y santidad. Muchos consideran hoy dañosa la intervención directa de cualquier iglesia en los asuntos seglares, pero en el siglo XVII y aun antes, esta intervención se consideraba beneficiosa y natural. Los soberanos españoles se esforzaron por ejercer influencia sobre la Iglesia española. Hasta un rey tan devoto como Felipe II combatió a su rey espiritual, el Papa, al reclamar éste autoridad en asuntos que Felipe consideraba de su jurisdicción. En la época decadente de Carlos II existían menos indicios de ferver religioso, aunque la Iglesia como cuerpo organizado siguió siendo bastante rica y poderosa.

El orden social y económico. Las condiciones sociales desde la época de Carlos I (V) hasta Carlos II no ofrecen particularidad alguna. Se iba intensificando la línea divisoria entre la alta nobleza, que huía de sus estados a la corte, y las clases medias y bajas; los nobles empezaron a ganar fama de ser orgullosos y pomposos, fama que no han perdido todavía en ningún país. A pesar de esto, siempre ha existido en España una tendencia democrática natural. Sea testigo le famosa comedia de Rojas Zorrilla (1607–1648), *Del rey abajo ninguno*, popular hasta muy entrado el siglo XIX, que dice que aunque el rey no puede cometer injusticias contra sus vasallos (teoría combatida por otras comedias), del rey abajo todos los hombres son iguales. El número de títulos de nobleza se aumentó mucho por real cédula, es decir, por venta ni más ni menos que en otro comercio cualquiera. En 1541 sólo unas trescientas mil personas pagaban impuestos directos, y de ellas unas cien mil eran hidalgos. Aun antes de Carlos V los nobles habían perdido gran parte de su poder político, pero seguían ocupando la mayoría de los puestos importantes del reino.

El cambio social más notable tuvo lugar no en España sino en las colonias, en donde millones de indios fueron convertidos al catolicismo y profundamente modificadas sus costumbres. Los indios no debían ser esclavizados, pero se aceptaba la institución de la esclavitud. En España los más de los esclavos eran prisioneros musulmanes o negros. Se les permitía ganar algo para sí mismos y podían redimirse mediante una cantidad pagada a su dueño.

Los judíos y los moriscos desaparecieron poco a poco de la escena española, pero se había presentado otra clase nueva, poco numerosa, a mediados del siglo XV: los gitanos. Eran gentes inquietas y nómadas, y se les acusaba de afición natural al hurto. Una ley de 1499 decretaba que los gitanos se establecieran en los pueblos y que practicaran oficios honestos so pena de ser exclavizados o expulsados. Se promulgaron leyes semejantes aún hasta en el siglo XVIII, pero los gitanos mantenían sus mismas características. Cervantes describe en su novela *La gitanilla* sus costumbres y se hace eco de la reputación que tenían. Grupos de ellos viven todavía en varias ciudades españolas, como en Granada, donde ocupan bonitas cuevas con paredes enjalbegadas y con luz eléctrica. Tienen gracia y experiencia en el mercado de caballos y burros, y sus mujeres suelen ser excelentes bailarinas que cantan y danzan por dinero. Los gitanos han dotado a España de excelentes guitarristas, bailarines y toreros.

Los gremios seguían floreciendo, pero empezaron a decaer a fines del siglo XVII. Se iban especializando más, y algunos, como el de los orfebres, se consideraban superiores a todos los otros. Su exclusivismo y la decadencia creciente del país acabaron por arruinarlos.

En España, como en toda Europa, se vivía peor que hoy, y la plata y el oro de América no bastaron para levantar el nivel de la vida económica. La riqueza importada era en cierto modo ilusoria, y se destinaba principalmente a pagar los gastos de las guerras y no a mejorar el bienestar del pueblo medio. Las industrias decaían y aumentaba el número de los que no tenían empleo. El hambre crecía mientras la Casa de Habsburgo caminaba cojeando hacia la muerte.

Los historiadores suelen comentar las inmoralidades de los Austrias. En realidad los moralistas encontrarán mucho que censurar en todas partes. Felipe IV tuvo treinta y dos hijos ilegítimos, y es de suponer que otros siguieron su real ejemplo. Más importancia tuvieron la inmoralidad pública, la corrupción del gobierno, las injusticias de orden económico, político y social contra el pueblo.

Los señores seguían vengándose de agravios personales por medio del duelo, a pesar de las severas leyes que lo prohibían. Los escritores de la época deploraban la facilidad y la variedad de los crímenes, pero es difícil saber si éstos eran más frecuentes que ahora. En los Estados Unidos se registraron 1.685.203 crímenes mayores durante el año 1946. Los estudiantes españoles, no teniendo deportes, bailes y otras diversiones universitarias ahora en boga, inventaban las suyas, y tenían fama de llevar una vida bulliciosa e irregular. Eran frecuentes los motines estudiantiles y escaramuzas entre los escolares y las autoridades.

Había bastantes en las clases sociales bajas que se ganaban la vida pidiendo limosna o robando. La novela picaresca española está llena de detalles pintorescos de la vida del hampa. Descripciones luminosas de las costumbres de los ladrones en Sevilla nos las ofrece Cervantes en *Rinconete y Cortadillo*. Los robos de los funcionarios del gobierno, altos y bajos, eran más graves, y han dejado menos literatura.

Las diversiones públicas eran bulliciosas y poco refinadas. Las justas y los torneos pasaron de moda en el siglo XVI, y las corridas de toros comenzaron a ganar popularidad. Las justas con cañas en lugar de lanzas se celebraban frecuentemente. El primer teatro se estableció en Madrid en 1579, y la comedia se hizo muy popular en las ciudades. Los dramaturgos compusieron un número fantástico de tragedias y comedias. Los hombres graves ocupaban los palcos y galerías y los « mosqueteros » el patio, donde había a menudo desórdenes. Las mujeres se sentaban en una especie de galería con reja, que tenía entrada independiente. Actores y actrices formaban una clase no muy estimada de la sociedad, y las bailarinas eran el blanco especial de las diatribas lanzadas por los moralistas.

Filósofos y eruditos. Aunque la instrucción elemental y ciertas enseñanzas más avanzadas habían progresado mucho, seguía siendo muy alto el porcentaje de analfabetos. Hacia fines del siglo XVII las universidades españolas habían decaído lamentablemente. El número de estudiantes en la de Salamanca, por ejemplo, bajó de siete mil a dos mil en el año 1700. Para imposibilitar la entrada en España de la cultura heterodoxa representada principalmente por la Reforma, Felipe II había prohibido que los españoles estudiasen en cualquier universidad extranjera con excepción de Coimbra, Bolonia y Roma.

El pensamiento español no pudo menos de ser influido por las corrientes renacentistas. Aunque España no haya contribuido mucho a la filosofía universal — en el campo del pensamiento sistematizado — el número de pensadores peninsulares es mayor de lo que han imaginado muchos extranjeros. Tal vez sea difícil para el español separar lo intelectual de sus demás actividades del « ente filosófico » del hombre de carne y hueso, del que habla Unamuno. Algunos, como Salvador de Madariaga en su obra *Ingleses, franceses, españoles*, insisten en que el español es fundamentalmente un hombre que siente hondo. De aquí el espléndido florecimiento de la lírica española en todas las épocas, y el vigor del esfuerzo español en busca de un ideal (el ideal religioso, por ejemplo) que pueda ser sentido totalmente y no sólo comprendido por el cerebro. En todo caso, Valencia produjo a Luis Vives (1492–1540), un filósofo cuya influencia pasó la frontera y llegó hasta París, Brujas, Lovaina y Londres, donde estudió y enseñó. Vives, como otros filósofos precartesianos, adoptaba la duda como el principio de la sabiduría, e inspiró a Bacon, a Descartes y a la Escuela Escocesa. Era muy amigo de Erasmo y de Sir Thomas More, quien revisó la traducción inglesa del libro de Vives sobre la instrucción de la mujer. Vives se interesó mucho por la cultura en general y sus puntos de vista eran muy modernos. Dice en su *De tradendis disciplinis:* « Nosotros, los eruditos, debemos transferir nuestras solicitudes al pueblo. Habiendo adquirido nuestros conocimientos, debemos aplicarlos a lo útil y emplearlos para el bien general. »

Hubo otros filósofos después de Vives que contribuyeron al desarrollo del pensamiento español. En general son ortodoxos, pero es posible mencionar a un heterodoxo, el aragonés Miguel Servet, médico que descubrió la circulación de la sangre antes que Harvey, teólogo cuyas ideas acerca de la Trinidad se consideraron heréticas. Huyó de la severidad de la Inquisición española para caer en las duras manos de Juan Calvino de Ginebra, quien le condenó a morir en la hoguera el año 1553. Como la leña estaba mojada, el suplicio se prolongó mucho, y fué más cruel. Servet había suplicado a Calvino que se le ejecutara por degollamiento y no por el fuego, pero Calvino se mantuvo firme en el servicio de Dios.

Los estudios de Humanidades siguieron su curso, y los siglos XVI y XVII vieron nacer a muchos eruditos notables. Los más de ellos eran varones, pero la toga de la profesora y dama de la reina Isabel, Beatriz Galindo, *La Latina*, pasó en el siglo XVI a Luisa Sigea de Velasco (m. 1560). Fué célebre esta dama por su belleza física, su gran saber y sus habilidades como poetisa en latín. Pedro Simón Abril (¿ 1530 ?–¿ 1595 ?) tradujo a Aristóleles, algo de Platón y varias obras latinas, y escribió gramáticas latinas y griegas. Juan de Vergara también tradujo a Aristóteles. Hernán Núñez *El comendador griego* (1478–1553) editó y tradujo muchos textos clásicos. Estos humanistas son sólo algunos de entre los mejores.

Se hicieron y publicaron muchas colecciones de refranes. Gonzalo de Correas (m. 1631) hizo un *Vocabulario de refranes y frases proverbiales*. El profesor de español en París, César Oudin, conocido por sus contemporáneos y por los eruditos de nuestro tiempo, recogió gran número de refranes españoles y los tradujo al francés (Paris, 1605). Hubo aún otras notables colecciones. El mejor diccionario del siglo XVII es el de Sebastián de Covarrubias: *Tesoro de la lengua castellana o española* (1611; 2da ed. aumentada, 1673).

La historiografía también progresó mucho. La historia del Siglo de Oro español mejor conocida fué la versión que hizo (1541) Florián de Ocampo de la *Crónica general* de Alfonso el Sabio, refundición que suministró muchos materiales para autores de comedias y de romances. El mejor historiador de la época fué el jesuíta Juan de Mariana (1535–1624) cuya *Historia de rebus Hispaniae libri XXX* tuvo gran aceptación. El mismo autor hizo la traducción al español. Mariana admite leyendas fabulosas, a pesar de que se muestra escéptico en cuanto a algunas historias de santos, pero tiene un verdadero sentido de la proporción y de la unidad y cierta predilección por lo dramático. Hubo también muchas crónicas e historias parciales y relatos de aventuras personales. Las cartas del gran descubridor, Cristóbal Colón, tienen mucho interés. Más interesantes todavía son las *Cartas y relaciones*, 1523–25, del conquistador Hernán Cortés. Fueron escritas para Carlos V y más tarde traducidas al latín, al francés y al italiano. Cortés era soldado y no escritor, pero había pasado por las aulas de Salamanca. El secretario de Cortés, Francisco López de Gómara (1512–¿ 1557 ?), escribió una *Historia de América* y una *Conquista de México y de la Nueva España*. La segunda es realmente una crónica laudatoria de Cortés. Uno de los más simpáticos conquistadores de la primera expedición de Méjico, Bernal Díaz del Castillo (1492–¿ 1581 ?), escribió una *Historia verdadera de la conquista de la Nueva España*, no publicada hasta 1632. El autor, buen soldado y hombre sincero, escribe en un estilo rudo pero expresivo y personal. Más culto fué el gran defensor de los indios, el dominico

Bartolomé de las Casas (1470–1566), que compuso varias historias del Nuevo Mundo y sobre todo una *Brevísima relación de la destruyción de las Indias*, enviada a Carlos V en 1542 y publicada diez años después. Las Casas mantiene que los indígenas de América, dotados de todas las virtudes, fueron corrompidos y tratados brutalísimamente por los españoles. Sus opiniones fueron muy combatidas por otras autoridades, pero su libro dió a los extranjeros una idea exagerada y no del todo corregida hasta ahora de los abusos españoles en las colonias. Uno de los historiadores que da más informes de toda clase sobre América es Gonzalo Fernández de Oviedo (1478–1557). De su *Historia general y natural de las Indias* se publicó durante su vida sólo la primera parte (1526). Es desordenada pero interesante, especialmente en la descripción de la fauna y flora americanas. *Los Naufragios* (1542) de Cabeza de Vaca son un relato pintoresco de las aventuras de este explorador en el suroeste de los Estados Unidos.

El Inca Garcilaso de la Vega (1540–1615), pariente del poeta del mismo nombre y del último de los incas, Atahualpa, compuso varias obras históricas. *La Florida del Inca* (1605) relata la historia de Hernando de Soto. Los *Comentarios reales* (1609–1617) dan muchas leyendas pintorescas y están escritos en un estilo ameno y cuidado.

En la ciencia, las aportaciones de España fueron notables. Se extendieron mucho los conocimientos geográficos y geodésicos. Se hicieron planes para abrir un canal por el Istmo de Panamá. La brújula marítima, inventada en 1525 por Felipe Guillén, mejoró la navegación. El calendario gregoriano fué corregido por Pedro Chacón y otros. Avanzó mucho el arte de construir buques; se investigaron las corrientes oceánicas; se mejoraron los instrumentos de navegación y la cartografía. La anatomía humana fué estudiada y su conocimiento mejorado por varios científicos además de Miguel Servet. Se establecieron hospitales para enfermedades epidémicas, como el de Sevilla, en la primera parte del siglo XVII. Daza de Valdés estudió el ojo humano e inventó las gafas, tales como las usaron después Cervantes y

Quevedo. A raíz del descubrimiento del Nuevo Mundo aumentaron mucho los estudios zoológicos, farmacológicos y botánicos. El doctor Francisco Hernández, que organizó una expedición en 1570 por sí mismo, catalogó, describió y pintó más de 14.000 plantas americanas diferentes, en una extensa obra de quince tomos. Una de las plantas fué la patata, que adquirió un interés más que científico en Europa. Se extendieron también los conocimientos de la metalurgia y la mineralogía.

El derecho colonial e internacional fué muy estudiado. Especialmente significativas fueron las aportaciones de Francisco Suárez y Francisco de Vitoria, a las cuales Grocio (Hugo van Groot) se confesó deudor. Martínez de la Mata anticipó a Adam Smith al insistir en que la única verdadera fuente de la riqueza era el trabajo. Luis Vives y otros creían que el suelo debía ser propiedad de la sociedad; que las tierras debían expropiarse y redistribuirse para el mejor uso general. Huelga decir que sus teorías no fueron puestas en práctica.

De los estudios intelectuales, la teología fué la reina, y hubo teólogos numerosísimos, que sería largo enumerar. Se compusieron obras de apologética no sólo por religiosos sino también por seglares. Los escritores ascéticos y místicos ganaron una fama que llegó mucho más allá de las fronteras españolas.

Los místicos. Una de las mujeres más notables del siglo XVI fué Teresa de Cepeda y Ahumada (1515–1582), mejor conocida como Santa Teresa. Nació de una familia noble de la antigua ciudad castellana de Avila. A los siete años pensó abandonar la casa paterna con su hermano para buscar el martirio. Los libros de caballerías le inflamaron la imaginación y aun empezó a escribir uno. A los diez y nueve años profesó en el convento carmelita de Avila. Su vida espiritual fué intensa y tuvo muchas visiones, pero sus actividades fueron también sociales y de organizadora. Demostró una energía extraordinaria en la reforma de la orden carmelita. Fundó diez y siete conventos, viajó mucho al servicio de su orden, y se ganó muchas enemistades. El Nuncio, Monseñor Sega, enemigo de los carmelitas descalzos, la encerró en Toledo, llamándola « mujer inquieta y andariega. » Podría haberla llamado también excelente costurera, jugadora de ajedrez, jinete y además hermosa. Tuvo que comparecer ante la Inquisición, pero fué declarada inocente. Se la canonizó poco después de su muerte (1620), y antes de esta fecha, en 1614, había sido beatificada.

A ruegos de sus confesores, Santa Teresa escribió su autobiografía, el *Libro de su vida* (Salamanca, 1588), que prefirió llamar el *Libro de las misericordias de Dios.* Esta narración de los hechos de su vida es más bien el relato de su vida interior, sus crisis espirituales, sus éxtasis religiosos. Su prosa es sencilla, directa, ardiente, y su autobiografía se ha comparado muchas veces con las *Confesiones* de San Augustín. Se podrá saber más de sus actividades en el libro que trata de los conventos que fundó, el *Libro de las fundaciones.* Encontrarán en él los lectores muchas anécdotas pintorescas y sabios consejos que la docta abadesa daba a sus monjas.

La obra más significativa de Santa Teresa es *El castillo interior* o *las moradas* (1588). Las siete moradas son los siete grados de la oración por los cuales entramos en nuestro propio espíritu, hasta llegar a la séptima morada, al centro del castillo, « donde está Dios, y nos unimos con él por unión perfecta, cual en esta vida se puede tener, participando de su luz y amor. » El libro es una de las rapsodias místicas más espontáneas y más sinceras del mundo, y su gran belleza es accesible por igual a santos y pecadores.

Las cuatrocientas nueve cartas de la Santa que nos quedan son vivas, naturales, como habladas, y en ellas alternan admirablemente el espíritu práctico y el religioso.

Santa Teresa también escribió poesías, sólo para edificación de sus monjas. Están escritas en cortos metros tradicionales, y son fervientes expresiones de la fe y de los anhelos místicos de la autora.

Otro carmelita más joven a quien conoció Santa Teresa en 1568 y convirtió a su reforma, era hijo de un tejedor: Juan de Yepes y Alvarez (1542–1591), venerado más tarde como

San Juan de la Cruz. Nacido en la misma provincia de Santa Teresa, entró de enfermero en el hospital de Medina del Campo y profesó en la misma ciudad en 1564. También él fundó muchas casas religiosas y ocupó altos puestos en la orden carmelita.

Las obras de San Juan de la Cruz no se publicaron hasta muchos años después de su muerte. La primera que compuso fué el *Cántico espiritual*, diálogo en cuarenta estrofas entre el Alma y su Amado, Jesucristo, con cuarenta capítulos de comentario en prosa. En esta obra, como en otras, San Juan fué inspirado por el *Cantar de cantares*, de Salomón. En la *Subida del Monte Carmelo* y *La Noche oscura del alma* el tema es el progreso del alma desde la noche tenebrosa de los sentidos, bajo la antorcha de la fe, hasta llegar al ideal místico de la unión directa y completa con Cristo. La *Llama de amor viva* describe los movimientos del Espíritu Santo, que es la Llama, sobre el Alma, ya unida con Dios. En cada caso San Juan expone su doctrina místico en verso y después en prosa para explicarla y completarla. Su prosa sutil y su exposición complicada son difíciles para los no iniciados, pero nadie puede dejar de apreciar la belleza de su poesía, sublime en el pensamiento, hermosa y sabia en la expresión. San Juan de la Cruz fué uno de los grandes poetas místicos de todos los tiempos. Expresa en palabras — en cierto modo — lo que El Greco expresó en sus pinturas.

El dominico fray Luis de Granada (1504–1588), que escribió copiosamente en español y en latín, era muy famoso y muy popular, y se admiraba su estilo ciceroniano. Su *Guía de pecadores* fué muy celebrada y difundida.

Fray Luis de León (1527–1588) teólogo más bien que místico, era agustino y profesor de teología en Salamanca. Nunca se consideró a sí mismo poeta y entre sus contemporáneos fué especialmente conocido por sus trabajos religiosos en latín, *De Fide*, *De Spe*, *De Caritate*, *De Creatione Rerum*, *De Incarnatione*, etc., hoy día raramente leídos. En España hubo aún otros grandes teólogos y sabios, como Benito Arias Montano, pero no mejores poetas que fray Luis de León, de cuya obra poética nos ocuparemos más adelante.

XV

La arcadia y la realidad en el siglo XVI

La lírica renacentista. Poetas como Garcilaso, dramaturgos como Encina y Vicente, prosistas como Fernando de Rojas, contribuyeron enormemente al desarrollo cultural en la Península, no sólo por la solidez de su obra sino también por las nuevas orientaciones que imprimieron al arte literario español y portugués. La tradición española ha tenido muchos elementos de permanencia, de continuidad, pero el Renacimiento italiano vino como una fuerza exterior para reavivar el espíritu español y para proveerlo de la fuerza animadora que había de llevarlo a un período de esplendor como el Siglo de Oro. Puede decirse que éste abarca aproximadamente los reinados de los tres últimos Felipes españoles, desde la mitad del siglo XVI hasta la última parte del XVII: la época de Camoens en Portugal, y de Cervantes en España, la época también de Lope de Vega, del Greco, de Velázquez, y de una larga serie de genios fecundos y diversos como la España misma.

El ejemplo de Boscán y Garcilaso fué muy poderoso en los poetas que les sucedieron. Pueden éstos dividirse en italianizantes y tradicionalistas, aunque esta división resulta en cierto modo arbitraria. La situación real era la siguiente: lo mismo los unos que los otros usaron las nuevas formas métricas italianas introducidas por Boscán y Garcilaso, utilizando al mismo tiempo las tradicionales, como el romance, la redondilla (cuatro versos de 8 sílabas, con rima *abba*) y otras. El predominio de una y otra tendencia parece autorizar, sin embargo, la división en dos campos.

Uno de los más fieles imitadores de Garcilaso fué Hernando de Acuña (1520–¿1580?), noble, soldado, y elegante poeta de Valladolid, especialmente conocido por un verso que resume todo el ideal español de la España de Felipe II:

Un monarca, un imperio, y una espada

Gutierre de Cetina, exquisita naturaleza, que vivió en la primera mitad del siglo XVI, es especialmente notable por su poesía amorosa, tan flúida y melodiosa como ligera y dulce. Solía ir dedicada a damas a las que llamaba Doris y Amarilis, y hay sospechas de que una de ellas fuese la hermosa condesa Laura Gonzaga. Se ignora todavía si a ella iba dirigido el madrigal más famoso del idioma español: *Ojos claros, serenos . . .*

Francisco de Figueroa, un modesto y tranquilo caballero de Alcalá de Henares, nacido el año de la muerte de Garcilaso (1536), obtuvo tal fama con su poesía que fué llamado el Divino. Al final de su larga vida, ordenó quemar sus poemas que consideró trivialidades de juventud, pero se salvaron algunos que prueban que era un hábil artífice del verso pastoril y amoroso. Se llamaba a sí mismo, Tirsi, y el objeto de su adoración, Fili. Sus sonetos y canciones son felices en las imágenes y en la expresión directa.

A últimos del siglo XVI la forma poética pareció concentrarse alrededor de algunas regiones de España, principalmente Salamanca y Sevilla. Los poetas de la escuela de Salamanca sobresalían por su sobriedad clásica, profundidad de pensamiento, dignidad de expresión, mayor atención al tema que a la forma, en contraste con la manera exuberante de la escuela sevillana. El más grande de los poetas de la escuela del norte y en opinión de muchos el más grande de España, fué fray Luis de León, que posiblemente consideraba su poesía como la menos importante de sus actividades. Nacido en Belmonte (Cuenca), de ascendencia judía, estudió primero en Madrid y en Valladolid, y a los 16 años pasó a la Universidad de Salamanca. En enero de 1544, tomó los hábitos de la Orden de San Agustín. Obtuvo varios títulos académicos y fué nombrado profesor de teología y ciencias afines, en Salamanca, donde transcurrió casi toda su vida. A causa de haberse dudado de su ortodoxia religiosa por rivales y enemigos académicos fué acusado ante la Inquisición y permaneció desde marzo, 1572, a diciembre, 1576, encerrado en la prisión inquisitorial de Valladolid. Al fin fué declarado inocente y restituido de sus derechos y privilegios académicos. Después de todas estas dificultades regresó a la Universidad de Salamanca y comenzó su primera clase de este modo: « Como decíamos ayer . . . , » o por lo menos tal es la leyenda, probablemente apócrifa. Murió el 14 de agosto de 1591, nueve días después de haber sido electo Provincial de la Orden de los Agustinos en España.

Entre sus colegas, fray Luis de León era conocido principalmente por sus obras latinas, pero de mayor interés general son sus obras en prosa española, como su traducción de los *Cantares de Salomón* (base de las acusaciones de la Inquisición) y su *Exposición del libro de Job*. *La Perfecta Casada*, publicada en 1583, se inspira en los últimos veintiún versos del último capítulo de los *Proverbios*, según la opinión de varios padres de la Iglesia y de algunos seglares de informado criterio. La esposa debe ser casta, aseada, caritativa, industriosa, madrugadora, y capaz de atender al marido, los quehaceres de la casa y a los sirvientes. El estilo de la obra es limpio y terso, las ideas sin duda excelentes pero de dudosa originalidad. Fray Luis sabía muy poco en realidad de las mujeres y no las tenía, además, en gran estima.

De mucha mayor belleza es el libro de *Los nombres de Cristo*, publicado en el mismo año. Es una meditación en forma dialogada, sobre los varios nombres de Jesús: Príncipe de la Paz, el Pastor, el Cordero, etc. En prosa elegante y armoniosa se ve que el autor disfruta de una gran paz interior.

Pero a pesar de la belleza de su prosa la poesía de fray Luis de León es aún superior. La producción poética de Luis de León, relativamente escasa, no se publicó hasta 40 años después de la muerte del autor. Quevedo hizo de ella una edición muy imperfecta. Fray Luis había querido publicar sus poemas, pero nunca realizó ese deseo. Los había dividido en tres grupos: I. Poesías originales. II. Traducciones de poetas paganos. III. Traducciones de autores sagrados. Estas últimas son principalmente de los *Salmos*, *Job*, y los *Cantares de Salomón*, y el poeta dice en su introducción que trata de conservar la dulzura y la majestad que los originales poseen.

De entre los paganos, fray Luis tradujo principalmente a Virgilio (las diez Eglogas y los primeros dos libros de las Geórgicas) y a Horacio. Las traducciones no son literales, sino de una gracia y elegancia suelta y libre dentro del espíritu del original.

Naturalmente, son las poesías originales de fray Luis las que le han ganado más admiradores. Con cierta justificación se le ha llamado a veces el Horacio cristiano. El gran poeta latino fué el ejemplo de fray Luis de León, pero éste no se limitó a ser su discípulo. Poseía el encanto delicado de Horacio, combinado con una mayor gravedad, ya que León meditaba más sobre las cosas del cielo que sobre las gracias de Cloe o de Lalage. Hay pues en fray Luis una verdadera fusión de dos culturas, la pagana y la cristiana. Los lectores de habla inglesa pensarán en Milton, aunque el español, que era un católico devoto, empleó mucho menos el adorno mitológico y no produjo una obra de la extensión del *Paraíso perdido*. En cambio, logró una mayor delicadeza. En las poesías de fray Luis hay siempre esa profunda serenidad y gravedad de expresión, combinadas con una hermosa fluidez que Coventry Patmore consideró como la mayor gloria de la literatura española.

Una de las más atractivas poesías de fray Luis, está dedicada a su amigo, Francisco Salinas, ciego, y profesor de música de la Universidad de Salamanca. En esta poesía fray Luis muestra todo su amor por la armonía que llena el aire y lo reviste de belleza y luz, pero expresa su deseo también de que la música despierte los sentidos hasta la percepción del divino bien acallándolos para todo lo restante. La noche serena y los cielos adornados de incontables planetas lo llevan a meditar sobre la insignificancia del hombre y la necesidad de despertar a los esplendores de la vida espiritual y a la noción de eternidad. En su poesía A Felipe Ruiz, fray Luis expresa el deseo de liberarse de su envoltura carnal para volar al cielo, donde habrán de encontrarse no solo las mansiones de la alegría y el contento, sino también el conocimiento de las causas ocultas de las cosas. En esta vida (*Vida retirada*) expresa la nostalgia por una vida simple, libre del amor, de los celos, de los odios, de las esperanzas y de los temores. La poesía de fray Luis es sencilla, exenta siempre de artificios, tierna, expresiva y pura. Sus imitadores no pudieron nunca alcanzar estas cualidades en la misma medida.

La poesía del sur resulta bien diferente, como se observa en Fernando de Herrera (1534–1597), que pertenece a la llamada escuela sevillana. Este sacerdote de órdenes menores parece haber sido persona inasequible, huraña y hosca, pero por sus versos recibió como Figueroa el sobrenombre de El Divino. Era miembro de un grupo de poetas y sabios que se reunían en el palacio de don Alvaro Colón y Portugal, conde de Gelves y biznieto del navegante descubridor. Herrera se enamoró profundamente de la condesa, con una pasión platónica y sin esperanzas, y ella le inspiró un gran número de sonetos petrarquistas y de elegías sobre los sinsabores del amor. Sin embargo, Herrera no debe su fama a esas composiciones amorosas, sino más bien a su poesía heroica y patriótica. Su obra más famosa es su canción « Por la victoria del señor don Juan en Lepanto » en el que vuelca grandes elogios a don Juan de Austria y las armas españolas, y lanza epítetos condenatorios contra los derrotados turcos. Herrera reviste sus versos de verdadera pompa y majestad, y éstos se deslizan como las olas del mar. Su armonía no es delicada pero sí impresionante: un poco retórica pero de clase excelente. Herrera admiraba grandemente a Garcilaso pero mientras las composiciones de éste último eran suaves y elegantes, las de Herrera son más bien fuertes y vigorosas. La *Canción a la pérdida del rey don Sebastián*, cuya prematura muerte en Africa (1578) constituyó una trágica e innecesaria derrota para las armas portuguesas, es un poderoso lamento, acompañado de melancólica resignación. Herrera muestra siempre un amor realmente andaluz por la pompa y la sonoridad, la exuberancia y riqueza del lenguaje y una gran atención a la forma. Fué un precursor de otros poetas aún más recamados y sonoros que habían de seguirle.

Entre las amistades más interesantes de Herrera se hallaba el viejo y gran epicúreo Baltasar del Alcázar (1530–1606). Fué soldado, y con valor militar supo soportar la tremenda pobreza y la amarga enfermedad que ensombrecieron su vejez. Consideraba la poesía sólo como una agradable vocación, y escribió poesías amorosas encantadoras y versos religiosos de una verdadera e inspirada sinceridad. Es más notable, sin embargo, por sus obras festivas que le han dado el sobrenombre del « Marcial Sevillano. » Poseía la gracia y el ingenio verdaderamente andaluces, que derramó en sus deliciosos epigramas como el *Epitafio a una dama muy delgada*, *A un hombre jorobado por delante*, y otros sobre temas parecidos. Su *Cena Jocosa*, una historia que trata de contar a la pequeña Inés y que nunca se acaba porque la comida y el vino son demasiado buenos, es un modelo en su género.

La épica del Renacimiento. Homero y Virgilio sugirieron naturalmente a los hombres cultos del Renacimiento la idea de que podía intentarse una épica moderna, y Ariosto, Tasso y Camoens produjeron verdaderas obras de ese carácter aunque no alcanzaran la grandeza de las verdaderas Ilíadas o Eneidas. Los españoles, sin embargo, fueron menos felices en este aspecto. Se hicieron intentos para cantar en estilo épico las hazanas de Carlos V, de don Juan de Austria, y otros, pero estos intentos se frustraron. El poema narrativo del siglo XVI que ha resistido al tiempo es *La Araucana*, de Alonso de Ercilla (1533–1594). Ercilla nació y murió en Madrid, pero pasó los años de 1555 a 1563 en Chile, donde escribió su poema. La mayor parte de los 36 cantos de que se compone fueron escritos en pedazos de papel o de cuero, por la noche, después de haber pasado el día en el campo de batalla. Aunque el poema no tiene completa unidad y le falta gracia y fluidez, es vigoroso, está lleno de color, y presenta verdaderos caracteres épicos y brillantes descripciones de paisajes y batallas, especialmente en la parte en la cual narra la derrota del jefe araucano Caupolicán. *La Araucana* es la epopeya de la conquista española de América. Es lástima que Cortés no hubiese tenido también un poeta en sus ejércitos.

Hubo otras epopeyas durante el mismo período pero ninguna pudo igualar los méritos de *La Araucana*.

La novela pastoril. La producción poética española ha sido en toda época voluminosa e importante pero la prosa no quedó a la zaga durante el Renacimiento y el Siglo de Oro. La novela floreció tanto en los vergeles de lo ideal como en los páramos de la realidad. La novela caballeresca era decididamente idealista en tendencias. Sus temas eran medievales, pero hasta después de 1508, fecha del *Amadís* de Montalvo, su popularidad no se hizo patente. Fué entonces cuando España se llenó de relatos de imaginarias hazañas y altas empresas. Las proezas de los Amadises y Palmerines apenas eran en realidad más románticas y asombrosas que las hazañas realizadas por Cortés, Pizarro o Cabeza de Vaca y otros. Por otra parte, estos conquistadores no fueron impulsados sólo por la codicia del oro o la ambición de poder, sino también por el mismo espíritu místico y de grandeza que se encontraba en Amadís. La novela de caballerías fué una forma literaria realmente apropiada para la época.

Ese género de libros ofrecía a los lectores pasto imaginativo abundante, pero existió otra clase de novela en un plano aún más ideal: la pastoril, tomada por el Renacimiento de la antigüedad clásica. La poesía pastoril había sido cultivada por los griegos sicilianos, Teócrito y sus imitadores italo-griegos, Bión y Mosco. De hecho había habido una encantadora novela bucólica atribuída al Sofista Longo (siglo II), *Daphnis y Chloe*. Desgraciadamente, esta novela no se redescubrió hasta que fué demasiado tarde para que su influencia se dejara sentir en el Renacimiento. Fué Bocaccio el padre de la novela pastoril moderna con su *Ameto* (1341), escrita en prosa y verso, como todas las que habían de sucederle. La novela pastoril más notable fué escrita por un italiano de ascendencia española; la breve y lacrimosa *Arcadia* de Jacobo Sannazaro (edición completa y autorizada, 1504). Sus doce églogas, conectadas con elegante prosa, atrajeron a miles de lectores e inspiraron muchas imitaciones. La mayoría de las obras pastoriles que siguieron, como la *Arcadia* de Sir Philip Sidney, contenían menos poesía y eran mucho más extensas. Honoré d'Urfée escribió *L'Astrée*, que debió publicarse entre 1608 y 1629, y que tenía más de 5.000 páginas de extensión.

El impulso inicial, por lo tanto, de la novela pastoril española vino de los clásicos a través de Italia, y debe recordarse el uso que de los temas pastoriles hicieron Encina y Garcilaso. La recreación de la novela pastoril a mediados del siglo XVI, se debe, sin embargo, a dos autores portugueses. El primero fué Bernadim Ribeiro, cuyas *Saudades o Menina e Moça* (1554) es en parte autobiográfica y está escrita en portugués. El segundo fué Jorge de Montemayor, que escribió la mejor de las novelas pastoriles peninsulares en español. Montemayor tomó su apellido de la aldea, cerca de Coimbra, donde había nacido, Montemôr o Velho (en español, Montemayor el Viejo). Nació alrededor de 1520, y como su familia era pobre solo fué educado en las lenguas modernas. Era músico de la capilla de la hermana de Felipe II, que se había casado con un príncipe portugués. Vino con ella a España en 1554, y vivió principalmente en Valencia. Murió en un duelo por asuntos de amor en 1561.

Los célebres *Siete libros de la Diana* de Montemayor aparecieron por primera vez probablemente en 1559. La mayoría de los lectores modernos consideran la novela pastoril soporífica, pero hubo un tiempo en que gozó de gran estima. Los lectores de Montemayor disfrutaban con los versos que contiene la obra ya que el autor era en realidad un pulido y delicado poeta, especialmente en los versos cortos. Al mismo tiempo su prosa era considerada como la más elegante de la época. El argumento es sencillo y sus contemporáneos podían darse el gusto de identificar a los falsos pastores y pastoras que lanzaban sus quejas amorosas en el campo leonés. El pastor Sireno (Montemayor) ama a la pastora Diana (alguna dama de Valencia de San Juan) y la corteja asiduamente contra toda suerte de obstáculos, pero ella se casa con el pastor Delio. Encantamientos, otros hechos mágicos y diversas formas de lo sobrenatural abundan en el libro. Se intercalan muchos episodios ajenos al argumento principal como la historia de Félix y Felismena, que fué repetida también en la *Arcadia* de Sir Philip Sidney y en *Los dos caballeros de Verona* de Shakespeare. Aunque la *Diana* quedó inconclusa, fué reeditada veinticinco veces antes de 1800. Montemayor había proyectado añadirle una segunda parte pero su inesperada y prematura muerte le impidió hacerlo. Hubo poetas entusiastas dispuestos a continuarla, y el primero de ellos fué el Dr. Alonso Pérez, amigo y confidente literario de Montemayor. Escribió una complicada y pedante *Segunda parte de la Diana* (Valencia, 1564). La mejor imitación fué la de Gaspar Gil Polo (muerto en 1591): *La Diana enamorada* (1564) en la que Delio, el marido de Diana, se enamora de Alcida, amada por Marcelo con las consiguientes complicaciones amorosas. Estas se resuelven por la mediación mágica de la encantadora Felicia y la muerte repentina de Delio. Sireno se casa al fin con su amada Diana y así termina la serie de las novelas pastoriles de Diana, pero no la serie de las imitaciones, pues éstas siguieron apareciendo en España hasta 1633.

Prueba de la estimación que Cervantes tenía para este género es el hecho de que escribió una novela pastoril, *La Galatea* (1585) cuya segunda parte prometió sin llegar nunca a escribirla, que se sepa. Lope de Vega publicó por su parte una *Arcadia* en 1590.

Cervantes, en el *Coloquio de los Perros*, describe las novelas pastoriles como « cosas soñadas y bien escritas, para entretenimiento de los ociosos y no verdad alguna. » Así pues, las novelas pastoriles requieren imaginación y buen estilo. Desde luego, carecen de fondo real y las aventuras se desarrollan un poco gratuita y ñoñamente. La pastora viste bajo las pieles ropas de seda fina, y las ovejas tienen sólo una especie de presencia ornamental y decorativa. Las emociones de los pseudo-pastores son puro verbalismo sentimental y la naturaleza parece compuesta y repintada. ¿Cómo es posible que los espíritus refinados del Renacimiento encontrasen gusto en estas falsas joyas de la literatura? Porque sin duda así fué, y la mentalidad de entonces era tan elevada como la nuestra. El género pastoril tiene sus virtudes. Representó una aspiración al refinamiento, tanto en el sentimiento como en el estilo literario. Después de todo, el disfraz pastoril importaba muy poco, era un convencionalismo como cualquier otro, y el arte ha estado siempre dispuesto a aceptar ciertos convencionalismos. Al fin y al cabo, nadie consideraba las novelas pastoriles como tratados agropecuarios para criar ovejas. Fueron escritas en un plano ideal y no real. Su valor es convencional, figurado y no literal. Sin duda contribuyeron a aportar cierto refinamiento que faltaba en las crónicas de las expediciones militares, en las novelas caballerescas, y hasta en los cuadros realistas de la picaresca. Pero quizá lo más importante de todo es que las novelas pastoriles constituyeron una literatura de fuga y escape. Los que se sentían cansados de la vida de campaña en los ejércitos de los Felipes, hastiados de dura realidad, se hacían la ilusión, con el libro de Montemayor, de retirarse a una Arcadia donde sólo se oían las flautas de los pastores tendidos a la sombra junto al arroyo murmurante. Así saboreaban una prosa y una poesía, que aunque a nosotros nos parezca exagerada, sin duda era para ellos elegante, suave, aristocrática y dulce. Así fué como la novela pastoril gozó por más de un siglo una gran popularidad.

La novela morisca. La novela de caballerías y la pastoril tienen fuentes extranjeras, pero no así la novela morisca que es histórica hasta cierto punto, pero que se encuentra entre lo idealista y lo realista, constituyendo una contribución netamente española a la novela mundial.

El primer ejemplo de ellas se titula *El Abencerraje*. Apareció en 1565 en una miscelánea llamada *El Inventario*, compilada por Antonio de Villegas. Nadie sabe quién escribió *El Abencerraje*. Seguramente no fué Villegas, quien se limitó a recogerla e incorporarla a una obra más extensa. Fué también insertada de modo semejante y en estilo algo más elaborado, en la segunda y siguientes ediciones de la *Diana* y también apareció en un libro sin fecha titulado *Parte de la crónica del famoso don Fernando que conquistó Antequera*. . . . Como el privilegio de impresión de Villegas es de 1551, el relato debe haberse escrito antes de mediado el siglo.

Sea como fuere, poseemos una sencilla y tierna historia que cuenta cómo el Abencerraje Abindarráez se había enamorado desde su niñez de la adorable Jarifa. Los amantes tuvieron que separarse cuando el padre de ella fué deportado a otro lugar. Cuando el moro estaba a punto de casarse con Jarifa en secreto, fué vencido en combate singular por el noble Rodrigo de Narváez. El español se conmovió tanto al oír la historia del moro que concedió a Abindarráez tres días de libertad. Abindarráez se unió en matrimonio a la bella y espiritual Jarifa, y ambos regresaron para convertirse en prisioneros de Narváez. Rodrigo se impresionó tanto con la galantería del novio y la belleza de la novia que los libertó sin rescate, intercedió en su favor cerca del rey de Granada, los reconcilió con el padre de Jarifa, y todos terminaron viviendo felizmente.

El relato está hecho en estil directo y los personajes carecen de complejidades pero están firmemente trazados. Abindarráez, a pesar de sus virtudes masculinas, tiene aún más achaques sentimentales que su amada Jarifa, aunque sin la exageración de las novelas pastoriles. La novela tiene además el interés de presentar vívidamente la relación entre los cristianos y los moros. No hay odios fanáticos a pesar de la lucha secular entre ellos. Combaten entre sí como caballeros y admiran mutuamente su valor. La genero-

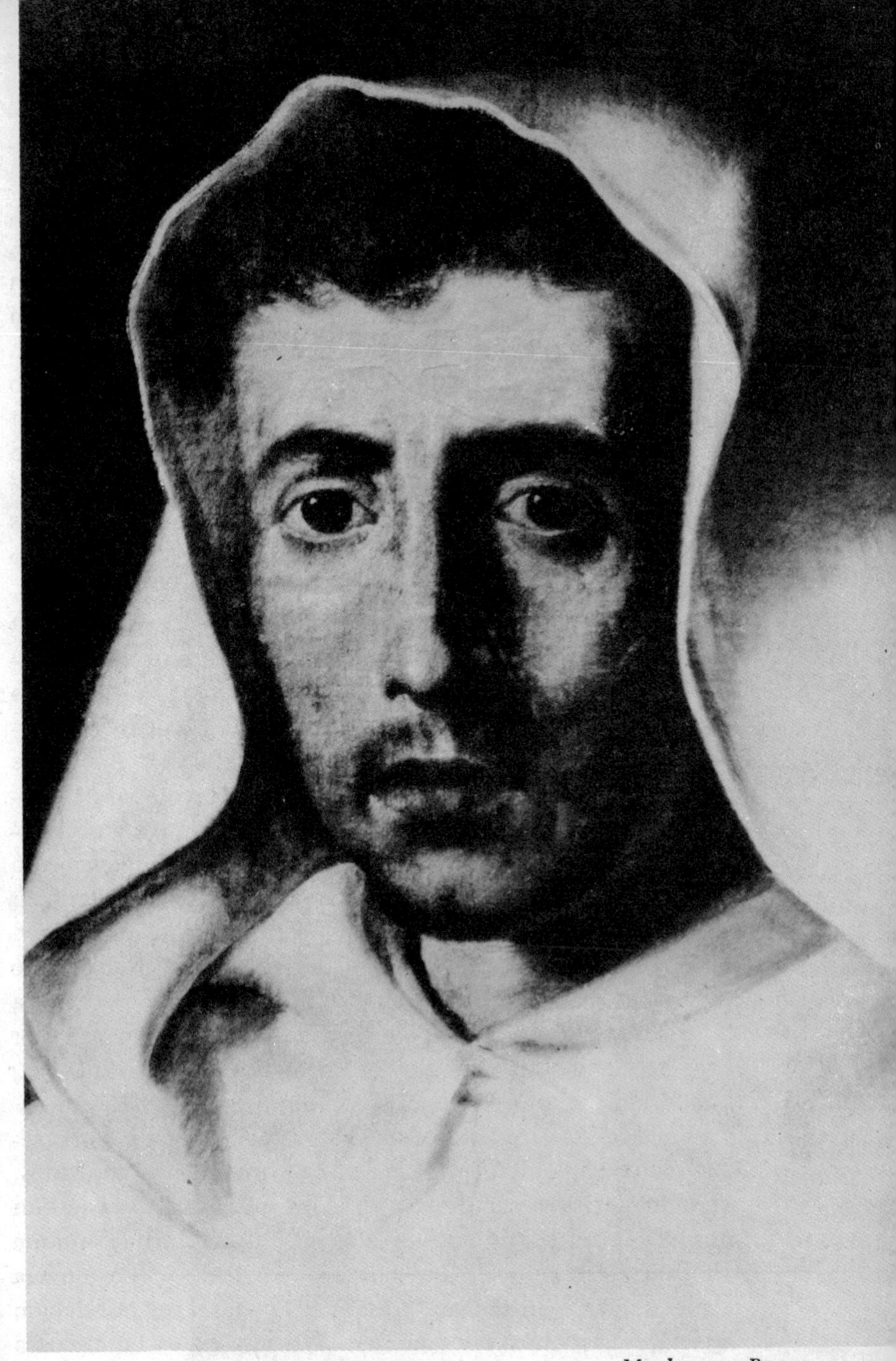

Monkemeyer Press.

Zurbarán: « Fray Jerónimo Pérez. »

Gramstorff Bros.

Murillo: « Concepción. »

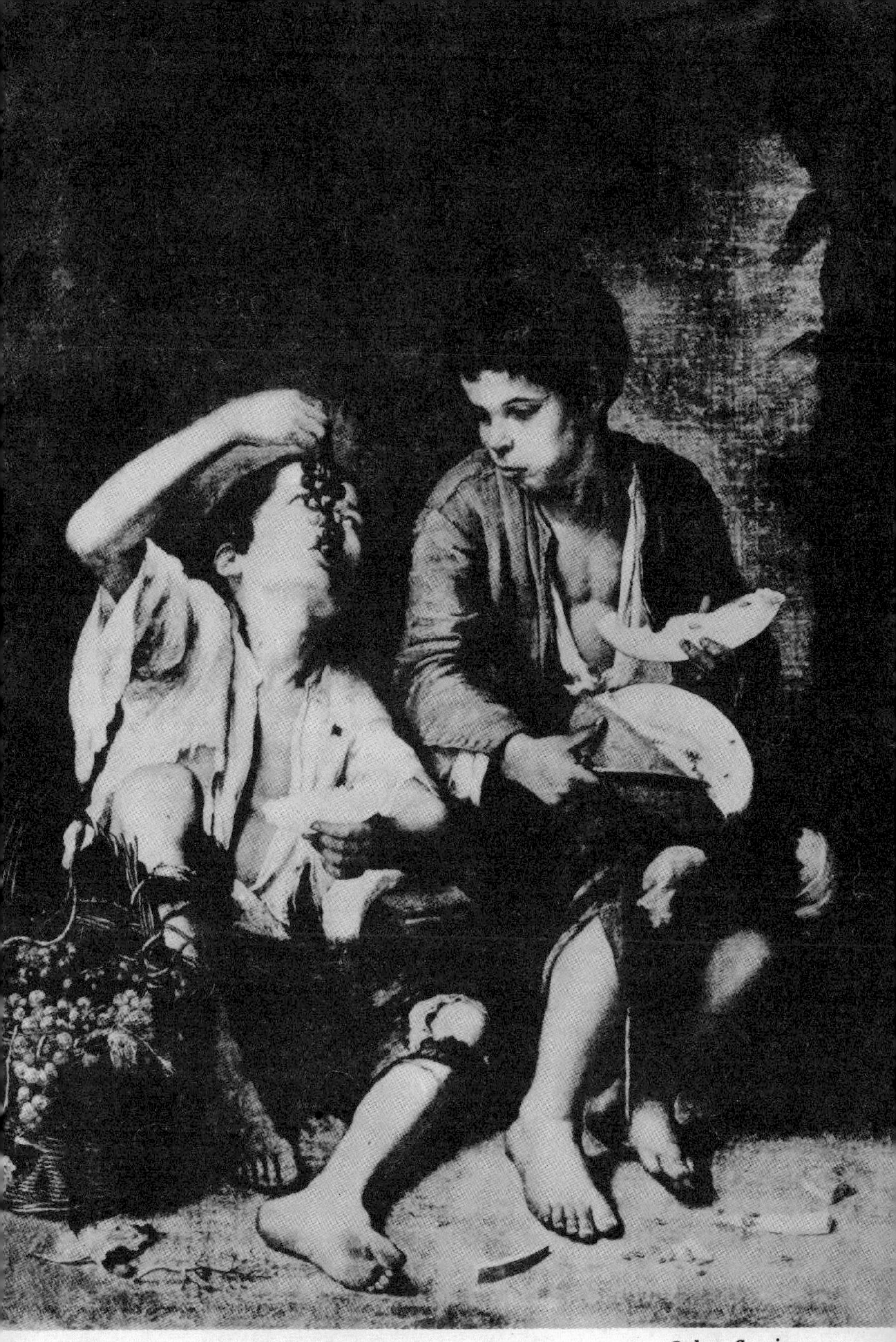

Culver Service

Murillo: « Niños comiendo uvas y melón. »

Hyperion Press

Ribera (Spagnoletto): « Martirio de San Bartolomeo. »

Gramstorff Bros.

TERCERA PARTE
DE LAS COMEDIAS
DE LOPE DE VEGA, Y OTROS AV-
tores, con ſus loas, y entremeſes, las quales Comedias van en la ſegunda oja

*Dedicadas a don Luys Ferrer y Cardona, del Abito de Santiago, Coad-
jutor en el oficio de Portant vezes de General, Governador
desta ciudad y Reyno, y ſeñor de la Baronia de Sot.*

CON LICENCIA,

En Madrid, En caſa de Miguel Serrano
de Vargas, Año, 1613.

A costa de Miguel Martinez,

*Vendeſe en la calle mayor, en las gradas de
ſan Felipe,*

Frontpage of the third part of the first edition
of Lope de Vega's Comedies, Madrid 1613.
(Facsimile in original size)

Portada típica de un libro del siglo XVII. Una « parte » contenía doce comedias.

Historical Pictures.

Lope de Vega, llamado « El Monstruo de la Naturaleza. »

Culver Service

Gramstorff Bros.

Pedro Calderón de la Barca.

Hispanic Society of America

La Universidad de Alcalá de Henares, fundada por el Cardenal Cisneros.

D. FRANCISCO GOMEZ
DE QUEVEDO VILLEGAS.

Francisco de Quevedo, que estudió en Alcalá.

Culver Service

sidad y caballerosidad de Rodrigo de Narváez destaca netamente y representa los sentimientos típicos del caballero español. Los hechos se supone que tuvieron lugar unos ciento cincuenta años antes de que se publicase el libro, el cual apareció durante el reinado de Felipe II. Quizá era más fácil atribuir virtudes a los enemigos de antaño que a los ingleses y aún a los moros supervivientes en España en la época del autor.

La novela picaresca. El tono de *El Abencerraje* es aristocrático, igual que el de las novelas pastoriles y las de caballerías. Hay otro tipo de novela que, como *El Abencerraje*, es también una creación genuinamente española pero que al revés de las caballerescas y pastoriles es cruda y violentamente realista: la picaresca. Parece ese género influenciado por *La Celestina* pero tiene sus raíces sumergidas en las realidades de la vida española de la época.

Un extraño libro que apareció en 1528 está también basado en la realidad directa e influído por *La Celestina*, pero no tiene nada en común con las novelas picarescas que habían de seguirle. Su autor fué un sacerdote llamado Delicado y se titula *La lozana andaluza*. Ha disfrutado de una reputación algo exagerada como el libro más obsceno de la literatura española. Apenas tiene valor literario y se reduce a un relato sin orden ni concierto de las aventuras de Aldonza, una muchacha española, una de tantas mujeres que ejercían la profesión más antigua del mundo en los alegres días del Papa Julio II. La obra es un notable documento sociológico y resulta de gran interés también para los lexicógrafos pero es patente que no tuvo importancia ni interés. Se publicó una sola edición en su tiempo, y no ejerció influencias dignas de nota.

La verdadera novela picaresca es de mucho mayor interés. En 1554 aparecieron tres ediciones diferentes de *La vida de Lazarillo de Tormes y de sus fortunas y adversidades*. Es la primera y a todas luces la mejor de las novelas picarescas. El argumento de una sencillez difícilmente superable: Lazarillo, un pequeño galopín, corre una serie de aventuras sirviendo a distintos amos: un mendigo ciego, un cura, un hidalgo, un fraile, un traficante de indulgencias, un capellán, un alguacil, para finalmente casarse y llegar a obtener una posición holgada y un buen cargo de pregonero en Toledo. La forma es autobiográfica, el estilo familiar y chispeante y la sátira aguda. Y así es la novela picaresca en general y cuando está bien lograda: la autobiografía de un individuo de los bajos fondos sociales (el pícaro) que sirve a varios amos y en el curso de su vida va satirizando la gente que conoce. Algunos han preferido dar al término picaresco un uso mucho más amplio, aplicándolo a cualquier obra literaria relacionada con la vida de los aventureros y bribones. En todo caso libros como el *Lazarillo* deben formar clase aparte. La manera autobiográfica es un elemento importante en este género porque el autor toma la observación y sátira de la sociedad desde abajo, o sea el punto de vista de los humildes. Solamente el lector ingenuo se limitaría a dejarse absorber por las aventuras del pícaro aunque realmente suelen ser muy divertidas. En cierto modo las novelas picarescas constituyen una parodia de los libros de caballerías. El pícaro es una especie de Amadís de Gaula con la cabeza para abajo, un anti-héroe como ha sido a veces llamado. Sus ambiciones se reducen a comer lo necesario, trabajando lo menos posible, los gigantes con quienes combate son sólo policías que le siguen pisándole los talones, y sus más elevadas empresas se reducen a pequeños hurtos. No sirve a su rey ni a su dama sino a su estómago y a sus ocios. Hay un punto en el que los conquistadores, los caballeros errantes y los pícaros se parecen: el vagabundaje. Todos son inquietos y van errantes por el mundo, cambiando de género de vida, no porque nadie les obligue, sino porque quieren y encuentran satisfacción en ello. Los caballeros errantes, como don Quijote, son superiores a la realidad y se mueven en un mundo espiritual propio pero el pícaro está apegado a la tierra, es absolutamente de este mundo, y acepta lo real tal cual sin dejarse llevar de falsos ideales ni ilusiones. Es lo suficientemente hábil, como la Celestina, para observar la existencia de las

« especies superiores » y utilizarlas para sus propios fines si puede. Veamos el más hermoso capítulo de toda la historia de la novela picaresca: el Capitulo III del *Lazarillo de Tormes*. Al arruinado hidalgo de Castilla a quien sirve el pequeño bribón le queda poca nobleza, excepto el orgullo de su linaje y casta. Lazarillo lo contempla desde abajo y ve su semblante aristocrático que tan mal parece en un hombre muriéndose de hambre: símbolo de la España de la época, que guarda las apariencias a pesar de todas las realidades económicas y de todas las derrotas. Y Lazarillo considera la incongruencia de ese orgullo pero no puede menos de admirarlo, y así comparte con su singular amo las migajas obtenidas al azar y a duras penas. La sátira de la codicia y el charlatanismo clerical es mucho más amarga que las diatribas anteriores, y fué causa de que el libro fuese incluído en el primer *Index Expurgatorius* en 1559. Se volvió a publicar « castigado » (expurgado), pero el original siguió entrando en España de contrabando desde el extranjero.

El *Lazarillo de Tormes* es alegre en la superficie pero amargo en el fondo. El pícaro mismo es en parte estoico, en parte cínico, y un poco anarquista. No es un revolucionario ni un reformador social, porque acepta su duro destino con resignación y llega a alcanzar una notable insensibilidad ante el dolor y las adversidades. Como figura literaria procede directa y exclusivamente de la vida española y representa a la gran clase de los oprimidos desheredados y olvidados de la sociedad. Los antecedentes literarios son muchos. Se encuentran quizá formas parecidas en el *Satiricón* de Petronio, en el *Asno de oro* de Apuleyo y en el *Libro de buen amor* (autobiográfico, alegres inmoralidades, sátira), en « fabliaux » franceses, y en los realistas italianos del tipo de Boccaccio. No parece posible que autores como Pulci (*Morgante Maggiore*) hayan tenido verdadera influencia, así como tampoco *Till Eulenspiegel* (1453) que era simplemente un travieso y bromista. La tradición del realismo de las clases inferiores en la Edad Media que existía en Francia, Italia, Alemania, Inglaterra así como en el resto de Europa se encuentra en el fondo de la novela picaresca pero la forma original es típicamente española y el paso más importante dado en el desarrollo de la novela realista moderna, se debe al autor anónimo del *Lazarillo de Tormes.*

La censura eclesiástica puede haber sido la causa del fracaso en el desarrollo de las valiosas posibilidades de la novela picaresca durante medio siglo. En todo caso hasta 1599 no aparece una nueva obra considerable de ese género. Es cierto que en 1555 apareció en Amberes una breve continuación o *Segunda parte del Lazarillo.* Su autor, también anónimo y mucho menos diestro que Kingsley (*The Water Babies*) lleva a Lazarillo bajo las aguas del mar y lo coloca en una serie de aventuras entre los peces, de monótona lectura. Otra *Segunda parte* que tuvo mejor fortuna, fué escrita mucho más tarde (1620) por Juan de Luna, maestro de español en París.

La prosa didáctica. Cualquiera podía leer las novelas picarescas y captar su espíritu satírico y crítico al estilo de Erasmo. Los lectores de mentalidad más filosófica y compleja que saboreaban los diálogos lucianescos, debieron deleitarse en la lectura de las obras del más ferviente admirador de Erasmo en España, Alfonso de Valdés. Su penetrante *Diálogo de Mercurio y Carón* fué escrito con el propósito expreso de demostrar la injusticia del reto a duelo enviado por los reyes de Francia y de Inglaterra en 1523, al Emperador Carlos V, de quien era secretario Valdés. La técnica es la misma de *La danza de la muerte*, y la sátira resulta aguda y no perdona a consejeros reales, obispos, duques y reyes. El diálogo de Alfonso de Valdés sobre el saqueo de Roma en 1527 ataca duramente al Papa Clemente VII y expone la corrupción de la corte papal. El Nuncio en España, nada menos que un personaje como Baldassare Castiglione, protestó y lo denunció, pero Valdés fué absuelto por un tribunal.

El hermano de Alfonso, Juan de Valdés, era también excelente humanista aunque aficionado a leer libros de caballerías. A través de su hermano entró en contacto con Erasmo y en cierta ocasión fué enjuiciado por la Inquisición a causa de sus ideas heterodoxas. Residió en Italia desde 1531 hasta su muerte en 1545.

Sus obras teológicas podrán carecer de interés apasionante para los modernos, pero en cambio, su *Diálogo de la lengua*, según parece, escrito en 1535 en Nápoles, tiene una lozanía permanente y es el libro más ameno que se ha escrito sobre la lengua española. En él aboga Valdés por la naturalidad y la falta de afectación: « Debe decirse lo que se quiera decir en las menos palabras posibles. » De paso hace agudos comentarios sobre Juan de Mena, Jorge Manrique, la *Celestina* (« el libro castellano cuyo idioma es más natural, apropiado y elegante ») y se muestra rico en proverbios y refranes. Juan de Valdés es probablemente el maestro de la prosa española cronológicamente anterior a Cervantes.

Mucho más popular fué, sin embargo, la prosa retórica de fray Antonio de Guevara (c. ¿ 1481 ?–1545) de la Orden Franciscana, predicador y cronista de Carlos V, primer obispo de Guadix y más tarde de Mondoñedo. Su *Reloj de príncipes*, también conocido como *El libro de oro de Marco Aurelio* (Valladolid, 1529), es una mezcla agradable de historia, leyenda, fábula, enseñanza moral, consejos a los gobernantes, disertaciones sobre la paz, la guerra, la gloria y la justicia, contenidas en una colección de cartas atribuidas a Marco Aurelio. Es el libro más popular de su clase entre la *Cyropaedia* de Jenofonte y el *Telémaco* de Fenelón, y su éxito fué extraordinario. Fué traducido al francés en 1531, y al inglés (por Lord Berners) en 1535. Más tarde fué traducido a muchas otras lenguas, incluso al armenio. *El Menosprecio de corte y alabanza de aldea* (1539) de Guevara recibió también una acogida afortunada. Guevara fué sin duda uno de esos autores en perfecto acuerdo con el espíritu de su época.

Así pues, aún antes de que la Edad de Oro alcanzara su apogeo, los principales géneros literarios se hallaban en buen comienzo y en prósperos términos. La novela estaba ya consagrada. Los libros de caballerías comenzaban a decaer al difundirse el género picaresco y el pastoril, y el morisco contribuía a enriquecerla con la llamada « novela histórica. »

Cervantes habría de sintetizar luego todas estas corrientes precedentes en su inmortal obra, y Lope de Vega por su parte se hallaba ya preparado para moldear el drama de acuerdo con sus propias pautas. La poesía épica del Renacimiento, jamás arraigada en España, había ya casi desaparecido, pero la lírica alcanzaba elevada perfección en Garcilaso, San Juan de la Cruz, Herrera y fray Luis de León. Más tarde, Quevedo y Góngora, poetas del ocaso de una época, alcanzarían aún más refinamientos poéticos.

XVI

Pícaros y galanes

Las novelas y cuentos picarescos. La novela picaresca que siguió al *Lazarillo de Tormes* apareció mucho más tarde y era mucho más larga. Mateo Alemán (1547–¿1614?) fué contemporáneo aunque no amigo de Cervantes. Había recibido mejor educación que él, pero su vida no fué más feliz y el uno y el otro estuvieron presos en Argel. Ambos sufrieron también « segundas partes » apócrifas de sus obras, hechas por emuladores poco escrupulosos. En 1608 Alemán marchó a México en donde terminó sus días.

Su fama descansa en las dos partes de la *Vida del pícaro Guzmán de Alfarache* (primera parte, 1599; segunda, 1604). Había publicado anteriormente una vida de San Antonio de Padua y otra del Arzobispo García Gera de México, una *Ortografía Castellana* y traducciones de Horacio. Una tercera parte del Guzmán de Alfarache, que se cree terminada, no se llegó a publicar. La popularidad inmediatamente adquirida por el Guzmán superó a la del Quijote, y fué traducido al francés, italiano, alemán, inglés (1630, por James Mabbe), latín, y otros idiomas.

Testimonio del atractivo ejercido por el *Guzmán* fué la espúrea segunda parte publicada en 1602 por un abogado valenciano, que hizo uso del pseudónimo Mateo Luján de Sayavedra, pero cuyo verdadero nombre era Juan Martí. Esta continuación es muy inferior a la obra de Alemán y pronto quedó en olvido. Alemán se vengó con su segunda parte dos años después.

A muchos les parecerá que el *Guzmán* debería ser más corto y más gracioso. La concisión por cierto no es una de sus virtudes. Tiene prácticamente la misma estructura que la novela picaresca en general, es decir que no tiene ninguna. Guzmán, de nacimiento irregular, pierde a sus padres y tiene que comenzar a ganarse el pan a los quince años. En la primera noche de su nueva vida aventurera descubre algunos trucos y picardías de los venteros, y luego aprende por su cuenta otros muchos. Los escritores españoles del siglo XVII son aficionados a satirizar a los venteros tanto como Molière gustaba de hacerlo con los médicos. Guzmán sirve a toda clase de gente, desde cocineros a cardenales y embajadores, y abraza distintas profesiones, la mayoría de las cuales se relacionan con hurtos y robos de mayor o menor cuantía. Va a pasar a la cárcel, es condenado a ser azotado y a seis años de galeras, y luego a prisión perpetua al intentar escaparse. Recobra la libertad al delatar un intento de motín entre sus compañeros. El plan de la novela es puramente episódico como *Tom Jones* o *Pickwick Papers*. El tono es de desilusión y amargura, y Guzmán a veces ha sido considerado como un Lazarillo adulto, mucho más maduro y experimentado.

El temor a la censura inquisitorial no fué la causa de que Alemán insertase enseñanzas morales en su obra. Posiblemente se dió cuenta de que en ella había algo negativo, algo vacío en la fórmula picaresca y procuró remediarlo con un contenido moral positivo. No quiso que su héroe, o como Mr. Chandler (*Romances of Roguery*, New York, 1899) prefiere llamarlo, su anti-héroe, fuese un mero maniquí que hacía bufonadas en un obscuro fondo social; quiso prestar a su obra una verdadera significación. A pesar de los buenos esfuerzos de Alemán, es posible que los lectores de hoy, como los de ayer, lean con fruición las aventuras, contemplen el cuadro de la sociedad de aquel tiempo visto por Guzmán y vuelvan la espalda a la moral edificante. Para la mayoría es suficiente en el Guzmán lo que promete en su subtítulo: una « atalaya de la vida humana. » Los anteojos de este observador no son de color de rosa, sino sombríos, y habla en un estilo conforme al tono de sus observaciones. Es rico en alusiones de « tempo lento » (hay quien sugiere que el estilo de Proust tiene alguna relación con el de Alemán) y a menudo de sabor popular.

Si Alemán da la impresión de sentirse injustamente deprimido por el comportamiento del animal humano, debemos recordar que vivió y escribió y publicó su mejor libro a finales del reinado de Felipe II. Para ser alegre en aquella época era necesario ser más rudo, es decir, menos sensitivo y menos filósofo que Alemán.

Quizás don Francisco de Quevedo y Villegas (1580–1645) reuniese estas cualidades, pues en realidad tuvo una vida activa y turbulenta. A pesar de ello, también su espíritu se resentía de desilusión y amargura, a veces bien oculta por su humor extraordinariamente agudo y su buen ánimo. Su novela picaresca, la *Vida del Buscón* no se publicó hasta 1626, pero fué escrita a comienzos del siglo, alrededor de 1603. Es dura, vivaz, áspera y de ningún modo manjar para estómagos delicados. La sátira es feroz, sin compasión, y Quevedo no dispara contra sus victimas a distancia sino que los apalea, los tortura con sus manos cruelmente, y se ríe de sus sufrimientos. Es el genio de lo grotesco, y sus personajes tienen tanto de la burda y grosera realidad como de la imaginación extremista de un genio de la caricatura. Su estilo está lleno de alegres concepciones, y es barroco en su esencia. Quevedo fué un notable cultivador del conceptismo, que gusta de jugar con palabras e ideas. Hay una gran distancia entre el *Buscón* y el estilo sencillo y aparentemente ingenuo del *Lazarillo*.

Es muy posible que *La pícara Justina*, atribuida a Francisco López de Ubeda, fuese escrita varios años antes de su publicación, 1605, y retocada un poco después. Justina dice al final que se ha casado con Guzmán de Alfarache. Esta chica de notables virtudes, burla a varios posibles amantes mientras anda errante como un verdadero pícaro. Es posible que el lector encuentre más interesantes sus aventuras, y sus descripciones de las fiestas en León que el retrato analítico y crítico de la sociedad. El estilo de la novela es afectado, complicado y difícil pero no obstante fué muy leída tanto en España como en el extranjero.

Vicente Espinel (1550–1624) poseía talentos musicales, poéticos y militares, y habilidad de conversador, pero desconocía la virtud de la piedad, a pesar de ser clérigo. Nació en la encantadora ciudad de Ronda y era un verdadero andaluz, cantador y guitarrista. Se le debe la invención en poesía de la atractiva estrofa conocida por « décima » o « espinela, » diez versos de ocho sílabas con rima *abbaaccddc*.

Su obra más conocida, *Vida del escudero Marcos de Obregón*, quizá pueda clasificarse como picaresca, pero es más bien una novela de aventuras con rasgos autobiográficos y muchas digresiones. El temperamento andaluz de Espinel era lo bastante alegre para sobrellevar el infortunio y hasta la tragedia, aunque odiaba la frialdad y la indiferencia espiritual. En realidad, el autor amaba los naranjos floridos, los jardines y los dulces aromas, todo « lo que encanta los sentidos. » La parte donde describe el cautiverio de Marcos en Argel (donde Espinel estuvo preso como Cervantes) contiene una delicada historia de amor, de tal calidad que estaría fuera de lugar en una novela picaresca. La mayoría de la gente que Marcos conoce es ligera y amable. La novela tiene un estilo directo, sin afectación, aunque agradablemente sofisticado. Es el estilo de un hombre culto que ni trata de escribir al nivel de los lectores ni de dárselas de demasiadamente ingenioso. Lesage tomó de Espinel muchos hechos episódicos, como hizo con otros escritores españoles del siglo XVII.

El madrileño Alonso Jerónimo de Salas Barbadillo (1581–1633) fué mucho más satírico que Espinel. Su prosa es fácil, a veces ingeniosa, y por regla general animada, aunque su obra es irregular y carece de universalidad. *La hija de Celestina*, que sugiere inmediatamente la influencia de Rojas, es un hábil retrato de la pícara sin conciencia que no se detiene ante delicadezas ni restricciones para alcanzar sus propósitos. La novela se llamaba también, más concretamente, *La ingeniosa Elena*. Esta Elena prodigaba sus favores por interés y no por amor. Sin embargo, la novela se refiere a la heroína más como hipócrita, bribona y estafadora, que como prostituta de gran atractivo. El estilo tiene apariencias de alegría pero su conjunto es sombrío. Al final del libro, después de algunas escenas violentas de un rojo subido, Elena es arrestada, encerrada en un saco y arrojada al Manzanares. Scarron utilizó la novela en sus *Hypocrites*, que a su vez inspiró el *Tartufo* de Molière. Las otras obras de Salas, *El sagaz Estacio*, *El subtil cordobés Pedro de Urdemalas*, *El necio bien afortunado*, *Don Diego de Noche*, y las restantes vienen a sumarse más o menos a la deprimente galería de los pícaros. Salas no pertenece a la escuela de la « dulzura y la luminosidad. »

El *Rinconete y Cortadillo* de Cervantes se publicó más o menos al mismo tiempo que *La hija de Celestina.* ¿ Se podrá considerar como la contribución máxima del gran novelista al género picaresco ? Es una cuestión de definición. Sin duda es uno de los más logrados cuadros del hampa organizada que jamás se haya escrito, pero el interés reside en los miembros de la gavilla más que en su concepto de la sociedad; en sí mismos llevan un contenido artístico de gran valor. No es el caso del *Lazarillo.*

Alonso de Castillo Solórzano (1584–1648) se halla entre los más finos de los autores que ahondaron en lo picaresco y su estilo es natural. No hay nada en él de la amargura de Alemán ni de la violencia de Quevedo. Su obra mejor conocida, *La niña de los embustes*, *Teresa del Manzanares* (1632), trata en especial de robos y ladrones. Las aventuras del marido de la pícara que debieron aparecer antes no se publicaron hasta 1637, con el título *Aventuras del bachiller Trapaza.* Su hija Rufina sigue los mismos pasos y profesión en *La Garduña de Sevilla.* La traducción inglesa lleva el título *The Pole-cat of Seville.* Rufina y su marido al final se establecen honradamente en Murcia en el comercio de sedas. Castillo publicó también varias colecciones de cuentos como *Jornadas alegres* y *Tardes entretenidas.*

Antonio Enríquez Gómez (1600–¿ 166 ?) era un judío converso que se marchó a Francia en 1636 para evitar dificultades y fué quemado en efigie mucho más tarde por la Inquisición de Sevilla. Escribió gran número de poemas y obras teatrales, pero es mucho más conocido por su sátira lucianesca, *El siglo pitagórico* (en relación con la teoría de Pitágoras sobre la transmigración) en la que un alma se aloja sucesivamente en el cuerpo de una señora, un ladrón, un avaro, un hipócrita, etc., y finalmente en el de un hombre honrado. Acompaña a esta obra, aunque sin cohesión con ella, la *Vida de don Gregorio Guadaña*, breve y poco divertido relato de una aventura picaresca.

Hacia mediados del siglo XVII la novela picaresca se hallaba en decadencia, lo mismo que la sociedad española. Uno de los últimos ejemplos del género fué *La vida y hazañas de Estebanillo González* (Amberes, 1646). El autor desconocido afirma ser bufón de la corte. Probablemente se trata de un sirviente del duque de Amalfi. Su Estebanillo comete demasiados robos, dedica demasiada atención al vino y se enreda en muchos malos pasos, pero la obra ofrece una información valiosa sobre personajes históricos y acontecimientos de Italia, Flandes, Alemania y España. El protagonista llega hasta Polonia e Inglaterra.

Desde luego, existen muchas otras novelas de carácter picaresco en general, pero ninguna comparable al *Lazarillo*, el *Guzmán*, o el *Buscón*. Estas novelas españolas fueron fuente de inspiración literaria no sólo en España sino en el extranjero también, y contribuyeron de modo vital, como hemos dicho antes, al desarrollo del realismo moderno.

La novela histórica. Otra forma de novela que aparece en el siglo XVI aporta más elementos al desarrollo literario del romanticismo que al del realismo: la novela histórica y en especial la novela morisca. *El Abencerraje* constituye el primer ejemplo a menos que se conceda el honor a la fantástica historia de Rodrigo, último rey godo, escrita por Pedro del Corral y titulada *Crónica Sarracina* (c. 1443). La novela morisca de más significación fué la *Historia de los bandos de los Zegríes y Abencerrajes*, primera parte publicada en 1595; segunda, en 1604. El autor, Ginés Pérez de Hita, era natural de Murcia y peleó contra los moros cuando éstos se rebelaron en 1567. En la segunda parte de las *Guerras civiles* se describe esta campaña a pesar de lo cual es la primera parte la más interesante. En ella Pérez de Hita hace un relato muy romántico de los últimos días de Granada: sangrientas contiendas, traiciones, torneos, galanterías entre bizarros abencerrajes y apasionadas moras de ojos brujos, y todo género de hazañas brillantes u obscuras. No es extraño que Chateaubriand y Washington Irving encontrasen temas propicios en esas *Guerras civiles*.

XVII

Cervantes

El domingo 9 de octubre de 1547 en Alcalá de Henares, un niño recibía el agua bautismal y con ella el nombre de Miguel de Cervantes Saavedra. Probablemente el acontecimiento no tuvo gran trascendencia en el seno de la familia donde había tres hijos más y el padre, Rodrigo de Cervantes, siendo médico, probablemente no se abandonaba demasiado a este género de emociones.

Nada se sabe de la niñez de Miguel, pero es probable que conociera varias ciudades españolas ya que la familia cambiaba a menudo de localidad, quizás en busca de mejor fortuna. El niño comenzó a educarse en Madrid, en el « estudio » de Juan López de Hoyos, pero recibió también enseñanzas en Sevilla y Salamanca. Al menos, hay quien cree que así fué. Se ha encontrado en Madrid una orden de arresto fechada el 15 de septiembre de 1569 contra un Miguel de Cervantes. ¿ Sería acaso este hombre a quien buscaba la policía el futuro novelista ? ¿ Se escaparía entonces del país por esta razón ? No existen pruebas.

En diciembre de 1569 se encontraba en Roma, y en 1570 era soldado en un regimiento español en Italia, que prácticamente era dominio español en aquel entonces. Peleó después valientemente en la gran batalla de Lepanto el 7 de octubre de 1571, y recibió heridas de bala en el brazo y en la mano izquierda. El invierno siguiente lo pasó reponiéndose pero su mano izquierda quedó desde entonces inútil valiéndole el sobrenombre glorioso de « El manco de Lepanto. »

Continuó en el ejercito hasta 1575. Se hallaba camino de regreso a España en septiembre de dicho año, con la esperanza de conseguir en la corte un ascenso, cuando su galera, El Sol, fué atacada y apresada por piratas berberiscos. El hecho de que llevase cartas de recomendación de don Juan de Austria, hermano natural de Felipe II y vencedor de Lepanto, y también cartas del duque de Sessa, virrey de Sicilia, hizo creer a los piratas que se trataba de un personaje de alcurnia y decidieron no soltar a Miguel sin un fuerte rescate. Era un renegado albanés quien lo había capturado y lo cedió a otro renegado griego con quien vivía como esclavo. La vida de Cervantes en el cautiverio parece una novela de aventuras. Preparó cinco intentos de evasión, uno de los cuales (1578) le costó dos mil azotes. Sobrevivió, sin embargo, y al año siguiente volvió a intentar la fuga y casi lo consiguió pero un compañero de conspiración le traicionó. En septiembre de 1580, su familia y unos amigos habían logrado reunir 280 escudos para su rescate, pero el bajá Hassan, rey de Argel, que era su dueño entonces, pidió quinientos. A última hora, los frailes trinitarios, que se hacían cargo de rescatar a los prisioneros cristianos, reunieron los doscientos veinte escudos restantes, y Cervantes fué rescatado, como lo había sido antes su hermano Rodrigo.

Una vez de regreso en España, Cervantes trató inútilmente de hallar un empleo lucrativo. Se enredó entonces en una intriga amorosa con una cierta Ana Franca de Rojas, con la que tuvo una hija en 1584, Isabel de Saavedra. En ese mismo año, escribió una novela pastoril, *La Galatea*. El 12 de diciembre de 1584, casó con Catalina de Salazar y Palacios, diez y nueve años más joven y con cierta dote. Escribía Cervantes entonces para el teatro, y sus comedias de esa época se han perdido en su mayor parte, pero evidentemente la pluma le resultó aún más inútil que la espada, en lo que se refiere a ganarse el sustento.

En 1585 Cervantes se hallaba en Sevilla dedicado a negocios inciertos. Finalmente consiguió un empleo del gobierno como comisario encargado de adquirir provisiones para la Armada Española. Aun después del fracaso de esta expedición (1588) continuó al servicio del gobierno pero su sueldo era escaso y tuvo que liquidar de modo irregular. Se sabe que en 1590 se vió obligado a comprar al fiado unas varas de tela para hacerse ropa. Su experiencia como empleado público fué bastante desafortunada. Seguramente sus dotes de tenedor de libros y administrador eran escasas, y su suerte abominable, pues no hay motivos para dudar de su honradez. El caso fué que un subordinado suyo que no era de fiar y un banquero a quien había confiado fondos oficiales, quebró. Cervantes fué a parar a la cárcel (Sevilla, 1597). Al cabo de tres meses salió de la prisión bajo fianza. El Tesoro le siguió importunando a causa del desfalco, y las autoridades lo volvieron a encarcelar en 1602, aunque sólo por un breve período.

Durante todo este tiempo, quizás no disfrutó mucho de la vida, pero sin duda adquirió una gran experiencia. También pudo escribir a pesar de sus dificultades y tropiezos. En 1603–4 estaba en Valladolid, sede de la corte, haciendo gestiones para la publicación del *Quijote*. Se le concedió el privilegio de impresión el 26 de septiembre de 1604, y el libro salió a la luz en Madrid en enero de 1605. Inmediatamente se hizo popular y el éxito fué tal que aparecieron cinco ediciones en el mismo año, pero Cervantes seguía siendo pobre y necesitado.

El 27 de junio de 1605 un noble fué asesinado en Valladolid frente a la casa donde vivía Cervantes con dos hermanas, su hija natural, Isabel, y una sobrina. Fueron todos llevados al tribunal, y aunque pudieron probar que no tenían nada que ver con el asesinato, se descubrió que la vida de Isabel era por lo menos sospechosa. Esta se casó más tarde dos veces, y causó a su padre muchas preocupaciones, en especial por la dificultad para dotarla. La familia vivía pobremente, quizás sórdidamente, pues los derechos cobrados en gajes por Cervantes sobre su libro sólo le dieron un alivio temporal.

Durante la última parte de su vida Cervantes se dedicó más intensamente a la literatura. Poco antes de su muerte anunció los títulos de cuatro obras a las que estaba entregado. Murió el 23 de abril de 1616, y fué enterrado en el Convento de los Trinitarios Descalzos en Madrid. Ninguna lápida señala su tomba. De las obras que dejaba escritas su viuda solamente publicó una.

Poemas, comedias y novelas pastoriles. Igual que en el caso de tantos otros maestros de la prosa, la primera afición de Cervantes fué la poesía, y las primeras obras que de él se conservan son en verso. Dos de ellas fueron escritas en ocasión de la muerte de la esposa de Felipe II, la reina Isabel de Valois, cuando ésta tenía solamente veintidós años. Siguió escribiendo poesías de vez en cuando dedicadas a autores que por alguna razón estimaba — entre ellos un « físico », que había escrito sobre enfermedades del riñon (1588). Se encuentran versos en sus novelas cortas, especialmente en *La gitanilla*, así como en sus obras más extensas, como la *Galatea* y el *Quijote*. Muchas de sus obras teatrales son desde luego, en verso, así como también su ensayo crítico *Viaje del Parnaso* (1614) en el cual pasa revista a cerca de ciento cincuenta poetas sin hacer muchas distinciones. Cervantes era un rimador infatigable, pero a pesar de la gracia de algunos de sus romances y poesías de versos cortos, su verdadera inspiración hay que buscarla en otra parte. Lope de Vega, a quien Cervantes era antipático, decía que había muchos poetas en cierne pero « ninguno tan malo como Cervantes », y el inmortal novelista se refirió a sí mismo (*Don Quijote*, Parte I, Capítulo VI) como más versado en desdichas que en versos. No poseía la feliz combinación de la idea poética y la elegancia de expresión.

Durante toda su vida Cervantes mostró gran afición por la novela pastoril, escrita en prosa y verso, y su primera gran obra pertenece al género literario de la *Arcadia*. La *Primera Parte de la Galatea* — que tiene seis — se publicó en Alcalá de Henares en 1585. Evidentemente estaba inspirada en la *Diana* de Montemayor y no difiere señaladamente de otras novelas pastoriles del Renacimiento. Por lo menos contiene ideas sobre el amor (basadas en los *Diálogos de Amor* de León Hebreo) a las que Cervantes permaneció fiel en sus obras posteriores. Los dulces nombres pastoriles, de Tirsi, Meliso, Astraliano, representan personajes de la vida real contemporáneos del autor. Lauso es el mismo Cervantes, pero no hay duda de que la heroína Galatea no es la dama que desposó Cervantes. Hay que admirar el estilo de las mejores partes de esta obra, aunque es difícil interesarse en la acción o celebrar la versificación. Es necesario para eso adaptarse a la especial manera de expresión del Renacimiento que hoy resulta anticuada. ¿ Cuántos hay capaces en nuestro tiempo de leer la *Arcadia* de Sir Phillip Sidney ? Cervantes seguía la moda de su tiempo. Admiraba la novela pastoril y prometió siempre, hasta su último instante, escribir una segunda parte de la *Galatea.*

Cervantes hizo sus primeros ensayos de autor de teatro en 1585. En 1582 firmó un contrato en Sevilla para escribir seis comedias. Si resultaban las mejores jamás vistas en España, recibiría cincuenta ducados por cada una, y si no era así, no recibiría un céntimo. De estas primeras obras sólo se conservan dos, aunque se conocen los títulos de las otras. *El trato de Argel* ofrece especial interés por la luz que arroja sobre la vida de Cervantes como esclavo cautivo en el Norte de Africa. *La Numancia*, sobre el famoso sitio de aquella ciudad por las legiones de Escipión, tiene cierta grandeza de expresión, pero su estructura es pobre y por sí sola hubiera dado poca reputación a su autor.

En 1615 Cervantes publicó sus *Ocho comedias y ocho entremeses nuevos, nunca representados.* Aunque le constaba, como dijo en una ocasión, que Lope de Vega era el rey de la escena española, las comedias del « fénix de los ingenios » no eran de su agrado. El público, por otra parte, no gustaba especialmente de las de Cervantes. Los entremeses dieron mejor oportunidad a su genio. Están repletos de brillantes cuadros de costumbres contemporáneas y escenas del natural delineadas en trazos de sátira agradable. Todas las obras dramáticas de Cervantes son importantes para el estudio de sus ideas.

Las novelas ejemplares. La prosa fué siempre la mejor expresión de Cervantes, quien virtualmente creó la moderna novela corta española. Desde la época del infante Juan

Manuel, olvidado ya hacía tiempo, pocos progresos se habían hecho en este género literario. Es evidente que Cervantes se inspiró en la novela corta italiana, perfeccionándola con gracia singular. En su prefacio a las *Novelas ejemplares* (1613) nos dice que no hay una sola de sus historias de la que no se derive una lección provechosa, pero advierte que el propósito fundamental de ellas es el de entretener y refrescar la mente cansada. Más adelante nos dice que « Yo soy el primero que he novelado en lengua castellana, » pretensión realmente bien fundada. Las *Novelas ejemplares* deben haberse escrito en distintas épocas durante los veinte años anteriores a su publicación.

Las historias son doce en total. Naturalmente algunas son mejores que las otras, aunque en cualquiera de ellas se puede siempre encontrar un destello del genio de Cervantes. *El amante liberal*, *La fuerza de la sangre*, *La española inglesa*, *La señora Cornelia*, y *Las dos doncellas* son decididamente italianas en el estilo. Su interés reside en el argumento siempre movido aunque quizás Cervantes haya jugado demasiado con la vida de sus personajes y hecho intervenir con frecuencia gratuita el azar. Son buenos cuentos pero bajo ningún concepto grandes cuentos. *El casamiento engañoso* es la triste historia de un hombre que trata de conseguir con ardides una esposa adinerada y a la larga resulta burlado. Esta historia sirve de introducción al *Coloquio de los perros*, conversación entre dos de estos animales dotados de habla humana. Uno cuenta al otro su vida al servicio de distintos amos. Este recurso, tan cercano a la novela picaresca, da la oportunidad a Cervantes de usar sus dotes de observador, para hacer magníficos esbozos y bordar finos párrafos de sátira.

El celoso extremeño es el remozado relato del viejo marido celoso y la joven esposa. El tema no está tratado burlescamente como en los « fabliaux » o en Molière, sino seriamente, subrayando la tragedia del viejo que recibe su castigo por violar las leyes naturales de adaptabilidad y armonía.

El licenciado Vidriera tiene un tono más filosófico que los otros cuentos. El maniático licenciado se cree hecho de vidrio, pero aparte esta manía es hábil y sagaz, y Cervantes se complace en utilizarle como medio para expresar sus agudezas.

Las tres joyas de la colección son *La gitanilla*, *La ilustre fregona* y *Rinconete y Cortadillo*. La primera de las tres, *La gitanilla*, es una pieza literaria donde la intriga es lo esencial y la providencia juega papel importante, pero el azar está animado por una delicada caracterización, una narración desenvuelta, observaciones brillantes sobre la vida gitana, y el conjunto iluminado por un encantador idealismo. La protagonista, Preciosa, está dibujada con gracia particular.

En *La ilustre fregona* hay aún más humor jovial y más observaciones realistas, esta vez sobre la vida en Toledo. La acción se concentra en la Posada de la Sangre, que subsistió intacta hasta 1936. La fregona es realmente una joven de excelente familia, así como el estudiante que se hace arriero para obtener su amor.

El mejor de los doce cuentos es uno de escaso argumento pero que en cambio contiene muchos elementos substanciales del genio de Cervantes: *Rinconete y Cortadillo*. Estos son los nombres de dos jovenzuelos vagabundos que andan por España a la manera picaresca. Acaban por llegar a Sevilla y descubren que no pueden ejercer la profesión elegida, el robo, sin sindicarse, por decirlo así. Esta cofradía de damas y caballeros dedicados al pillaje en Sevilla es presidida por Monipodio, cuya entereza no es menor que su habilidad. El lector, guiado por el autor, asiste a las reuniones de los pícaros, y se familiariza con una espléndida colección de bribones de ambos sexos. El efecto es como si uno de esos maravillosos grupos de Rembrandt, Hals, o Velázquez tomara vida. Cada uno de los habitantes del patio de Monipodio es retratado con simpatía y comprensión, y todos componen uno de los más impresionantes grupos de la literatura universal.

Hay un cuento que puede ser o no de Cervantes. Los críticos difieren. Es el titulado *La tía fingida*, que resulta decididamente de carácter celestinesco y escabroso. No se publicó con las *Novelas ejemplares* y no es de extrañar, porque sería difícil encontrar en él nada ejemplar.

Una persona culta jamás confesara no haber leído el *Quijote*, pero es posible que conozca sólo de oídas *Los trabajos de Persiles y Segismunda.* Sin embargo, Cervantes tenía esa obra en gran estima, y dijo que podía rivalizar con las de Heliodoro. Llega a afirmar que será, cuando aparezca, la mejor o la peor de las obras en español. El *Persiles* es un fantástico e ideal relato de las peregrinaciones y las vicisitudes de dos amantes en una región imaginaria del Norte. Después de numerosos naufragios y otros accidentes, viajan por tierra, a través de España y Francia, hasta Roma, donde se casan y son muy felices.

Este libro que narra tantas aventuras y tan dramáticas del casto e idealista amante Persiles pone fin a la obra total cervantina casi al mismo tiempo que a la vida de Cervantes. En cierto modo es una obra más juvenil que el *Quijote* porque pinta la realización feliz de un sueño y de un ideal. Ofrece en detalle muchas descripciones felices, diálogos de gran sabor, caracterizaciones delicadas, bien redondeados episodios, y contiene algunos de los mejores párrafos de Cervantes. Se llegaron a imprimir hasta diez ediciones durante el siglo XVII. Después esa obra sufre un eclipse. Sólo recientemente ha comenzado a apreciársela de nuevo, y no por todo el mundo. No sería prudente pasar por alto su importancia en el estudio de las ideas cervantinas.

El Quijote. Aunque Cervantes no hubiese escrito nada más que sus *Novelas ejemplares* y sus entremeses, habría sido uno de los autores importantes del siglo XVII, pero por si esto fuera poco escribió la mejor novela de la literatura mundial. La primera parte del *Quijote* apareció en 1605 y la segunda en 1615. Mientras más se lee este extraordinario libro más se da uno cuenta de su profundidad y amplitud, de la penetración del autor al tratar los sentimientos y las acciones humanas, de su directa comprensión de la vida, de la agudeza para entenderla y del arte para describirla.

Desde un punto de vista exterior y formal, puede considerarse el *Quijote* como una especie de suma y miscelánea literaria, como la olla de Alfonso Quijano, que contiene todos los ingredientes del género novelesco precedente. Evidentemente el molde de la obra maestra de Cervantes es el de la novela de caballerías con un caballero y su escudero que van de aventura en aventura. Al mismo tiempo es una parodia. Contiene elementos pastoriles como el episodio de Cardenio. Lo picaresco también se encuentra en los venteros, y los galeotes (Ginés de Pasamonte). El episodio de Marcela y Crisóstomo es como un cuento italiano, y el ejemplo de lo morisco está en la historia del cautivo. Hay hasta disquisiciones de crítica literaria, como en el famoso examen de los libros de caballerías en el Capitulo VI, Parte I, y en la discusión con el canónigo en la Parte II. Hay reminiscencias del *Orlando Furioso* de Ariosto, en la locura del mismo protagonista, aunque la técnica del autor es diferente. Muchos de los diálogos recuerdan los de Luciano. La literatura popular fluye pródigamente de los labios de Sancho, especialmente en forma de refranes. Resulta absurdo pensar que Cervantes utilizara todos estos elementos inconscientemente, pues si su intento era sólo el de escribir una sátira divertida sobre las extravaganzas de la caballería andante no necesitaba de todos esos elementos.

Nadie sabe cómo fué planeada por Cervantes esta gran obra. Se ha sugerido, al menos, que cambió la clase de locura de su héroe. Al principio don Quijote se considera alguien como el Moro Abindarráez o el marqués de Mantua, especie en fin más o menos usual de alucinación. Después de su primera salida, don Quijote no es sino el mismo de siempre igual sólo a sí mismo, a pesar de que trata de emular constantemente a sus héroes favoritos. Sus actos tienen más integridad y más significado para sus lectores. Parece más que posible que Cervantes añadiera los episodios uno después de otro conforme se le ocurrieran y no de acuerdo con un plan preconcebido. De aquí que la novela parezca inconexa en su construcción. La forma es muy diferente de la de *Madame Bovary*, por ejemplo, aunque Flaubert aseguraba que sus propios orígenes estaban en el Quijote, libro que se sabía de memoria aun antes de aprender a leer. Esta estructura relativamente amorfa no es del gusto de algunos autores como el pseudo-exquisito Barbey d'Aurevilly, pero no ha molestado en lo absoluto a la inmensa mayoría. Después de la *Biblia*, el *Quijote* ha sido el libro del que se han hecho más ediciones en el mundo.

¿ Cómo se explica esto ? Ha habido muchos libros que al publicarse alcanzaron también gran popularidad pero sólo en ese momento dado. En cambio el *Quijote* ha conservado la misma popularidad durante más de trescientos años.

Cervantes no conocía la psiquiatría moderna, pero se las arregló como si la conociera para retratar en su personaje medio loco, la encarnación de muchos de los más grandes anhelos de la humanidad, y la síntesis de los más extraños y profundos rasgos humanos. Es verdad que resulta disparatado este anacrónico caballero, embistiendo molinos de viento, confundiendo aldeanas con damas de alcurnia, transformando una fregona, que olía a establo en la princesa Dulcinea del Toboso, prometiendo ínsulas a su escudero y pronunciando floridos discursos sobre la edad de oro ante un grupo de rudos cabreros. Pero a través de todo esto don Quijote conserva siempre la dignidad y la nobleza y a veces casi sentimos que la realidad es la que no concuerda con él en vez de ser nuestro caballero el que se ha salido de ella.

Los más jóvenes, o al menos los de mentalidad juvenil disfrutan también del *Quijote* aunque sea sólo por las aventuras, el buen humor, el doble sentido y la peripecia. Los de mediana edad encuentran inspiración para el constante esfuerzo, nueva luz para sus propios problemas, y penetrantes comentarios sobre la vida que los rodea. Los viejos hallarán consuelo por los sueños no realizados por la fraternal comunión con un espíritu a quien la vida trató con poca generosidad pero a quien nunca la adversidad pudo derrotar.

Sería trivial decir que el *Quijote* es la epopeya de la humanidad, no ya en los sentidos realista e idealista separadamente sino en la síntesis de sus interdependencias. Sería igualmente trivial decir que don Quijote y Sancho son uno, ya que Cervantes lo dijo antes que nosotros. Es consolador pensar que el práctico y egoísta Sancho que llevamos dentro está contrapesado por un don Quijote que se enfrentará a cualquier peligro, que soportará cualquier sufrimiento en la perseverante búsqueda de un ideal puro. Ya se sabe que los idealistas no tienen un lugar muy alto en el mundo de hoy y es posible que se les considere como locos. Sin embargo, ¿no están satisfechos en su fuero interior? Don Quijote ganó dentro de sí mismo su propia victoria. Quizás la única salvación de la humanidad, en estos críticos tiempos que está atravesando, se halle exclusivamente dentro de las fronteras del individuo.

Al principio Sancho se halla más a salvo del idealismo de lo que se puede imaginar, pero la compañía de su amo lo transforma. No tiene la menor intención de mejorar el mundo. Su ideal consiste en tener la panza llena, en el buen vino y la buena mesa. Es hábil y sagaz para todo lo que está dentro de su limitada experiencia, bien dotado de sabiduría popular. Es también leal, devoto, capaz de verdadero afecto, susceptible a influencias que nunca ha sospechado siquiera. Cuando su amo yace en la agonía, Sancho le dice conmovido que es tonto morir, que todavía hay entuertos que enderezar y que deben continuar los dos sus hazañas. Sancho se ha contagiado del idealismo de su amo, del mismo modo que don Quijote en la segunda parte, influído a su vez por Sancho, adquiere una actitud más práctica y razonable.

Aunque Cervantes estaba al tanto de los problemas culturales del Renacimiento, el *Quijote* no es de ningún modo un manual de filosofía sistemática. Y sin embargo, cada episodio tiene una notable cualidad estimulante, alcanzando hasta las preocupaciones más vitales y profundas de la humanidad. El lector puede llegar a poseer su interpretación personal del libro y de sus detalles, pero cada nueva lectura le sugerirá algo distinto siempre igualmente original. Es posible considerar a don Quijote como el símbolo de España: la nación que en tiempos de Carlos V y de Felipe II se lanzó a grandes empresas tratando de imponer o de difundir en el mundo entero lo que estos soberanos consideraban como la verdadera fe. España fracasó, como también fracasó don Quijote, y los síntomas deben haber sido evidentes para Cervantes. Sin embargo, España sabe que la lucha por el ideal valía el esfuerzo que exigía. El mismo Cervantes nunca perdió su sentido de la realidad, y no obstante al fin de su vida escribe una de sus obras más idealistas. Firmó la tierna dedicatoria de *Los trabajos de Persiles y Segismunda* sólo cinco días antes de morir.

Don Quijote recibió también algunos tributos amargos y lamentables en vida de Cervantes. En Lisboa se publicaron dos ediciones piratas de la primera parte, y cuando en 1614 Cervantes escribía el capitulo 59 de la segunda, un caballero llamado Alonso Fernández de Avellaneda publicaba una continuación espúrea en Tarragona. Nadie sabe quién era este autor, aunque mucho se ha investigado sobre el asunto. Avellaneda poseía notable habilidad para la construcción y la narración, pero sus personajes carecen de profundidad y de espíritu. Cervantes así se lo dice en su propia segunda parte, de una manera más suave de lo que se podía esperar. Quizás Avellaneda hizo a Cervantes apresurarse a completar su obra. De ser así, la posteridad le ha quedado en deuda, pues Cervantes sin ese estímulo podría haber muerto sin terminar su gran obra maestra.

XVIII

El teatro del siglo de oro

Lope de Vega. La comedia. Don Quijote es la obra maestra del Siglo de Oro, pero la comedia es como género literario el más típico producto de esa centuria. El drama de la época se halla personificado y sintetizado en la vida de uno de los más vitales genios que conmovieron las esferas en cualquier tiempo y latitud: el gran Lope.

Lope Félix de Vega Carpio (1562–1635) nació, vivió, murió y fué enterrado en Madrid. En su tierna edad comenzó a enamorarse y a escribir versos y comedias, y continuó haciéndolo el resto de sus días. Sus dos matrimonios y sus múltiples amores extra-conyugales le proporcionaron un montón de hijos, alguna felicidad, un poco de remordimiento y dolor, y un constante estímulo de inspiración. Halló tiempo para burlar a la policía, servir como secretario de varios nobles personajes, alistarse en la Armada Invencible, y pertenecer a varias organizaciones literarias y religiosas. También tuvo humor y ocasión para escribir unos treinta y seis volúmenes de prosa variada y de obras poéticas, y quizás cerca de ochocientas comedias en verso y un gran numero de « autos » en un acto. Su discípulo, Pérez de Montalván, le atribuye mil ochocientas comedias y cuatrocientos autos. Murió poseyendo los títulos honorarios de Familiar de la Inquisición y Doctor en Teología. Su entierro constituyó naturalmente un duelo nacional.

Ya que sus principales méritos son como poeta y dramaturgo, pueden pasarse por alto sus novelas pastoriles, sus cuentos, su autobiográfica « acción en prosa » (*La Dorotea*), sus trabajos religiosos y ascéticos, sus narraciones mitológicas y sus poemas épicos, burlescos y didácticos. Sus poesías líricas y sus comedias no se olvidarán.

El genio de Lope era esencialmente lírico. Algunos de sus poesías se hallan entre las más delicadas del idioma, ya que su gusto era impecable, su sensibilidad omnipresente, su sentido melódico notable, y su habilidad técnica extraordinaria. Algunos de sus poesías se publicaron por separado, pero muchos se encuentran en sus comedias y en otras de sus obras. Usaba con la misma maestría la métrica tradicional y las formas italianas introducidas por Boscán y Garcilaso. Sus romances y sonetos son especialmente briosos y tiernos.

La calidad lírica de los dramas de Lope se advierte en seguida no solamente porque fueron escritos en verso y contienen poesías de ese género sino también por el espíritu que los anima. ¿ Qué clase de obras de teatro eran éstas ? Lope escribió, en verso, un *Nuevo arte de escribir comedias en estos tiempos*, en 1609. Dice francamente que no sigue las reglas clásicas, porque el público paga para ir al teatro y merece ser servido. La tragedia y la comedia pueden por tanto mezclarse. Observa el tercero de los cánones clásicos, unidad de tiempo, lugar y acción, pero únicamente dentro de cada acto. Entre ellos hay largos períodos de tiempo, y cambios de todo género. El lenguaje es apropiado al personaje; el criado gracioso no debe hablar como su amo. Los dramas deben tener tres actos, de unos mil versos cada uno y de métrica variada. Hay que mantener al público en suspenso hasta la mitad del tercer acto de modo que conserve el interés por la acción. Lope hace indicaciones respecto a otros detalles.

Las obras de este fenomenal improvisador y de sus contemporáneos y sucesores pueden estudiarse en sus personajes aun más detenidamente. La intriga es complicada en la comedia típica, y la vida individual de los personajes es menos importante que el argumento. De aquí que no se encuentre ningún Hamlet, Otelo, Harpagon ni Tartufo, aunque muchos de los personajes de Lope y de muchos otros de los dramaturgos españoles poseen vida y personalidad, especialmente el Don Juan de Tirso. Los temas tienen orígenes variados: la historia de España o de algún otro país, la mitología, la Biblia y las vidas de los santos; los temas pastoriles, lo picaresco o asuntos contemporáneos. Es de particular interés la comedia de capa y espada, en la que galanes de la clase media o de la nobleza persiguen a las doncellas de su elección, y, después de una complicada intriga en la que entran el honor ultrajado, los duelos, los quid pro quos, las objeciones paternales, el amor a la reja, las rivalidades y los equívocos, los enamorados acaban siempre por desposarse felizmente. Estas obras tienen más ingenio que profundidad, pero se mueven con ritmo rápido y poseen una encantadora espontaneidad lírica. El padre o el hermano tienen siempre que lavar con sangre cualquier mancha, o sospecha de mancha, que caiga sobre el manto inmaculado de la dama bajo su protección y custodia. He aquí el desarrollo de las verdaderas « tragedias de honor, » de las que son ejemplo los sangrientos dramas de Calderón. Una característica interesante del teatro español del Siglo de Oro es la ausencia de madres — y del tema de la maternidad — en la escena.

Las galanterías poéticas y lances de amor de las comedias están desde luego idealizados. Las comedias reflejan el espíritu del siglo XVII; no significan en modo alguno retratos exactos de las costumbres. Desde luego es posible deducir muchos detalles de la vida dentro de las distintas clases sociales; ver las maneras, costumbres y actitudes de la época; pero de ningún modo puede por ello llegarse a la conclusión de que la vida española consistía en la persecución de las damas disfrazadas por los galanes aguerridos de un extremo a otro del país, ni en el asesinato secreto realizado por el marido o el padre de la pobre dama sobre la que había caído « infame sospecha, » ni la subsiguiente muerte en duelo del hombre responsable de dicha « infamia. »

La popularidad del teatro español en el siglo XVII es significativa. Lope se ocupó de que en su teatro cada cual encontrase algo de su gusto y sus sucesores siguieron esa norma. Los hombres refinados gustaban de las alusiones mitológicas, saboreaban los artísticos sonetos, las elaboradas metáforas. Por otra parte los argumentos rápidos y movidos, la acción veloz, los héroes galantes y las heroínas románticas pero llenas de recursos, las expresiones físicas y verbales de los graciosos, eran cosas que podían ser apreciadas por nobles y plebeyos. Aun la forma de tratar el tema del honor debió encontrar respaldo popular.

Muchos de los temas usados por los dramaturgos del siglo XVII les eran familiares a todos, puesto que nacían de la historia nacional o la leyenda, o a veces de la crónica de la vida contemporánea. Shakespeare, más genial que Lope en la introspección psicológica y grandeza de concepción, nos hace recordar sin embargo a su contemporáneo español en su habilidad para ofrecer algo adecuado a su gusto a cada espectador. No así los franceses, que aun en nuestros días se resisten a comprender el valor de la comedia española. En Francia prevaleció el clasicismo, y se buscaba un tipo de drama más refinado y por tanto más limitado, dirigido no al gran público sino a la « élite, » a la gente culta.

Como las ciudades no eran grandes y el público del teatro reducido, se necesitaban nuevas obras contínuamente, lo que constituía una invitación a los dramaturgos para que escribiesen de prisa. Lope nos informa que tenía entre sus obras más de cien que había escrito en no más de veinticuatro horas. Los primeros teatros permanentes, de construcción primitiva, llamados « corrales, » se establecieron en Madrid entre 1569 y 1571, y dos de ellos, el del Príncipe y el de la Cruz, siguieron siendo los únicos teatros públicos de la capital hasta fines del siglo XVIII.

Los espectadores de alcurnia ocupaban aposentos (palcos) detrás del patio, y en el resto de las localidades damas y caballeros se sentaban en secciones separadas. La cazuela era una galería reservada para mujeres. Los villanos o plebeyos como los soldados y estudiantes, campeaban por el patio y expresaban ruidosa desaprobación de lo que no les gustaba. Las funciones tenían lugar a las dos de la tarde en invierno, y a las cuatro en verano, pero los teatros se cerraban a menudo por respeto a la Cuaresma, por hallarse embarazada la reina, o por los arrebatos de austeridad de los soberanos u otras autoridades. Las funciones dramáticas comenzaban con una loa o monólogo recitado que servía de introducción a la obra. Entre los actos, se representaban entremeses o « pasillos, » y después del Acto III se ofrecía siempre algún fin de fiesta, con diálogos y bailes. Las danzas eran extremadamente populares pero algunas, como la zarabanda, por ejemplo, se conviertieron en cosa tan escandalosa que tuvieron que ser repetidamente prohibidas.

Antes de Lope de Vega había una cierta tradición dramática pero a él se debe especialmente la creación de la comedia. Frenta a la increíble fertilidad de Lope, hay que maravillarse de su variedad, su inventiva y su amplitud. No concentró suficientemente sus maravillosas energías para producir una obra maestra. De ahí que su producción dramática sea mejor contemplada como un todo y no en partes. Sin embargo, muchas de sus obras pueden considerarse verdaderamente excelentes. *Fuente-Ovejuna* es un cuadro dramático de la rebelión de toda una villa contra el señor feudal. *El mejor alcalde, el rey*, presenta al monarca tomando el partido de un campesino contra un noble cruel. *El villano en su rincón* presenta en el protagonista otro admirable tipo campesino. En *Las famosas asturianas* crea tipos de mujeres heroicas. El tema de *El Abencerraje* está admirablemente desarrollado en *Abindarráez y Narváez o El remedio en la desdicha*. Y el drama semi-histórico está bien representado en *Peribáñez y el comendador de Ocaña*. Entre los dramas de capa y espada resulta difícil escoger entre tantos de rápida acción, intriga romántica y encantadoras heroínas: *La moza de cántaro*, *La noche de San Juan*, *El perro del hortelano*, *La dama boba*, *Noche toledana*, *Por la puente, Juana*. Muchas otras pueden elegirse como ejemplo de delicada gracia e intriga. El « monstruo de la naturaleza » fué notable por algo más que por el número y cuantía de sus obras.

Una de las mejores obras del Siglo de Oro español, atribuida en el pasado a Lope, probablemente no es suya: *La Estrella de Sevilla.* Sea o no de Lope, es un magnífico drama. La adorable Estrella es la prometida de Sancho Ortiz. El rey la ve y se enamora perdidamente, y sobornando a una esclava se las arregla para penetrar en su casa. Allí lo encuentra el hermano de Estrella, Bustos Tavera, que le reprocha su conducta pero le perdona la vida porque se trata del rey. Para obtener venganza, el rey entrega a Sancho Ortiz un sobre sellado que contiene el nombre de un hombre a quien debe matar por ser reo de crimen de lesa majestad. Sancho abre el sello y descubre que su víctima es Bustos Tavera. Después de grandes dudas cumple la orden, matando al hermano de Estrella. Esta, vestida de novia y lista para recibir a su futuro esposo, se encuentra con el cadáver de su hermano. Sancho Ortiz es llevado a prisión, y se resigna a morir antes que traicionar a su soberano. El rey, conmovido ante tanta lealtad, rompe su silencio. Confiesa su instigación al crimen y Sancho es libertado. Estrella y Sancho se despiden para siempre, pues los separa la sangre derramada. Ella entra en un convento y él va a la guerra en busca de la muerte.

Admitiendo el concepto del honor de Sancho, no puede menos de admirarse el intenso dramatismo y la sombría intensidad de la obra.

Tirso de Molina. Uno de los más famosos continuadores de la obra de Lope y uno de sus defensores también fué un famoso fraile mercedario, Gabriel Téllez, más conocido como Tirso de Molina (¿ 1583 ?–1648). Fué miembro notable de su orden en la que tenía el cargo de cronista, pero encontró tiempo para escribir unas cuatrocientas comedias, de los cuales se conservan sólo 86. Escribió también dos obras, *Los cigarrales de Toledo* y *Deleitar aprovechando*, que contienen cuentos, diálogos, enseñanzas edificantes, y una defensa de la comedia española y del sistema dramático de

Lope. No es necesario decir que las obras de Tirso, algo libres en pensamiento y expresión, causaron desagrado a sus piadosos hermanos e hicieron que el autor fuese censurado oficialmente. Sus escritos eran « obras profanas, de perverso incentivo y ejemplo. » Hoy en día pocos las juzgarían de tal modo.

Tirso se proclama de modo franco discípulo de Lope, pero conviene decir que no es simplemente su imitador. Si su fecundidad es menos asombrosa que la del maestro, las intrigas de sus comedias no resultan menos hábiles, sus tipos femeninos no menos atractivos y hasta quizás con un poco menos de inocencia, sus graciosos más cómicos y no hay que olvidar que creó uno de los tipos más memorables de la literatura: la figura de don Juan.

Tirso escribió también admirables obras históricas como *La prudencia en la mujer*, sobre la Reina Madre doña María de Molina (principios del siglo XIV). Compuso asimismo muchas obras bíblicas, tales como *La venganza de Tamar*, un poco tremebunda. *El condenado por desconfiado* es una notable presentación de la doctrina religiosa en la escena, que trata del falso arrepentimiento y del misterio de la gracia divina. Un santo ermitaño que duda es condenado, y en cambio un malvado de Nápoles se salva porque se arrepiente a última hora lo mismo que el ladrón en la cruz. Tirso era particularmente adicto a la comedia palaciega (*El vergonzoso en palacio*). Nadie podrá nunca inventar argumentos más complicados que Tirso en la comedia de capa y espada. *Don Gil de las Calzas Verdes*, *Los balcones de Madrid*, *Celos curan celos*, *La villana de Vallecas*, *El amor médico*, y otras atestiguan su habilidad y maestría. *Marta la piadosa* es un tipo original en su tiempo, de beata hipócrita.

Tirso hubiese sido famoso aunque sólo hubiese escrito *El burlador de Sevilla*, pues es en esta obra en donde don Juan hace su primera aparición en la literatura. Seguramente el nombre del primer seductor y burlador del mundo se pierde en la niebla de la prehistoria, pero fué Tirso quien primero le dió forma dramática y literaria así como significación social. El don Juan de Tirso es un creyente, un individualista, un hombre encantador que realiza sus conquistas mediante ardides y promesas de matrimonio. Su sirviente, Catalinón, le advierte que debe arrepentirse de sus malas acciones, que vendrá el Día del Juicio Final y siempre don Juan le responde « Tan largo me lo fiáis . . . » Han pasado los límites de ese plazo, pues la gracia divina no vuelve ya si no se la ha recibido a su tiempo. Don Juan invita a cenar con él la estatua funeral del Comendador a quien había matado. La estatua acepta, y don Juan, sin perder su entereza, mantiene la invitación. Los platos servidos en la cena son de fuego y azufre, y finalmente la estatua arrastra a don Juan a los infiernos.

La figura de don Juan resulta una verdadera creación, fértil en sugerencias y destinada a inspirar después a cientos de autores hasta nuestros días. La mayoría de estos autores desconocen directamente el poderoso drama de Tirso, pero algo del aura de Tirso ha quedado sobre don Juan a pesar de sus transformaciones en diferentes tierras y épocas. Molière (en *Don Juan ou le festin de pierre*) lo hizo ateo y algo hipócrita, pero al fin lo envía al infierno. Asimismo se le encuentra en el familiar y perennemente melodioso *Don Giovanni* de Mozart. Los románticos del siglo XIX no pudieron condenar a tan vigoroso individualista en el que se plasmaban algunos de sus más caros ideales, y lo salvaron. Zorrilla, por ejemplo, lo rescata mediante el amor, y su alma sentimental vuela al cielo en compañía de su amada doña Inés, seguidos por angelitos rosados y suave incienso. A pesar de que Byron no terminó su *Don Juan*, el héroe tiene todo el irresistible y arrebatador encanto de una figura completa que continúa la gran tradición. Muchos consideran el *Don Juan* de Pushkin como el más lírico de todos. No pocos autores del siglo XX han adoptado a don Juan: Rostand, Bataille, Bernard Shaw, Ludwig Lewisohn, los Machado, Hernández Catá, y muchos otros. Sigue cambiando, pero don Juan no muere. Es una de las verdaderas contribuciones de España a la literatura mundial, mucho más importante que los temas y argumentos para comedias y cuentos con los que España enriqueció generosamente la literatura de Francia y de otras naciones.

Dramaturgos secundarios. Otro dramaturgo grandemente influído por Lope viene de Levante: Guillén de Castro (1569–1631), aristócrata valenciano que, según una leyenda, pasó de la riqueza a la miseria, fué soldado y aventurero, se casó dos veces, es también poeta y dramaturgo y como tal autor de cerca de 50 obras. Era amigo y admirador de Lope, con quién pudo competir en vigor pero no en delicadeza y habilidad. En *El Narciso en su opinión* caricaturiza a un petimetre. En tres de sus obras tomó los argumentos de Cervantes: *Don Quijote de la Mancha*, *El curioso impertinente* y *La fuerza de la sangre*. *El conde Dirlos* y *El conde Alarcos* se basan en romances españoles, así como las dos obras más conocidas de Castro sobre el héroe nacional de España: *Las mocedades del Cid* y *Las hazañas del Cid*.

Resultan imperfectas en su estructura pero son fuertes, lozanas de espíritu y de acción, y a menudo reflejan o transcriben los romances (pero no el *Poema del Cid*) que las inspiraron. A Guillén de Castro debe Corneille la inspiración de su obra más famosa *Le Cid*, piedra angular de la tragedia francesa. Castro inspiraba mejor que componía.

Luis Vélez de Guevara (1570–1644) nos es conocido por ser el autor de una novela, *El diablo conjuelo*, pero fué también dramaturgo de nota. Es el autor de uno de los mejores dramas sobre el trágico tema de doña Ines de Castro, titulado *Reinar después de morir*. Su versión dramática de la historia de Guzmán el Bueno, que se negó a entregar a Tarifa a los moros, aunque sabía que si no lo hacía éstos asesinarán a su pequeño hijo, se titula *Más pesa el rey que la sangre*.

Una de las obras de teatro más populares de todo el Siglo de Oro en España fué *Del rey abajo, ninguno*, también conocido por el nombre de su protagonista, *García del Castañar*, y por la profesión de éste: *El labrador más honrado*. Su autor fué Francisco de Rojas Zorrilla (1607–1648), hombre de familia acomodada que fué de Toledo a Madrid y pronto obtuvo fama por sus comedias y poemas. En cierta ocasión fué gravemente herido por otro poeta a quien había satirizado, pero aparentemente no sufrió daño alguno en su rivalidad con un actor llamado también Francisco de Rojas, con cuya esposa tuvo el poeta una hija que fué luego famosa actriz. Más tarde Rojas se casó con una dama de la gran familia de Mendoza y en 1643 recibió el hábito de la noble Orden de Santiago. Muchas de sus obras fueron escritas en colaboración con otros autores como Calderón y Vélez de Guevara.

En *Del rey abajo, ninguno*, García, que en realidad no es un campesino sino un noble retirado, confunde al conde de Orgaz, que ha seducido a su esposa, con el rey, y le permite huir. Al descubrir su error, García mata al conde en un duelo. Soportaría la afrenta del rey pero de nadie más.

La obra es en verdad mejor de lo que se puede deducir de esta leve referencia, sobre todo por la belleza de expresión y la profundidad. Rojas escribió también obras como *El amo criado*, en las que el protagonista es el gracioso. Tenía ideas un poco feministas. En *A cada cual lo que le toca*, presenta a una heroína que sabe defender su honor por sus propios medios, y esto parece no haber agradado mucho al público. Su estilo no se libra de la afectación. Suministró argumentos a Scarron, Thomas Corneille y quizás a Rotrou. Sólo escribió unas setenta y dos obras de las que publicó 24. *Entre bobos anda el juego* es lo que se llama una « comedia de figurón, » en la que el protagonista es una verdadera caricatura. Este género fué bastante popular hasta bien avanzado el siglo XVIII y el mismo tipo de obra se encuentra en *El hechizado por fuerza* de Antonio de Zamora y *El dómine Lucas* de José de Cañizares.

Juan Ruiz de Alarcón. El pobre jorobado mejicano, Juan Ruiz de Alarcón y Mendoza (1581–1639), fué siempre una figura solitaria y apartada de todos sus contemporáneos. Su genio no era alegre que digamos y muchas veces inspiró celos y repulsión. Hombres del calibre de Lope, Quevedo y Góngora se rebajaron hasta el punto de hacer burla de su deformidad física. Nació en Taxco, Méjico, aunque no en el pueblo que lleva actualmente ese nombre. Fué a España y estudió en Salamanca, vivió en Sevilla, regresó a Méjico, y en 1613 regresó a España para permanecer en ella. Su producción total, 24 obras, resulta exigua, cuando se la compara con la de sus contemporáneos. Y es pequeña por la sencilla razón de que Alarcón no era un improvisador sino un artista que gustaba de pulir y corregir sus obras. ¿ Era capaz de escribir una comedia a la manera de Lope ? Léase su romántica y melodramática obra, *El tejedor de Segovia*, segunda parte. (La llamada primera parte fué escrita por autor anónimo. Ambas dramas completos.) Sin embargo, fueron sus comedias morales las que dieron la fama a Ruiz de Alarcón, porque en ellas es donde verdaderamente se muestra como artista habilidoso y donde se advierte el alma noble que habitaba aquel cuerpo deforme.

Las paredes oyen va dirigida contra el vicio de la calumnia. *La prueba de las promesas* se basa en uno de los cuentos de don Juan Manuel, y es un estudio de la ingratitud. *Mudarse por mejorarse*, de argumento simple y tipos finamente trazados, pinta la inconstancia en el amor. La más conocida de sus obras, *La verdad sospechosa*, es una descripción brillante de un joven noble, mentiroso de nacimiento, que finalmente termina enredado en sus propias mentiras. El gran Corneille dijo que hubiera dado dos de sus obras por ser el autor de *La verdad sospechosa*. En efecto, Corneille la adaptó más tarde en *Le Menteur*, tan significativa en la historia de la comedia francesa, aunque no pudo mejorarla a pesar de cambiarle el final. Voltaire llegó hasta a afirmar que el teatro de Corneille no habría existido nunca sin Alarcón. Aunque pueda ser este juicio exagerado, es muy cierto que el escritor mejicano poseía cualidades universales, nobleza de intención y altura de concepto.

Calderón es el último gran nombre en la historia del drama del siglo XVII, y muchos lo consideran como su mejor exponente, superior aún a Lope de Vega. Pedro Calderón de la Barca (1600–1681) pertenecía a la baja nobleza. Se educó en las universidades de Alcalá y Salamanca y disfrutó de una alegre y disipada juventud. Estuvo en el ejército, al servicio del duque del Infantado y del duque de Alba, recibió el noble hábito de la Orden de Santiago, y se hizo sacerdote en 1651. Comenzó a alcanzar éxito como poeta y dramaturgo aun antes de cumplir los veinte y un años. Luego de tomar los hábitos escribió autos sacramentales y comedias para la corte del rey Felipe IV, que era gran aficionado al teatro.

Casi todo lo que escribió Calderón fué obra dramática. Se le atribuyen cerca de 125 piezas completas, incluyendo las escritas sobre tipos popularizados antes por Lope, amén de cerca de 70 autos y 20 obras cortas y ligeras.

Calderón no es muy escrupuloso con la exactitud histórica. Bien es verdad que las obras con fondo histórico no son las mejores de su repertorio. Una, que refiere hechos relacionados con la subida de Felipe II al trono portugués, es admirable: *El alcalde de Zalamea.* Resulta indudablemente mejor que la obra de Lope del mismo título, en la que Calderón se basa, y contiene personajes enteros y cabales: el simple noble arruinado don Mendo, el gotoso y viejo soldado don Lope de Figueroa, la dulce heroína Isabel, y particularmente el recio campesino alcalde y protagonista, Pedro Crespo.

En la comedia de capa y espada Calderón supo ser siempre ingenioso en la intriga, que desarrollaba con esmero, y con admirable gracia y movimiento, pero sus tipos son convencionales, demasiado parecidos unos a otros, y sin profundidad. Buenos ejemplos son: *Casa con dos puertas mala es de guardar*, *No hay burlas con el amor*, *Mañanas de abril y mayo*, *El astrólogo fingido.*

Las sombrías tragedias de honor de Calderón requieren primero la aceptación incondicional de ese código anacrónico para poder apreciarlas. En *El médico de su honra*, nuestro héroe don Gutierre es forzado a matar a su esposa inocente porque sobre ella ha caído la sospecha. Otra dama que luego se casa con él, acepta con placer su mano teñida de sangre, y esta resignación era quizá una concesión al gusto del público. *A secreto agravio secreta venganza* muestra cómo el honor no se pierde si se logra vengar la deshonra en secreto. Es dudoso que semejante código existiese en la vida real, pero de todos modos, el poeta no lo inventó, puesto que aparece también en las obras de sus predecesores. El hecho es que Calderón supo usarlo en ésta y en muchas otras obras logrando con él un gran efecto dramático. Aunque los dramas de honor son importantes en la obra literaria de Calderón y forman parte significativa de la literatura del siglo XVII español, algunos dramas suyos de otro carácter han alcanzado también celebridad. *El príncipe constante* es Fernando, hijo del rey Juan I de Portugal (1385–1433), que prefiere sufrir prisión y muerte en Fez antes que abjurar de su fe. *La devoción de la cruz* trata del pecado y su remisión, y se dice en ella que todos los crímenes pueden alcanzar perdón a través de la devoción a la Cruz, como en *El condenado por desconfiado* de Tirso. El drama posee verdadero sentimiento trágico aunque presenta rasgos psicológicos extraños. Es sin duda una de las obras teatrales religiosas más grandes del mundo. *El mágico prodigioso* trata del pacto hecho con el diablo por San Cipriano de Antioquía, un asunto análogo a la leyenda de Fausto.

El más famoso de los dramas de Calderón y posiblemente el más conocido del Siglo de Oro español es *La vida es sueño.* Segismundo, príncipe de Polonia, ha crecido aherrojado en una cueva, casi como un animal. Su padre le hace suministrar un narcótico, y es de repente llevado a la corte, donde su violencia, y su abandono a los impulsos del hombre primitivo, hacen que su padre, el rey, renuncie a regenerarle. Es llevado de nuevo a la cueva por el mismo procedimiento del narcótico, y empieza a creer que todo ha sido un sueño. Cuando una rebelión popular lo lleva de nuevo a la corte, se halla convertido en hombre razonable, convencido de que toda la vida es un sueño, y que es necesario hacer el bien en el sueño de la vida para tener un feliz despertar en el cielo. La obra es indudablemente poética, conmovedora, pero es algo dudoso que contenga pensamientos filosóficos de alguna solidez.

Calderón sobresalió también en una forma especial del drama religioso: el auto sacramental. Solía ser una pieza en un acto dedicada a los Santos Sacramentos, para ser escenificada el Día del Corpus. El tema es el misterio de la transubstanciación, y se usaron muchos argumentos para presentarlo simbólicamente. Es producto típicamente español y resulta una mezcla de ingenuidad, religión y poesía, prácticamente ininteligible para los extranjeros. Los autos se representaban magníficamente en las ciudades españolas del siglo XVII, pero a finales del XVIII se prohibieron. Calderón en estas obras seguía la tradicion de Lope y otros poetas, y sus autos contienen algunas de sus mejores poesías.

Calderón no cultivó nunca la sencillez en el estilo. Debe más bien considerársele como un autor barroco que desarrolló la ornamentación hasta un alto grado, y cuya retórica se alza en complicadas espirales, mientras el pensamiento está repleto de sutilezas legales y teológicas, recuerdo de sus años en la universidad.

Agustín Moreto. Agustín Moreto y Cabaña (1618–1669) tuvo un período, relativamente corto, de actividad como autor antes de hacerse sacerdote en 1657, pero escribió cerca de 50 comedias. Su originalidad es dudosa, ya que sus obras son honrados plagios de otros autores, como Lope, pero por lo regular, mejoraba sus modelos. Sus argumentos tienden a ser más sencillos, su expresión es siempre clara, y muestra notable vivacidad en la expresión. Su *Valiente justiciero* es una readaptación muy bien lograda del *Rey don Pedro en Madrid* de Tirso. En la escena española al rey don Pedro I no se le da el nombre de El Cruel, sino El Justiciero, campeón de la causa del pueblo contra la nobleza opresora. *El lindo don Diego* de Moreto es un buen retrato del petimetre basado en *El Narciso en su opinión* de Guillén de Castro. *El desdén con el desdén* es seguramente una de las mejores producciones de Moreto, y ofrece un encantador e ingenioso desarrollo. Una dama desdeña a todos sus admiradores para luego caer en los brazos del pretendiente que ha sido lo suficientemente hábil para fingir desdeñarla. Molière la utilizó en su *Princesse d'Elide*.

Las comedias no desaparecieron con la muerte de Calderón, Moreto y sus contemporáneos, pero se puede decir que hacia fines del siglo XVII la llama de la inspiración dramática estaba casi apagada.

XIX

Sutilezas y arabescos en la literatura

Gongorismo. A menudo surge en las vías del arte la tendencia a apartarse de la sencillez en busca de lo complicado y difícil, lo raro, lo rebuscado, lo altamente ornamental. Compárese la arquitectura románica con la gótica o plateresca; las canciones folklóricas con la música de Debussy o de Hindemith; la crónica anglosajona con *Euphues*. En la Edad Media los poetas provenzales y más tarde los Grands Rhétoriqueurs se dedicaron a sutilizar el pensamiento y a complicar la métrica. En España Juan de Mena se propuso crear un lenguaje poético diferente al de la prosa, enriquecido con préstamos del latín y del italiano y conteniendo alusiones sólo conocidas de los iniciados. Y esta tendencia se muestra en Europa a lo largo o al fin del Renacimiento: Euphuism en Inglaterra, Schwulst en Alemania, Préciosité en Francia, Marinismo en Italia, todos diferentes pero al menos con un denominador común. En España la tendencia tiene dos cabezas directoras, pero el cuerpo es el mismo. Algunos preferirán decirlo de otro modo. Preferirán decir que en el siglo XVII hubo dos horrendos vicios literarios, conceptismo y culteranismo o gongorismo.

El culteranismo siguió las huellas de Mena. Teóricamente los términos deben aplicarse a toda afectación de intelectualidad mediante una « obscuridad cultivada en el estilo »: Empleo de palabras extranjeras, muchas de las cuales fueron así aceptadas y españolizadas hasta hoy. Distorsiones en la sintaxis, orden griego o latino de la oración, y delicadezas como el uso del acusativo sinecdótico (ej., « azul los ojos » por « de los ojos azules »). Citas eruditas de la mitología (piénsese en Milton), historia, geografía, cualquier cosa. (¿ No habrá que mencionar también a Ezra Pound, a T. S. Elliot y a los exquisitos menores de nuestros días ?) Abundaban las elaboradas figuras de lenguaje, especialmente las metáforas. Nadie se opone a un esfuerzo, como el de la Pléyade francesa, de enriquecer el idioma y elevar la poesía, pero el problema está en que ese entusiasmo puede conducir a la exageración y a dar ese paso fatal que lleva al autor más allá de lo sublime. Así ocurrió, en realidad.

El conceptismo se refiere a la sutileza intelectual, pariente cercana de la de los filósofos escolásticos, y de los poetas provenzales, aún del mismo Petrarca. Un concepto puede definirse como una evasiva metafórica. Los conceptistas trabajaban penosamente para expresar un concepto peregrino para desarrollar el giro ingenioso, la metáfora sorprendente, hasta que el lector está casi a punto de rendirse. Pero además se buscaba el enriquecimiento, algún modo precioso de dar énfasis al pensamiento. En esa dirección los conceptistas desarrollaron una enorme destreza, ya que la mayoría de ellos tenían verdadero talento. El conceptismo y el gongorismo se encuentran evidentemente en la metáfora. Por ejemplo: « la serpiente de plata se desliza sobre el fuego de Libia » (para decir que el brillante río fluye a través del Africa ardiente) sería culterano, mientras « su comida era eterna, sin principio ni fin » es conceptista (principio — primer plato, fin — postre). O sea, no tenían nada que comer. Más adelante nos dicen que habían hecho uso de sus dientes tan pocas veces que había que limpiarlos con plumero !

Las tendencias no eran nuevas, pero se siguieron mucho más decidida y conscientemente en el siglo XVII. Un joven cortesano-poeta-soldado, nombrado Luis Carrillo y Sotomayor (1583–1610) concentró su atención en esas elegancias poéticas en España y en la corte de Nápoles y por el año 1607 hizo circular en manuscrito su *Libro de la erudición poética.* El y el italiano Marini (*Adone,* 1623) se hallan sujetos a las mismas influencias. Carrillo sirve de campeón a la latinización del vocabulario y de la sintaxis española, a la riqueza en obscuras alusiones y a una poesía exclusiva para iniciados. Por desgracia, la poesía y la prosa de Carrillo, publicada un año después de su muerte, son curiosidades de interés solo para el historiador de la literatura.

Góngora y los conceptistas. Un verdadero gran poeta cuyo nombre ha sido infortunadamente considerado como sinónimo de extravagancia poética es Luis de Argote y Góngora (1561–1627). Nació en Córdoba, cuna de Séneca, Lucano y Mena. Recibió esmerada educación en la universidad de Salamanca, aunque pasó sus años estudiantiles escribiendo poesía. Fué nombrado beneficiado de la catedral de Córdoba, sin haber recibido siquiera las órdenes menores y su vida no fué precisamente modelo de virtudes. Disfrutó de la protección de favoritos reales, y después de ser ordenado sacerdote fué nombrado capellán de Su Majestad Felipe III. Vivió prósperamente en Madrid de 1617 a 1626, pero sufría de alta presión de la sangre, y por tanto, de ataques de apoplejía. Regresó a Córdoba para morir a la edad de 66 años. Tenía muchos amigos y algunos enemigos que le satirizaron, entre ellos Lope y Quevedo.

A través de toda su carrera poética Góngora escribió poesías sencillas de lírica frescura. Es indudablemente uno de los poetas más altos de España, y toda antología resulta incompleta si no incluye algunos de sus romances, canciones y otras formas populares, para no mencionar sus sonetos y poesías más ambiciosas. Siempre poseyó ingenio, gracia, elegancia y refinamiento.

Resulta inexacto decir que hubo un Góngora, « ángel de la luz » por los versos que escribió hasta 1609, y luego otro Gongora « ángel de las tinieblas » que escribió solamente poemas culteranos. Las obras de Góngora que más confunden al lector poco deseoso de hacer el esfuerzo para comprenderlas han sido principalmente el *Panegírico al duque de Lerma* (1609), la *Oda a la toma de Larache* (1610), la *Fábula de Polifemo y Galatea* (compuesta hacia 1613), las *Soledades* (sin terminar, cerca de dos mil versos en total, escritos al mismo tiempo que el *Polifemo*), la *Fábula de Píramo y Tisbe* (1618). Verdad es que resultan difíciles, pero con un poco de atención se descubre pronto su gran belleza, sus preciosas imágenes, su color, su calor poético, y el esfuerzo del poeta por apresar la suprema belleza.

Góngora no llegó a fundar una escuela poética con éxito, porque su talento era típicamente personal y único. Aquellos escritores no favorecidos por el genio que intentaron seguirle pudieron imitar sus habilidades técnicas, pero el resultado fué una sintaxis retorcida, metáforas exageradas, y excesivo mal gusto. Y así fué como por su culpa el Góngora de las *Soledades* fué declarado corruptor de la poesía. Como compensación en años recientes Góngora ha sido el poeta más apreciado de España, y su obra ha contribuido mucho a la formación de los poetas contemporáneos en España y en la América Latina.

Los principales conceptistas fueron Quevedo y Gracián, aunque el contagio se extendió mucho en el siglo XVII. ***Francisco Gómez de Quevedo y Villegas*** (1580–1645), que escribió la novela picaresca, *La vida del Buscón*, fué un verdadero poeta. Quevedo odiaba el culteranismo, pero gustaba de jugar con las ideas, y su prosa y su poesía están llenas de ingeniosos conceptos, chistes, juegos de palabras, comparaciones sorprendentes e inesperados giros. Es por lo tanto un autor extremadamente difícil de traducir. Sus grandes talentos humorísticos y satíricos se despliegan en sus visiones (*Los sueños*), en sus panfletos literarios, y aun en sus obras específicamente políticas, morales o de temas religiosos (*La política de Dios*, 1626, *La providencia de Dios*, 1641, y muchas otras).

Las numerosas poesías de Quevedo se suelen publicar separadas en nueve secciones, una por cada una de las Musas. Son de una gran variedad, desde las más ligeras, jocosas, festivas o de sátira escabrosa hasta las tiernas poesías de amor y los versos religiosos de profunda intensidad, y en todos ellos usa también una gran variedad de metros y formas. Sus piezas satíricas y humorísticas muestran una gran profundidad, como la *Epístola satírica y censoria al conde-duque de Olivares*, que prueba que Quevedo se inquietaba por los males de España, pero también trató muchos temas ligeros, como vemos en su sátira, basada en Juvenal, sobre los peligros del matrimonio. A veces su humor puede ser digerido solamente por estómagos fuertes, pues Quevedo tenía una sensibilidad robusta y su gracia no reconocía los límites de lo convencional.

Su amor por el « concepto », la frase hábilmente retorcida, es aún más evidente en su prosa que en su poesía. En sus *Sueños*, publicada tardíamente en 1627, pues se concibió y fué escrito 20 años antes, hace una visita literaria al infierno y allí dispara sus flechas contra toda clase de tipos de la sociedad contemporánea: médicos, poetas, abogados, sastres, posaderos, barberos, banqueros, damas de toda clase, amantes, etc., y lo que es aún peor en un estilo tan deslumbrante que los ojos del lector se encandilan y a veces echamos de menos la sobriedad del autor del *Lazarillo.*

Diego de Saavedra Fajardo (1584–1648) sigue en su estilo a Tácito, pero tampoco evita por entero las exageraciones de sus contemporáneos y a veces resulta conceptuoso. Sus críticas del mundo de las letras en la *República literaria* se refieren a la sociedad de 1612, aunque no fueron publicadas hasta 1655 y atribuyéndolas a otro autor. Están lejos de ser completos esos análisis, ya que no se refieren a la *Celestina* ni a Cervantes ni al teatro. Rebasando su título, esa obra habla de los artistas a la par que de los escritores. Más conocido es su libro *Empresas políticas o idea de un príncipe político-cristiano* (1640), en el que utiliza su larga experiencia como diplomático para proclamar lo que a su juicio debe ser el gobernante cristiano y para combatir de paso las ideas del *Príncipe* de Maquiavelo.

Baltasar Gracián (1601–1658) entró en la orden de los jesuitas a los 18 años. Fué teólogo, erudito, famoso predicador, conversador de talento, y uno de los autores más sólidos de su tiempo. Le castigó su orden por lo menos en dos ocasiones, y aunque solicitó permiso para salir de ella nunca le fué concedido. Los jesuitas, no obstante, lo honraron mucho después de su muerte.

Su primera obra publicada fué *El héroe* (1637) en la que enumera las 20 cualidades que debe poseer un príncipe. La doctrina es anti-maquiavelista y el príncipe modelo uno a quien pocos eligirían hoy: Felipe IV de España. Otro gobernante modelo, según Gracián, fué el rey don Fernando a quien elogió en *El político Fernando* (1640). Derramó también sus alabanzas sobre el conde-duque de Olivares. *El discreto* sugiere 25 virtudes, cada una con un ejemplo histórico de valor ejemplar y edificante para el hombre de mundo. *El oráculo manual*, que contiene 300 máximas filosóficas, ejerció gran influencia sobre La Rochefoucauld y La Bruyère en Francia, y sobre Nietzche y Schopenhauer en Alemania.

La obra maestra de Gracián es *El Criticón* (1651–53–57). Hay en ella dos personajes principales, Critilo, el hombre educado, de cultivada inteligencia, y Andrenio, el hombre natural, que teóricamente contempla la sociedad y el mundo sin prejuicios. El cuadro de la sociedad es pesimista. No hay que asombrarse, pues, de que Gracián influyera en Schopenhauer. El libro es compacto, inteligente, humorístico; en suma es la obra de un hombre experimentado y culto que contempla el mundo y no lo encuentra satisfactorio. La idea fundamental de la obra es probablemente de origen oriental, pero otros autores de su tiempo inspiraron también al famoso jesuita.

El arte de ingenio, 1642, ampliado en 1648 como *Agudeza y arte de ingenio*, es una especie de guía y manual para escritores que gusten del conceptismo y sobre todo de la manera culterana.

Hubo escritores que siguieron la tendencia de Gracián, pero sin poseer su talento ni sus conocimientos sólidos.

La oratoria sagrada fué especialmente afectada por esa corriente y los abundantes y afectados conceptos de los predicadores suministraron excelente material de sátira en el siglo siguiente (padre Isla, también jesuita, en su *Fray Gerundio*).

Gracián, uno de los más cuidadosos escritores de la lengua española, probablemente sería más leído si hubiese cultivado menos la sutileza. Su estilo pulido no es fácil, y el que quiera saborearlo no puede distraerse. Cada página está repleta de ideas y todo lo secundario ha sido eliminado.

El uso del excesivo ingenio y la ornamentación superflua no podía ser fecundo. Hay algo muy exagerado en las producciones los últimos de los grandes autores del Siglo de Oro, y no fué posible que esa tendencia continuara su curso. Los que trataron de mantener y estimular el gongorismo o el conceptismo estaban condenados al fracaso. Hacía falta una expresión más simple y más directa. En el siglo XVIII se hizo un notable esfuerzo por alcanzarla.

XX

El arte en el siglo de oro

Arquitectura, escultura y artes manuales. La espléndida inspiración del Renacimiento no dejó de ejercer influencia en España en otros campos además del literario. En la arquitectura surgió un estilo nuevo por el que muchos no tienen gran estima, ya que el esplendor de la Edad Media había alcanzado su gloriosa culminación en las catedrales. El estilo característico de los siglos XV y XVI se denomina plateresco, y como el arte del platero, se reconcentra más sobre el adorno que sobre la línea general o la estructura. Este estilo fué importado de Italia y se supone basado en la columna romana, pero la distinción entre los órdenes clásicos en la arquitectura no se tiene en cuenta y pueden encontrarse varios estilos mezclados. Durante el siglo XVI hay la tendencia hacia un estilo romano más puro, una mayor simetría, una mayor influencia de las ideas arquitectónicas de Italia. Un buen ejemplo es el palacio (1526) construído por Carlos V en la Alhambra. Sus líneas sólidas no armonizan mucho que digamos con la delicada ligereza de los edificios moriscos adyacentes. El más severo ejemplo de arquitectura neoclásica en España es el grupo de edificios comenzado a construir por Felipe II en 1559 en El Escorial: sólidos, sombríos, impresionantes. Los arquitectos fueron Juan de Toledo y Juan de Herrera. El último fué también autor de la Lonja en Sevilla y de la catedral de Valladolid, ésta última terminada después de la muerte de Herrera, con algunas alteraciones.

España no ha sido nunca un pueblo adicto a ideales clásicos de rigidez, y una mayor exuberancia comienza a afirmarse en todas las formas del arte con el estilo barroco. Lo caracteriza el énfasis en la curva y en la línea descontinua más bien que en la recta, en los adornos recargados, y en los ornamentos más que en superficies planas. En sus peores exponentes este arte es torturado, recargado, excesivamente complicado e incongruente, pero en sus mejores logros es vívido, espléndido, primoroso. Este es el estilo que principalmente fué trasplantado a la América Latina con el nombre de arquitectura colonial, y duró hasta que fué reemplazado por el neoclasicismo en el siglo XVIII. El barroco exagerado es también llamado churrigueresco, debido al arquitecto español, José de Churriguera (muerto en 1725).

Algunos de los escultores que florecieron en España durante el Renacimiento eran extranjeros, como los franceses Felipe Vigarni y Juan de Juni, y los italianos Francesco Pisani y Pietro Torrigiano. Muchos de origen español habían estudiado en Italia, como Alonso Berruguete (c. 1480–1561). Tanto él como Gil y Diego de Siloe se encuentran entre los más conocidos, aunque nadie creó en España esculturas capaces de rivalizar en grandeza y celebridad con las de Donatello o Miguel Angel. La escultura continúa floreciendo en al siglo XVII en las obras de Martínez Montañés, Jerónimo Hernández y Alonso Cano.

Algunas de las mejores obras escultóricas de España se hicieron en madera, no solamente en los sillares de coro, puertas y altares, sino en la imaginería religiosa. Muchas de estas imágenes eran pintadas y recamadas con oro (estofado).

El siglo XVI fué la gran época de los orfebres españoles, cuyas delicadas cruces y custodias se hallan todavía en las catedrales de muchas ciudades de España. Dos familias de orfebres se distinguieron especialmente, los Arfe y los Becerril.

España se ha distinguido siempre por sus trabajos en hierro, y la tradición continuó durante el Renacimiento que produjo innumerables y admirables rejas en las iglesias y conventos así como balaustradas decorativas, balcones y rejas en casas privadas.

El mobiliario refleja en esa época influencias italianas, como se ve en muchos ejemplos de sillas, armarios, y escritorios que sobrevivieron a los siglos XVI y XVII, hermosamente tallados, a menudo con incrustaciones de oro, plata, marfil o madreperla. Los azulejos españoles, ya famosos, tendieron entonces a seguir las formas clásicas en vez de los diseños mudéjares. El centro de cerámica más conocido fué Talavera de la Reina, cerca de Toledo, donde más de 400 hombres trabajaban en la industria durante el siglo XVII. Estos productos eran notables por su brillo y temple y por los colores azul y blanco que eran característicos.

Maravillosos bordados de seda todavía pueden apreciarse en los ornamentos eclesiásticos en la catedral de Toledo, que ha conservado muchas de las más hermosas piezas del siglo XV y del XVI. Una de ellas es un manto para la Virgen, hecho a principios del siglo XVII, que contiene unas 80.000 perlas y otras piedras preciosas. Los tapices y las alfombras se importaban por entonces de Italia y de Flandes.

La pintura. El período de mayor esplendor de la pintura española coincide con el reinado de los cuatro Felipes. Las influencias son fundamentalmente italianas, de las escuelas de Florencia (Rafael), Venecia (Ticiano), y en menor grado de Bolonia. Muchos pintores italianos emigraron a España, y los artistas españoles estudiaron y trabajaron en Italia. Esta influencia recíproca no quiere decir que existiera la imitación servil ya que los grandes pintores españoles mostraron siempre una marcada originalidad.

Es lástima no poder detenerse a considerar de cerca la pléyade de los pintores españoles secundarios pero aun limitándonos a admirar en el museo del Prado y otros museos de España los Grecos y Velázquez habremos disfrutado de un placer estético más que suficiente. Doménico Theotocópuli, conocido por El Greco, nació en Creta poco antes de la mitad del siglo XVI. Quizás fué influído por el arte bizantino que sobrevivía en Creta. Pronto marchó a Venecia y se cree que fué discípulo del Ticiano. No existen pruebas de que estudiase con Tintoretto, pero parece haber aprendido más de éste que del primero. Lo que no se encuentra es la menor traza de imitación de Miguel Angel con cuyos cuadros debió haberse familiarizado sin embargo durante su estancia en Roma (1570). Marchó a Toledo en 1577 y allí permaneció pintando hasta su muerte en 1614, dos años antes de morir Cervantes y Shakespeare. En vez de tratar de imitar a los tres grandes maestros italianos, fué uno de los pintores más originales e individualistas del mundo, creando un arte netamente español, que lo hace digno de figurar al lado de los más grandes pintores de la historia. Un crítico moderno norteamericano (Sheldon Cheney, *A World History of Art*, New York, 1937, pp. 603, 612) dice de El Greco: « Nadie ha podido jamás desarrollar un tema con un juego más rico de formas rítmicas ni con más brillante orquestación de elementos visuales. Y a pesar de ello, bajo la más sólida estructura plástica, se halla el manejo infalible de todos los elementos abstractos conocidos de la pintura occidental ... Allí donde la pintura se codea con lo extático y lo sobrenatural, él es el indiscutible maestro. » Exteriormente se le reconoce en seguida no sólo por el uso del color, en el que era menos generoso que los venecianos, sino por su maestría en las gamas de luz y sombra, y por sus contrastes de viva luminosidad en sombríos fondos, como los que se observan en las *Crucifixiones*, las *Resurrecciones*, las *Anunciaciones* — temas que repite a menudo — y aún en algunos retratos. Las caras de sus contemporáneos (autoretratos, los dos Covarrubias, su hijo Jorge Manuel, del cardenal Tavera) son sin duda reales y responden al original, pero penetran más allá de la carne hasta el mundo vago del espíritu. *El retrato del Gran Inquisidor don Fernando Niño de Guevara* (Museo Metropolitano, New York) es un gran documento para el estudio y comprensión de la Inquisición española. La cara es inteligente, dura, fanática. La mayor parte de la obra de El Greco es de tema religioso, y destinada a las iglesias. El sorprendente alargamiento de las figuras que desorienta a los partidarios del realismo responde a la visión interna de El Greco y a su anhelo de expresar algo que trascendiese los límites y las proporciones terrenales. Esa cualidad de irrealidad se encuentra hasta en sus paisajes, género que fué uno de los primeros artistas españoles en cultivar.

Una de las pinturas más admiradas de El Greco y uno de los cuadros más geniales del mundo es el *Entierro del conde de Orgaz*, pintado para la iglesia de Santo Tomé de Toledo. En la mitad inferior aparece un extraordinario grupo de retratos; y una extática visión de Cristo, la Virgen y los ángeles celestiales en la mitad superior. Quizás en este cuadro, mejor que en ningún otro, pudo El Greco expresar la aspiración de la España de su época, que parece querer espiritualizar la tierra entera y levantarla hasta el cielo.

El Greco no fundó escuela. Su técnica pudo ser imitada, pero no su ardorosa visión interior. Sus sucesores son realistas, especialmente el valenciano José de Ribera (1588–1656), a menudo llamado por su apodo italiano, el Españoleto. Tuvo una juventud menesterosa mientras estudiaba en Italia hasta que sus lienzos se pusieron más tarde en boga en las cortes españolas de Nápoles y de Madrid. Aunque fué discípulo de Miguel Angel y de Correggio, parece haber aprendido más del ardiente Caravaggio, y siempre presenta sus figuras, enanos, bufones o santos con sorprendente fidelidad y hasta con cierta nota melodramática. Su cuadro más famoso es el *Martirio de San Bartolomé*. Pintó muchos ascetas y santos escuálidos, y se conservan además 26 notables grabados. Fué más admirable en su arte que en su vida personal.

Francisco de Zurbarán (1598–1663) era también realista, pero poseído de un profundo espíritu religioso. Su *Monje en meditación*, sus frailes, pintados con todo detalle, en rojos y negros, dan siempre una impresión simultánea de riqueza y sobriedad. Era un hombre más moral que Ribera pero no tan buen pintor.

Diego Velázquez de Silva (1599–1660), de Sevilla, fué uno de los pintores españoles más prolíficos. Muchos lo consideran el más grande realista del mundo. Hizo fortuna, y fué admirado por reyes y príncipes, que lo adularon. La fortuna le sonrió durante toda su vida.

Francisco Pacheco, de Sevilla, fué su maestro y después su suegro. Ya formado el joven pintor, Pacheco le envió a Madrid y allí obtuvo Velázquez el favor del conde-duque de Olivares, y por tanto de Felipe IV, cuyo pintor de cámara fué durante el resto de su vida. Cuarenta de sus lienzos son retratos de este soberano.

Durante su primera época Velázquez pintó cuadros religiosos y abigarrados interiores (bodegones) con gran fidelidad de detalle, pero sin tener en cuenta que la vista humana no puede abarcar mucho de una vez. El más famoso de sus primeros cuadros es *Los borrachos*, magnífico grupo de simpáticos beodos acompañados de un joven aldeano medio desnudo que figura a Baco, vaso en mano, y con hojas de parra entre sus cabellos, al cual rinden homenaje. Los retratos considerados por separado son espléndidos y en general cada fragmento del cuadro es superior al conjunto. El cuadro fué pintado en 1629, y en ese mismo año, Rubens, que a la sazón visitaba la corte española, aconsejó a Velázquez que fuera a Italia.

Allí pasó dos años el joven artista, y fué influido más por Ticiano y Tintoretto que por Miguel Angel y Rafael. Adquirió una mayor concentración, más sentido de la composición a la par que mayor profundidad. De regreso en Madrid pintó una serie de retratos del Rey y de personajes de la corte, incluso de algunos enanos y bufones. Nunca llegó a olvidar la influencia de El Greco. Alrededor de 1647 pintó uno de sus grandes cuadros *La Rendición de Breda*, a menudo llamado *Las Lanzas*, obra maestra, reproducción realista de un hecho histórico.

En 1648 Velázquez hizo su segunda visita a Italia. Recibió entonces encargo de hacer un retrato del Papa Inocencio X, y el retrato, considerado por Sir Joshua Reynolds como el mejor cuadro de Roma, resultó un lienzo extraordinario.

Se cuenta que cuando su Santidad vió el esbozo del artista en el que mostraba la faz pontificia, dura y enérgica, sonrió y dijo: « ¡ Demasiado real ! »

Hasta después de su segunda visita a Italia Velázquez no pintó un desnudo femenino. Este es muy hermoso, pero no alcanza la belleza carnal de los de la escuela veneciana. La Iglesia española prohibió los desnudos.

Durante este época Velázquez realizó sus mejores obras, cuando ya dominaba por completo los valores espaciales y los efectos de color, luz y sombra. Su gris-perla radiante y sus tintes rosas son especialmente notables en el cuadro de la pequeña princesa *Margarita Teresa*, en *Las hilanderas* y en *Las meninas* que ofrecen cualidades de naturalidad, gran don de percepción y selección, y una verdadera armonía. Su maravillosa técnica suplió en muchas ocasiones su falta de imaginación o emoción.

Bartolomé Esteban Murillo (1617–1682), también sevillano, fué considerado durante los siglos XVIII y XIX como uno de los grandes maestros de la pintura universal. Hoy día su fama no es tan sólida. Pintó muchos tipos populares, que servirían de magníficas ilustraciones a las novelas picarescas, como *Los niños comiendo melón*, *El Niño bebiendo*, *La florista*, y muchos otros. También pintó algunos cuadros religiosos, especialmente veinte inmaculadas, en las que predomina un suave color azul. Para evitar juicios mayores diremos sólo que sus cuadros son demasiado sentimentales. Murillo poseía gracia, alegría y ternura, además de cierta técnica, pero nunca pudo ser profundo. Después de él, la pintura española apenas muestra inspiración hasta los tiempos del titánico Goya.

Música. La música, al igual que las otras artes, se desarrolló de un modo espléndido durante el Renacimiento y el Siglo de Oro tanto en la teoría escrita como en la práctica. Desde el siglo XV al XVII cerca de 100 libros se escribieron en España o por españoles sobre doctrina musical, y aparecieron muchos ejecutantes mundialmente famosos.

La música popular española se considera generalmente

como la más rica del mundo (véase, por ejemplo, Gilbert Chase, *The Music of Spain*, New York, Norton, 1941, cap. XV) y afortunadamente todavía encontramos muchas de las melodías que se utilizaron en esta época en los romances canciones populares. Algunas son lentas y solemnes, sin duda, derivadas de la música religiosa, pero otras son alegres y muchas profundamente dramáticas. El *Cancionero de palacio* contiene unas 500 composiciones de los siglos XV y XVI, la mayoría para tres y cuatro voces. Juan del Encina, el dramaturgo, fué también fecundo compositor y se halla representado en esta colección por 75 canciones.

Uno de los más famosos músicos del siglo XVI fué el valenciano, humorista, poeta y galán, Luis Milán, nacido alrededor de 1500. En 1561 publicó un libro titulado *El cortesano*, basado naturalmente en la obra de Castiglione, donde declara que la música es un arte indispensable a cualquier caballero. En su obra *El maestro*, manual teórico y práctico para la vihuela de seis cuerdas, Milán incluye cerca de 70 composiciones, entre ellas 6 hermosas pavanas. Hay además otros teóricos que escribieron para la vihuela, como Luis de Narváez, maestro de vihuela del rey Felipe II, y Alonso de Mudarra, canónigo de la catedral de Sevilla.

Es sabido de todos que la guitarra, instrumento al que estos artistas dedicaron su obra, se convirtió en el instrumento tradicional de España. ¿ Cómo llegó a ocurrir esto ? Cuatro mil años antes de Cristo ya era conocido en Egipto un instrumento parecido a la guitarra que fué luego introducido en España por los romanos. Al menos la guitarra latina, de 4, 5, 6 o 7 cuerdas de tripa, se parece más al instrumento moderno que la guitarra morisca, pariente cercana del laúd. La afinación de Luis Milán era g-c-f-a-d-g, y el mástil estaba dividido en tonos y semitonos. Los compositores se inspiraban en una combinación de música polifónica y melodía y danzas populares.

Este estilo de tocar la guitarra, resuscitado por guitarristas contemporáneos como Andrés Segovia, se mantuvo de moda hasta que un español de nacimiento italiano, Federico Moretti, publicó sus *Principios para tocar la gui-*

tarra de 6 cuerdas, en 1799 (véase Gilbert Chase, op. cit., cap. III).

La universidad de Salamanca contaba entre sus profesores de música a varios hombres notables. Ramos de Pareja, por ejemplo, que vivió durante la última parte del siglo XV, escribió un valioso tratado de música en latín y lo publicó en Bolonia en 1482. Abandonó las antiguas teorías basadas en los griegos, de Boecio y Casiodoro, y las de Guido d'Arezzo (siglo XI), y las substituyó por un sistema basado en la octava, como en nuestros días, dividida en 12 semitonos. También hizo uso del acorde de tres notas, fundamento del sistema armónico moderno.

Antonio de Cabezón, artista, ciego (muerto en 1566), conocido hoy como el Bach español, fué clavicordista y organista de Carlos V y de Felipe II, y su fama se extendió por toda Europa. Sus obras litúrgicas, preludios al contrapunto y temas con variaciones, se hallan entre las mejores composiciones del siglo XVI.

Otro músico ciego, profesor de música en Salamanca, fué Francisco de Salinas (1513–1590), a quien el poeta fray Luis de León dedicó una de las mejores odas escritas sobre la música (*El aire se serena*...) Salinas era ejecutante, teórico y coleccionista, y a él se debe la conservación de numerosas melodías populares que se hallan en sus *Siete libros sobre la música* (1577, en latín).

Durante algún tiempo, Salinas sirvió como organista en la corte española de Nápoles, y muchos otros españoles hicieron aportaciones a la música europea en Italia, especialmente en Roma. Diego Ortiz, uno de ellos, publicó un tratado (Roma, 1553) sobre la improvisación de acompañamientos a un tono determinado, que tuvo gran influencia en el desarrollo de la música instrumental.

El más grande de los compositores religiosos de España fué Tomás Luis de Victoria, natural de Avila (c. 1548–1611), siempre mencionado con Palestrina, de quien fué con toda probabilidad discípulo. Escribió cerca de 180 composiciones, todas dedicadas al culto religioso, solemnes, grandiosas y profundamente espirituales. La más grande es probablemente la última que compuso, una Misa de difuntos (*Officium defunctorum*). Se ha dicho de estos dos grandes litúrgicos: « Palestrina es el Rafael de la Música, y Victoria, El Greco. Cada uno de ellos es grande y único en su estilo. »

La ópera no floreció en España durante el siglo XVII, tal como se la concibe hoy, pero existió una combinación de diálogo, música, y danza, especie de comedia musical u ópera bufa, llamada zarzuela. Felipe IV hizo agrandar un palacio que originalmente había sido un pabellón de caza, en las cercanías del Pardo (al norte de Madrid) e hizo construir jardines, fuentes y un teatro. Este lugar era conocido por La Zarzuela. En este retiro real, el monarca, amigo de los placeres, se divertía escuchando pequeñas piezas, con música y canto, llamados fiestas de zarzuela. El texto de algunos de estos pasatiempos escritos por Calderón ha llegado hasta nosotros: *El golfo de las sirenas*, puesto en escena el 17 de enero de 1657, es de un solo acto, aunque la zarzuela consta regularmente de dos actos, como *El jardín de Falerina*, también de Calderón, representada un poco antes en el palacio de Madrid. Los decorados de las zarzuelas eran probablemente muy complicados. Más tarde, durante el siglo XVIII, las zarzuelas adquirieron tono más frívolo, más apropiado para el gusto popular que para las exquisiteces de la corte. Había de extenderse la afición a las zarzuelas durante los siglos XVIII y XIX. El paso hacia la ópera completamente cantada, fué muy breve. Calderón escribió dos, *La púrpura de la rosa* y *Celos aun del aire matan*, la última con música de Juan Hidalgo.

XXI

Los Borbones en España

De Felipe V a Fernando VII. A fines del siglo XVII, España necesitaba desesperadamente una completa limpieza en todos sus territorios y en todos los aspectos de su vida. Al parecer no existía una figura nacional capaz de realizar esa tarea y fué el momento adecuado para que un extraño la intentase. Después de los tristes días de Carlos II el Hechizado, el cambio de dinastía no podía producir unas condiciones peores. Más valía quizá que Carlos dejase el trono a un príncipe francés, aunque éste fuese un hombre de cualidades mediocres. Si la limpieza se hizo o no, es más que dudoso.

Felipe V, un Borbón de 17 años, nieto de Luis XIV de Francia, ascendió al trono español en 1700, y la gobernó hasta 1746, con un intervalo de un año (1724). Casi todo su reinado lo ocupan las guerras de sucesión de Europa que proporcionaron a España alguna gloria militar pero muy pocos beneficios. Inglaterra obtuvo una parte estratégicamente importante del territorio español, Gibraltar, además de la isla de Menorca y ventajas comerciales en las colonias españolas, incluido el tráfico de esclavos. Felipe, valiente en la guerra, estaba, sin embargo, dominado por su primera mujer María Luisa de Saboya y por su consejera, Madame des Ursins, y más tarde fué también manejado por su segunda esposa, Isabel Farnesio, de Parma. Isabel, conocida por la Furia Española, fué una de las más enérgicas reinas españolas, pero sus energías no se dirigieron tanto al provecho de España como las de su antecesora, María de Molina, cuatro siglos antes.

Mayor y más fructífero desarrollo interior fué posible durante el reinado del sucesor de Felipe, Fernando VI (1746–1749), porque al menos reinó en una era de paz. Al morir sin sucesión, subió al trono su hermanastro, hijo de Isabel de Farnesio, Carlos III (1759–1788). Carlos III resultó uno de los mejores soberanos que ha tenido España en la edad moderna. Su política nacional fué eficaz, y el país progresó notablemente. Con respecto a las colonias resultó menos afortunado, ya que su propósito principal consistió en obtener de ellas ingresos para la madre patria. Esas dificultades aumentaron a medida que se desarrollaba en el nuevo mundo el espíritu de independencia como consecuencia de las revoluciones francesa y americana. Las ideas de libertad no tardaron en producir desórdenes políticos en las posesiones españolas. En general, puede afirmarse que Carlos III dió a España más orden interior y poderío exterior del que había disfrutado desde hacía un siglo.

Durante el reinado de su débil heredero, Carlos IV, España fué maltratada por Inglaterra y Francia, y perdió importancia en la política europea. Algunas de las reformas introducidas por Carlos III se vinieron abajo. Desde 1792 en adelante, el rey resultó dominado por Manuel Godoy, un robusto plebeyo que se hizo amante de la reina, María Luisa, primer ministro del reino, duque y príncipe.

El gran error de Carlos IV fué el confiar en Napoleón Bonaparte. Napoleón le había jurado no ceder nunca la Luisiana a ninguna otra potencia que no fuera España, y en 1803 la entregó a los Estados Unidos. Sin embargo, al año siguiente Napoleón persuadió a España que, siguiendo el juego de los intereses del imperio francés, declarara la guerra a Inglaterra. En 1805, españoles y franceses sufrieron la gran derrota de Trafalgar. Fué entonces cuando Napoleón y Godoy acordaron la conquista de Portugal, para dividirla después entre ambos. Portugal cayó, pero Godoy se quedó sin su parte. Las tropas francesas, de regreso de Portugal, se establecieron en España. Entonces Godoy comprendió que España era la próxima víctima, pero no pudo prevenir los acontecimientos por dos razones. El rey Carlos era partidario de Napoleón, y Godoy mismo era impopular entre el pueblo, que estaba cansado de él, de la reina adúltera y del rey. Después de un motín en el que Godoy casi perdió la vida, Carlos abdicó el 19 de marzo de 1808 en favor de su hijo, Fernando VII.

Napoleón se alegró de deshacerse de Carlos y de Godoy, pero tampoco le agradaba la idea de ver a Fernando en el trono. Se las arregló para hacerle ir a Bayona, adonde llegaron días después Carlos, María Luisa y Godoy. Napoleón obligó entonces a Carlos a ratificar su abdicación, concedió tierras y privilegios en tierra francesa a todo el grupo real, incluyendo a Godoy, y se reservó el derecho de designar el rey de España.

La guerra de independencia. Los franceses pronto asumieron aire de conquistadores, pero toda España, desde los Pirineos hasta Cádiz, se alzó en seguida contra ellos. El 2 de mayo de 1808, las tropas francesas dispararon contra un grupo de ciudadanos rebeldes en Madrid. La noticia circuló y llegó a oídos de las tropas españolas, que estaban acuarteladas. Dos capitanes, Daóiz y Velarde, se lanzaron a capitanear el irritado y mal armado populacho contra el disciplinado ejército francés. El resultado fué inevitable y trágico. Después de una batalla de tres horas, Daóiz y Velarde fueron muertos y la rebelión sofocada. Los franceses eran los amos por el momento, pero pronto un levantamiento nacional echó a Napoleón fuera de España y finalmente fuera de Europa. El 2 de mayo siguió siendo desde entonces la gran fiesta patriótica popular en España.

Todas las regiones de España se habían alzado para entregarse a la guerra de independencia ya empezada en Madrid. Napoleón contaba con el entrenamiento y el equipo superior de sus soldados, pero no tuvo en cuenta el furioso patriotismo español, y el indomable espíritu de aquel pueblo que no reconoce la derrota. En 1808 el general francés Dupont, con un buen ejército, de más de 20.000 hombres, comenzó la conquista de Andalucía, pero bien pronto descubrió que los españoles se levantaban en la retaguardia a medida que los soldados franceses avanzaban. En Bailén, en la provincia de Jaén, Dupont se colocó en una situación peligrosa, y los españoles, mandado por Castaños, ganaron una gran batalla, y el general francés se vió obligado a rendirse con 180.000 soldados. Napoleón envió entonces 300.000 más, pero aun este auxilio resultó insuficiente. Los franceses por regla general ganaban las batallas tácticas y de movimiento, pero los españoles peleaban con terrible obstinación en la defensa, como en los sitios de Zaragoza y de Gerona. Este último costó a los franceses 20.000 hombres. La resistencia española no hubiera podido tener éxito, no obstante, sin las fuerzas de Sir Arthur Wellesley, más tarde duque de Wellington, que colaboraba desde Portugal y al oeste de España, aunque sin el apoyo de la flota inglesa. La campaña peninsular de Wellington tampoco hubiera tenido éxito sin el inmenso valor y constancia de los españoles.

Napoleón había colocado a su hermano José en el trono español, pero no se puede decir que éste reinara ya que se limitó a tratar de ocupar colonialmente a España. Los españoles que no habían sido conquistados establecieron un gobierno provisional llamado la Junta Central. La Junta se vió obligada a escapar desde Aranjuez, a Sevilla y luego a Cádiz, pero cumplió sus funciones de designar un consejo regente de 5 miembros para llamar a Cortes, después de lo cual renunció. Las Cortes fueron convocadas, y se reunieron en Cádiz en septiembre de 1810. No era un organismo muy representativo y sus ideas eran más avanzadas que las de la mayoría de la población. Su tarea principal fué redactar y aprobar la Constitución de 1812, un documento progresivo y democrático que establecía una monarquía limitada y un gobierno de representación popular.

Condiciones internas. Los franceses fueron finalmente expulsados y Fernando VII, el Deseado, regresó a reclamar el trono en 1814. Inmediatamente demostró que era un Borbón testarudo que nada había aprendido del mundo moderno y procedió a gobernar con todo el despotismo que pudo. Desechó la Constitución de Cádiz y declaró nulos todos los actos de las Cortes. Los liberales fueron enviados a la cárcel o se expatriaron. Fernando no resultó ser el Deseado para muchos de sus súbditos.

Seis años más tarde un movimiento liberal encabezado por el coronel Rafael del Riego forzó a Fernando a restablecer la Constitución de Cádiz, pero Fernando apeló a Francia contra sus propios vasallos. Conforme a su petición, el duque de Angulema invadió España con 100.000 soldados, la rebelión fué aplastada, y el mismo Riego ahorcado en Madrid en 1823. Fernando gobernó entonces como un cruel reaccionario. Los 10 años anteriores a su muerte no son un período brillante de la historia de España.

Mientras España luchaba por su propia independencia durante el período napoleónico, los territorios de América comenzaron a declararse libres. Las colonias que se mantenían leales a la corona estimaron en 1809 que el lazo se había roto. El movimiento separatista en América, dirigido por grandes jefes como Bolívar y San Martín, llegó a su culminación en 1824 con la batalla de Ayacucho. De su imperio colonial — un tiempo grandioso — España sólo conservó fragmentos: las Antillas, las Filipinas, y una parte del Norte de Africa.

La situación en España mejoró algo en 1833, cuando Fernando VII murió, pero era una mejoría muy relativa. Desde la llegada de los Borbones, sólo el reinado de Carlos III había producido un mejoramiento gradual en la vida nacional española. Carlos III y sus aptos ministros eran ardientes reformadores, y decretaron sabias y eficientes medidas para la mejora de la agricultura, el comercio, la industria, el ejército, la marina, la Iglesia y la educación en general. Carlos III era un piadoso católico, pero mantenía celosamente las prerrogativas reales en asuntos eclesiásticos, y la Iglesia española tuvo que someterse a la autoridad del rey. El poder de los tribunales de la Inquisición, mermado poco a poco durante el liberal siglo XVIII, estaba ya considerablemente limitado. Carlos III, como otros soberanos europeos, consideraba la orden de los jesuítas como peligrosa para la seguridad del Estado. Consecuentemente los jesuítas fueron expulsados de España y de las colonias en 1767. Por la misma época se les expulsó de Francia y del reino de Nápoles, como ya lo habían sido de Portugal en 1759. El Papa Clemente XIV disolvió la Orden en 1773.

Por desgracia los sucesores de Carlos III, Carlos IV y Fernando VII, no eran hombres capaces, y bajo su dirección España perdió toda la prosperidad interior y el respeto internacional que Carlos III le había proporcionado. La invasión napoleónica de la Península fué otro desastre de grandes proporciones. Así y todo España hubiera podido recuperarse más rápidamente en el siglo XIX, si no hubiera sufrido los horrores de la guerra civil.

XXII

Siglo XVIII: lo culto, lo mediocre y lo brillante

El siglo XVIII señala un avance gradual en el nivel general de la vida intelectual de España. Francia fué la fuerza cultural dominante en Europa durante el siglo XVIII, y en España se hizo algún esfuerzo para imponer esta cultura desde arriba, desde la corte y con el apoyo de una parte de la aristocracia abierta a la cultura. En general, existía mucho menos fermento intelectual en España que en Francia, y el espíritu filosófico, los enciclopedistas, y aun Rousseau, tuvieron una influencia limitada.

El apoyo oficial a la cultura quedó demostrado con la fundación de la Biblioteca Nacional de Madrid en 1712, la Real Academia Española de la Lengua en 1714, y la Academia de la Historia en 1735. En general la literatura tuvo cierto sabor académico en esta época de reglas severas y de neoclasicismo. Sin embargo, el pueblo no se preocupaba por las academias y las normas clasicistas. Se mantuvo alejado de las tragedias neoclásicas, por ejemplo, mientras asistía a las antiguas comedias del siglo XVII o a oír nuevas obras que tenían pocas virtudes literarias, pero que al menos le ofrecían algo de vida y de apasionada acción.

La crítica. El crítico más influyente en la literatura del siglo XVIII fué Ignacio de Luzán (1702–1754), cosmopolita, diplomático y erudito. Su *Poética* (1737), basada no solamente en Boileau sino también en los intérpretes italianos de Aristóteles y de Horacio, mantiene un ideal neoclásico de las preceptivas poéticas. Sólo se alude a la poesía ya que la novela no se consideraba como literatura artística. Luzán y sus prosélitos perseguían un plausible ideal: levantar el nivel de la literatura española, corregir lo que se consideraba como libertad excesiva o libertinaje entre los pocos interesantes imitadores de Calderón, Góngora y Gracián. De aquí Luzán recomendaba que se siguieran las reglas de la imitación y de la verosimilitud, y afirmaba la necesidad de contener la imaginación por medio de la razón. En el drama, las unidades de tiempo, lugar y acción debían ser escrupulosamente observadas y propiamente mantenidas; los personajes podían ser diversos, pero su número limitado.

Esto implicaba una crítica adversa a los dramaturgos maestros del Siglo de Oro español, y la condenación de ellos fué aun más definitiva en la segunda edición de la *Poética* (1789). A pesar de esto, Luzán reconoce el genio de los primeros dramaturgos, aunque deplora su extravagancia. Se muestra también severo con Góngora y con Gracián más severo todavía.

Por desgracia, aunque los consejos de Luzán y de sus compañeros fuesen beneficiosos, no podían inspirar obras maestras. Ni tampoco se aceptaron sin discusión las críticas contra Lope, Calderón, etc. La defensa de los derechos del genio a trabajar libremente, a seguir sus propias reglas, punto de vista mantenido por los críticos menores durante este siglo, estaba de acuerdo con la teoría romántica y la práctica después de 1833.

Benito Jerónimo Feijóo (1676–1764), sabio benedictino que murió de avanzada edad, tenía un cerebro privilegiado del que usó con brillantez. Pasó sus años mayores como profesor de teología y filosofía en la universidad de Oviedo combatiendo las falsas nociones de sus compatriotas. En sus ensayos tocó casi todas las ramas del saber. Los ensayos fueron publicados en ocho volúmenes (1726–1739) bajo el título de *Teatro crítico universal*. Sus cinco tomos de *Cartas eruditas y curiosas* (1742–1760) son el complemento a la obra anterior. Su crítica no pasó desapercibida ya que produjo una animada controversia, una de las muchas polémicas del siglo XVIII. Con respecto a la literatura Feijóo creía en las reglas para corregir el desorden, pero insistía en que nada podía jamás tomar el lugar de ese « no sé qué » que se llama genio. Fué un reformador y algunas de sus ideas se anticipan incluso a las de los enciclopedistas franceses.

Feijóo se daba cuenta del pobre estado de la vida intelectual española, porque era capaz de compararla con la de otras naciones. Otro hombre que pudo observar muchas fases de la vida española aún más directamente que Feijóo, fué el animoso pícaro, Diego de Torres Villarroel (¿ 1693 ?–1770), que escapó de su casa cuando niño y fué bailarín, guitarrista, torero, cantante, falso ermitaño, soldado, médico charlatán, escritor de almanaques, poeta, profesor universitario, clérigo, filántropo. Pero tenía otras habilidades mejores. A pesar de la irregularidad de su vida fué un reformador, ansioso de contribuir en la medida de sus medios al progreso social y cultural. Su autobiografía (*Vida*, 1743) es asombrosamente franca, a veces mentirosa, pero constantemente vivaz. Siendo una de los mejores crónicas de la época, el libro se lee tan fácilmente como si fuese una novela picaresca.

La novela. Durante el siglo XVIII la novela no existe prácticamente en España y la mejor de las publicadas no era original, sino una traducción: *Gil Blas* (1787–88) de Alain-René Lesage. El francés había fundado su novela sobre varios ejemplos de la picaresca española, por lo que el libro traducido daba la impresión de un viajero que regresa a su casa.

Su traductor fué el jesuita, José Francisco de Isla (1703–81), conocido también por sus virtudes como predicador y por sus epístolas y sátiras. Su mejor trabajo original es una novela, *Historia del famoso predicador fray Gerundio de Campazas, alias Zotes* (1758). El padre Isla conocía a fondo la pompa de la oratoria gongorina que invadía los púlpitos de España en sus tiempos, y *Fray Gerundio* le sirvió para atacarla. El libro tiene un argumento relativamente pobre, y no se caracteriza precisamente por su limpidez.

Obras en verso. La poesía no ha desaparecido de España en ninguna época, ni aún en la edad prosaica del siglo XVIII cuando la erudición y la crítica limitaban el campo a los espíritus creadores. Probablemente la forma que se hallaba más de acuerdo con la tendencia didáctica de la época era la fábula, cultivada en su mejor expresión por Tomás de Iriarte (1750–91), llamado el La Fontaine español. Iriarte escribió un poema didáctico sobre la música, varios ensayos literarios y dos buenos intentos de comedia social: *El señorito mimado* y *La señorita mal criada*, terminados en 1788. También se enredó más de una vez en las polémicas que animaron este período. Todo el mundo lo recuerda, no obstante, por sus *Fábulas literarias*, 1782. En ellas usó con habilidad más de 40 métricas diferentes, inventó temas interesantes, mostró siempre muy buen gusto mientras su estilo era de una tersura epigramática, y satirizó con brillantez los fracasos de la humana condición y las flaquezas de sus contemporáneos. Las fábulas de Iriarte tuvieron éxito suficiente para causar envidia en la época de su publicación. Desde entonces han sido leídas con profusión y citadas en muchas ocasiones. A Iriarte se le puede considerar sin embargo como un hombre de talento malogrado, ya que murió demasiado joven.

Otro fabulista casi de los mismos méritos fué Félix María Samaniego (1745–1801), que escribió las *Fábulas Morales* para los discípulos de una escuela recientemente fundada en Vergara. Los otros autores que trataron de cultivar el género fueron mucho menos afortunados.

Una gran cantidad de poesía didáctica fué escrita durante el siglo XVIII. Como eslabón que la une con la poesía lírica, no puede menos de recordarse a una de las más admirables figuras que produjera el siglo: Gaspar Melchor de Jovellanos (1744–1811), uno de los grandes patriotas de España. Sus escritos en prosa y verso, aunque copiosos no son sino incidentes en su carrera de estadista, y en sus actividades como magistrado, educador, economista, y reformador. Su *Informe sobre la ley agraria* (1795) sugería reformas de grandes alcances en el sistema fiscal español. El *Informe sobre espectáculos y diversiones públicas* contiene ideas interesantes sobre el teatro y condena las corridas de toros. Otros informes sobre arte y arquitectura contienen nuevas y estimulantes ideas.

Jovellanos escribió también una tragedia de tipo neoclásico, sobre el héroe Pelayo (1769) y una comedia sentimental titulada *El delincuente honrado* (1774). No tan dignos de su fama son los poemas pastoriles que este digno caballero escribiera bajo el dulce nombre de Jovino. Sus sátiras y sus epístolas resultan mejores, ya que en ellas se compensa la falta de gracia con la sinceridad y la intención moral.

Jovellanos fué notablemente influído por la cultura francesa, pero a pesar de ello fué siempre un vigoroso enemigo de la dominación napoleónica. Como miembro de la Junta fué perseguido por Napoleón y murió en los incidentes de su fuga, en Asturias, en 1811.

Cuando se hace alusión a los principales poetas líricos de España en el siglo XVIII se les denomina siempre como los de la « escuela de Salamanca, » porque todos tuvieron alguna relación con aquella ciudad universitaria y porque admiraban aunque no pudieran igualar las composiciones de fray Luis de León. Uno de los más notables fué fray Diego Tadeo González (1733–94), que a pesar de sus hábitos, escribió varias poesías líricas, elegantes aunque poco expresivas, dedicadas a algunas damas. La mejor conocida es *El murciélago alevoso*, de 19 estancias de 8 versos cada una, en las que Delio (el autor) maldice al pequeño animal porque ha asustado a su tímida y adorable Mirta.

Un escritor más varonil fué el coronel José Cadalso (1741–1782), que viajó extensamente por Europa y era hombre de amplia cultura así como de apasionada disposición. Se dice que se hallaba tan locamente enamorado de la actriz María Ignacia Ibáñez que a la muerte de ésta trató de robar su cuerpo, por lo que fué desterrado de Madrid. Se marchó a Salamanca y allí ejerció notable influencia sobre los poetas jóvenes. Murió peleando contra los ingleses en Gibraltar.

Sus obras en prosa incluyen una sátira titulada: *Los eruditos a la violeta*, otra al estilo de Montesquieu titulada *Cartas marruecas*, en las que critica las condiciones políticas y sociales de España; y una especie de invocación a la melancolía llamada *Noches lúgubres*. El título fué sugerido sin duda por los « Night Thoughts » de Young, pero no se trata de una imitación. Los dramas de Cadalso son decididamente neoclásicos en su construcción y espíritu, y sus poesías, muy admiradas en su época, son mucho menos apasionadas de lo que se podía esperar. No es un romántico completo, aunque sea precursor en muchos aspectos de los hombres de 1830.

El más dulce cantor de Salamanca fué Juan Meléndez Valdés (1754–1817), que adoptó el pseudónimo poético-pastoral de Delio, y cantó en hermosas frases rimadas a varias Filis y Rosanas, doce en total, según nos cuenta él mismo. Posee verdadera gracia y nitidez, y sus anacreónticas, églogas, y romances son todavía de agradable lectura en las tardes de verano. Después se hizo más filosófico y moralizante y sus versos adquirieron un tono más serio. Se anticipó también al Romanticismo en el tono sentimental. Se le ha llamado, exageradamente, el primer poeta romántico de España.

En la lírica varonil de Manuel José Quintana (1772–1857), el patriota y poeta que nos recuerda a Herrera, no se encuentra ninguna nota de sentimentalismo femenino. Pertenece al siglo XVIII, aunque vivió hasta más de la mitad del XIX, y vió el romanticismo en todo su esplendor. Sus enérgicos clamores en favor de la causa liberal contra Napoleón, y al mismo tiempo contra la tiranía de Fernando VII, le valieron el ser apresado y exiliado, pero vivió lo bastante para regresar y verse de nuevo en favor con la ascensión de Isabel II. Fué coronado públicamente de laurel, y murió en España como un gran hombre, reverenciado por todo el mundo.

Su obra en prosa *Vidas de españoles célebres* fué escrita

con el propósito de servir de inspiración a los jóvenes. Sus obras de teatro son neoclásicas en la forma. *El duque de Viseo* (1801) es en realidad un drama terrorífico basado en *The Castle Spectre* de Monk Lewis, y su *Pelayo* respira el fuego patriótico que era parte de su propia naturaleza.

Las mejores entre las numerosas poesías de Quintana son las odas en las que muestra su amor por España, como *Al combate de Trafalgar*, 1805, y *Al armamento de las provincias españolas* y *A España, después de la revolución de marzo*, las dos de 1808. Aunque sea poeta clásico en la forma, le mueve más la emoción que la fría razón.

Lo mismo puede afirmarse de Juan Nicasio Gallego (1777–1853), que escribió la mejor composición poética sobre el gran levantamiento popular de España: *El dos de mayo.* Es clásico en el estilo, vibrante de sentimiento, y su obra es digna compañera del cuadro de Goya, *Los fusilamientos del 2 de mayo.*

Otro grupo de poetas existió en Sevilla durante el siglo XVIII y principios del XIX. En su poesía se remontaban a Herrera, Rioja y Góngora, aunque fuesen neoclásicos en teoría. Algunos fueron profesores, como el excelente crítico Alberto Lista. El más conocido es probablemente José María Blanco y Crespo (1775–1841), sacerdote católico exiliado que en Inglaterra cambió su nombre por el de Blanco White, se hizo primero anglicano y luego unitario. Escribió buenas poesías en español, pero es especialmente conocido por su soneto en inglés, *Mysterious Night*, pieza favorita de las antologías.

Así como en Inglaterra el obispo Percy (*Reliques of Ancient English Poetry*) prestaba atención a pasadas glorias poéticas, en España también se encuentra a menudo un interés semejante. Entre los sabios españoles que contribuyeron a la vivificación y recuerdo del pasado debe mencionarse al menos a Tomás Antonio Sánchez, que publicó (1779–90) una valiosa obra en cuatro tomos *Colección de poesías castellanas anteriores al siglo XV:* la primera edición del *Poema del Cid*, de Berceo, del *Libro de Alexandre*, y de Juan Ruiz. López de Sedano también publicó antiguos poemas inaccesibles en los nueve volúmenes de su *Parnaso español*. Las antologías que siguieron fueron hechas por Quintana, por el alemán Böhl von Faber, y otros. La literatura medioeval española estaba resurgiendo.

El drama. Los cuidadosos críticos literarios del siglo XVIII desde Luzán en adelante glorificaron la tragedia clásica como forma literaria muy admirable. Alrededor de mediados del siglo se hicieron intentos para componer tragedias con los mayores rigores del arte. Se escribieron de acuerdo con todas las reglas, pero resultaron frías y sin vida, y el apoyo oficial del gobierno no fué suficiente para hacerlas populares. *La Raquel*, en 1778, posee muchos más valores que las otras. Se basa en una conocida historia española, la Judía de Toledo amada por el rey Alfonso VIII. Tiene tres actos, en versos de once sílabas asonantados. En resumen, ese género era similar a la comedia del siglo anterior. El autor, García de la Huerta (1734–1787), traductor de Sófocles y de Voltaire, era enemigo declarado de la escuela de Lope. En efecto, en su selección de antiguas obras españoles, en 16 volumenes, no incluye a Lope, a Tirso ni a Alarcón.

El pueblo, sin embargo, al revés que los refinados hombres de letras rechazó esta conversión a lo que los críticos llamaban el buen gusto. Continuaron asistiendo a las obras de Lope, Calderón, Rojas, Moreto y otros, y a las de los contemporáneos que si no eran buenos autores se las arreglaban por lo menos para dar un poco de vida y movimiento a sus obras, como por ejemplo, Luciano Francisco Comella (1751–1812). Sus dramas son exagerados y malos, pero tienen vida y acción. Hubo otros muchos como él.

Otro grupo de autores hizo refundiciones de los dramas del Siglo de Oro, bien para resuscitar autores valiosos u obras olvidadas, bien para adaptarlas mejor al gusto moderno. Cándido María Trigueros (1736–¿ 1801 ?), por ejemplo, convirtió *La estrella de Sevilla* en una obra regular en cinco actos, *Sancho Ortiz de las Roelas*, que se representó por largo tiempo. Adaptó también las de Lope, *La moza de cántaro*,

El anzuelo de Fenisa y *Los melindres de Belisa*. Posteriormente, Dionisio Solís, apuntador y consejero del gran actor Isidoro Máiquez, hizo un gran número de refundiciones. Otras muchas fueron puestas en escena durante el período romántico.

Un caballero de gustos neoclásicos tuvo gran éxito en el teatro, no en la tragedia sino en la comedia. Su nombre es Leandro Fernández de Moratín (1760–1828). Su padre Nicolás había escrito tragedias y una buena poesía llena de color y sabor pintoresco: *Fiesta de toros en Madrid*. El hijo fué aprendiz de joyero: idea rousseauniana del padre. Leandro mostró desde temprana edad afición a la literatura y pronto comenzó a ganar premios de poesía. Viajó, tuvo empleos del gobierno, aun bajo el pasajero reinado de José Bonaparte, de modo que cuando los franceses fueron expulsados se le consideró a Moratín como un afrancesado, y escapó a Francia, donde tuvo una vida inquieta acuciado por las persecuciones políticas.

Su primera sátira, *La derrota de los pedantes* va enderezada contra esta clase de eruditos. Dió pruebas de sus habilidades como investigador en *Los orígenes del teatro español*, libro de consulta aún en uso. Su obra poética no cuenta mucho. Tradujo de Molière *L'école des maris* y *Le médecin malgré lui*, así como *Hamlet* de Shakespeare, de quien, sin embargo, no era muy devoto.

Su fama descansa sobre cinco comedias: *El viejo y la niña* (1790, en verso), *La comedia nueva o El café* (1792, en prosa, divertida sátira del mal teatro y de los dramaturgos fáciles como Comella), *El barón* (en verso, representado en 1803), *La Mojigata* (llevada a escena en 1804) y *El sí de las niñas* (en prosa, 1806). Esta última es su obra maestra, aunque la lección de que las familias no deben forzar a las chicas al matrimonio no es ya oportuna ni actual ahora que los padres han perdido sus complejos dictatoriales. La comedia está admirablemente construida, es vivaz, de movimiento rápido, y tiene vigor y gracia. El diálogo es claro y directo. Lo mejor que puede decirse de los personajes, excepto quizás de la madre, doña Irene, figura cómica, es que cumplen su cometido. No son grandes creaciones, y podría decirse que los amantes, Carlos y Frasquita, son casi marionetas. Los que comparan a Moratín con Molière son unos exagerados.

Otro dramaturgo de la época, Ramón de la Cruz (1731–1794), natural de Madrid, era menos elegante que Moratín, pero divirtió más a su público. Es muy español en su realismo y en su fecundidad. Produjo 69 tragedias, comedias y obras musicales, y 473 sainetes y otras obras breves. Sus piezas más ambiciosas están casi olvidadas. Y donde verdaderamente se distinguió fué en la obra corta, brillante, llena de color, casi siempre en un acto y de quince o veinte minutos de duración. En ellas seguía la tradición de los pasos de Lope de Rueda, los entremeses de Cervantes o de Quiñones de Benavente. La plebe se regocijaba con ellas. Estos sainetes generalmente tratan de un aspecto de la vida en los barrios humildes de Madrid, con una pequeña intriga, pero presentan una gran galería de tipos populares, verdaderos esbozos del natural que recuerdan los que Goya hizo en sus cuadros. La sátira de los sainetes es ligera y frívola. *El petimetre*, por ejemplo, es un magnífico retrato del mentecato. *La maja majada* describe una pelea entre dos mujeres porque una quiere el pavo y los dos tarros de jalea que un caballero ha dado a la otra. *La presumida burlada* refiere los incidentes de la vida de María Estropajo, sirvienta que tiene la suerte de casarse con su amo, el viudo don Gil, y se hace vanidosa, caprichosa y de mal genio. El marido encuentra a la familia de su mujer (su madre, su hermana y un tío político) en una calle de Madrid, y al ver que son rústicos y vulgares hasta más no poder, en vez de evitarlos los lleva a su casa en el mismo momento en que la esposa recibe a unos amigos de alcurnia, y se está dando todo el postín posible. Al principio María trata de desconocer a su familia, pero obligada por don Gil, se arrepiente y abraza a la madre, convirtiéndose inmediatamente en una mujer diferente. Al menos, así crée el espectador. Muchos de los sainetes tienen un argumento menos complicado y son breves escenas o episodios de la vida madrileña, alta o baja, pero todos presentados con naturalidad y gracia. Unos treinta y seis sainetes alcanzan el nivel del verdadero teatro. Así sucede también con comedias como, por ejemplo, *La comedia casera*, *El teatro por dentro*, *El sainete interrumpido*, etc., Ramón de la Cruz escribió también muchas verdaderas parodias de las tragedias neoclásicas que él mismo había compuesto o traducido en su primera época y que solían ser favoritas de la « élite. »

Ramón de la Cruz es un precursor de los Románticos, especialmente de los costumbristas, por el vivo color local y lo pintoresco de sus obras cortas. Se ha dicho a menudo que sus sainetes y los cuadros de Goya expresan mejor la España del siglo XVIII que todos los eruditos volúmenes de los sabios historiadores.

El arte en el siglo XVIII. La arquitectura española y el arte en general en España continúan siendo barrocos durante el principio del siglo XVIII. Basta con ver la catedral de Cádiz, por ejemplo. En Italia se produce la reacción neoclásica, que llega hasta Francia y entra en España con la dinastía borbónica. Los arquitectos como Ventura Rodríguez y Juan Villanueva dejaron en Madrid y en todas partes una serie de construcciones cuyas líneas rectas y de relativa sencillez contrastan vigorosamente con el barroco. Un buen ejemplo lo suministra el edificio del Museo del Prado en Madrid.

Los borbones de España en el siglo XVIII llevaron al país muchos artistas extranjeros, especialmente franceses e italianos. El más importante, sin embargo, es el pintor ecléctico alemán, Rafael Mengs, que ejerció notable influencia entre sus colegas de la corte.

Después de la fecunda brillantez del Siglo de Oro, el siglo XVIII en España parece tristemente mediocre. Fué animado, no obstante, por un gran coloso de la pintura, Francisco de Goya y Lucientes (1746–1828). Nació en una pequeña aldea de Aragón y murió muy viejo en Burdeos. Los excesos cometidos en su juventud no acortaron su larga existencia.

La leyenda ha enriquecido la vida de Goya, y aun muchos estudios serios contienen cosas fantásticas sobre el gran pintor. No es cierto que naciera en la más abyecta pobreza, como muchos han afirmado. Su padre era un dorador, que tenía relaciones con artistas y puso a Francisco en la escuela en Zaragoza. ¿ Será cierto que el joven artista tuvo que huir del hogar por estar complicado en un asesinato ? ¿ Fué realmente apuñalado y dejado por muerto en una contienda por rivalidad amorosa ? ¿ Era Goya realmente un buen torero ? ¿ Fué verdaderamente amante de la duquesa de Alba que según el decir popular posó para su famosa *Maja desnuda?* ¿ Es cierto que tuvo un par de docenas de hijos ilegítimos ?

No debe dudarse que Goya no fué ningún santo, y que sus aptitudes para el amor, las refriegas y el escándalo eran notables. Pero nos importa más saber qué parte de su vitalidad exuberante fué canalizada por el arte en la expresión pictórica. Al lado de Goya, sus contemporáneos académicos resultan enclenques, sin vida. Todo lo hecho por Goya, más o menos perfecto, tiene en cambio esa extraordinaria energía única. Puede que haya sido descuidado, pero nunca fué vulgar. Se hizo pintor de la corte a fuerza de talento y de habilidad.

El campo de Goya es inmenso, extendiéndose desde la ternura hasta el salvajismo, desde el amor al odio, y desde el idealismo sentimental al más crudo realismo. Pasó a menudo de la alegría frívola a la sombría desesperación e incluso de la cordura a la locura. Sus temas son de toda índole, su paleta va del arroyo al palacio, de la iglesia al burdel. Pinta niños inocentes y degenerados viciosos, cortesanas lujosamente vestidas y harapientas, aves siniestras, gusanos, caballos. Retrata a los niños (Manuel Osorio) con amorosa ternura, muestra los estúpidos vicios de los tontos cortesanos, aun de su rey y de su reina. Es difícil comprender cómo los soberanos le permitieron seguir viviendo después de haberse visto pintados por Goya. El rey Carlos IV aparece como un cretino que merecía su triste destino conyugal, la reina María Luisa de Parma como una viciosa vieja regañona. Godoy, el amante de la reina, fué retratado con el mismo pincel. El realismo y la sátira, la penetración psicológica y la técnica grácil jamás han sido mejor combinadas. La distancia de la sátira a la fiera amargura se encuentra en el álbum de grabados titulado *Los desastres de la guerra*, y en varios de sus cuadros de la guerra como los *Fusilamientos del 2 de mayo*. Jamás ha sido mejor trasladada al lienzo la brutalidad de la guerra. Mientras los pintores franceses, incluyendo a David, conocido de Goya, glorificaban a Napoleón, Goya muestra los soldados invasores asesinando a los prisioneros españoles que nadan en su propia sangre mientras sus mujeres son violadas. Goya no se hacía ilusiones sobre la crueldad y los vicios de la humanidad. Su torturado espíritu produjo también una serie de *Caprichos*, que son probablemente todavía de una belleza más terrible.

También pintó Goya numerosas escenas plácidas de la vida de la época, llenas de pintoresco vigor y brillantez. Escenas de tipos del pueblo, fiestas, bailes y regocijos populares. Fué el primer artista que dedicó su atención a las corridas de toros. Era tan aficionado al deporte nacional que se le apodaba don Francisco de los Toros.

Sus lienzos más comentados son las hermosas *Maja Desnuda* y *Maja Vestida*. No existe en pintura un retrato más vívidamente sensual que el cuerpo de esta mujer. En la *Maja Vestida* pintada exactamente en la misma postura los vestidos sugieren más que ocultan.

Goya fué algo más que un gran realista y un técnico de talento. Su realismo y su habilidad en la organización y la ejecución no fueron sino instrumentos para llevar a la posteridad el interno fuego de espíritu que lo abrasaba. El sólo compensa y llena los cien años de vulgaridad que siguen a la obra de Velázquez. El siglo que fué capaz de producir este genio tenía más vida de la que su tono frío y académico haría sospechar.

La música. La música culta española en el siglo XVIII fué de sabor italiano. La forma más popular fué la ópera.

El cantante más conocido fué el contralto, Carlo Boschi, comúnmente llamado Farinelli, que hizo verdadero furor en Europa. Al ir a España en 1737, este famoso eunuco tuvo tanto éxito con el melancólico Felipe V, que éste le concedió un generoso salario, y el cantante renunció a su carrera, y se dedicó a cantar las mismas cuatro canciones cada noche para su real amo y señor durante nueve años. Fué amigo de importantes personajes españoles de la época y por un espacio de 22 años ejerció gran influencia política en la corte.

Domenico Scarlatti de Nápoles se estableció en Madrid en 1729 y pasó el resto de su vida en España. Durante estos 37 años compuso sus sonatas para el arpa, que se consideran tan importantes en el desarrollo de la música instrumental. La música popular española influyó mucho en él, y él a su vez ejerció influencia en su época y sobre todo en los compositores modernos como Falla, Turina, Granados y Albéniz. Su discípulo más notable fué el español Antonio Soler.

XXIII

Retorno del romanticismo. El siglo XIX

La escena política. La muerte de Fernando VII libró a España en 1833 de la desagradable presencia de ese monarca, pero los problemas políticos, económicos y culturales de la nación no se resolvieron con su fallecimiento y hasta hoy no han llegado a una solución satisfactoria. Fernando, a falta de un hijo, anuló la Ley Sálica que reservaba el trono a los varones y dejó la corona a su hija la Infanta Isabel, pero los elementos conservadores, especialmente la Iglesia y los magnates de la corte se declararon en favor de don Carlos, hermano de Fernando, dando comienzo a la primera Guerra Carlista. Esta guerra arruinó al país durante siete años hasta que puso término a ella el general Espartero, partidario de la reina, en 1840. Posteriormente tuvieron lugar otros levantamientos carlistas en 1848, 1855 y 1873.

La regenta doña Cristina, madre de Isabel, y sus ministros se vieron obligados a aceptar bien a su pesar las ideas liberales para así ofrecer una oposición popular a los conservadores carlistas. Los exiliados políticos pudieron regresar después de una declaración de amnistía general. A pesar de la poca fe que inspiraba Cristina, los ideales de libertad fué extendiéndose. Cristina fué obligada a renunciar en 1840, e Isabel II, que a la sazón sólo tenía trece años, fué legalmente declarada mayor de edad. Durante los veinticinco años de su reinado España estuvo en realidad gobernada por una serie de generales, que bajo una forma de gobierno más o menos constitucional se impusieron por su lominio sobre las instituciones armadas. El general Narváez 'ué uno de los más conservadores y enérgicos. Se cuenta la siguiente anécdota: Cuando estaba agonizando, el confesor e preguntó: « General Narváez, ¿ ha perdonado Vd. a sus enemigos ? Narváez respondió con voz firme « No tengo enemigos. Los he fusilado a todos. » Realmente su gobierno fué severo, pero en cambio mantuvo el orden. El general O'Donnell, español a pesar de su apellido irlandés, 'ué algo más liberal, pero también firme partidario de los Borbones. Murió en 1867 y Narváez en 1868. El reinado le Isabel había sido desordenado así como también su vida privada, y a últimos de 1868 fué destronada por un grupo nilitar bajo el mando del general Prim.

Durante el reinado de Isabel se convocaron las Cortes nás a menudo que antes. El problema de la nueva forma le gobierno quedó para ser resuelto por ese organismo, que votó por la monarquía y no por la república, pero hubo verladeras dificultades para hallar una persona adecuada para ocupar el trono español. Finalmente, Amadeo de Saboya, luque de Aosta, consintió en ello. El único hombre que hubiera podido ofrecer a Amadeo un fuerte sostén, el general Prim, murió asesinado el 30 de diciembre de 1870, apenas legado a España el nuevo monarca. Después de dos años de nquieto reinado lleno de desórdenes y luchas políticas, Amadeo abdicó la corona y abandonó el país en febrero de 873.

Se proclamó la República. Ninguno de los cuatro presientes que se sucedieron pudo gobernar con éxito y la República desapareció pronto. El hijo de Isabel, Alfonso, ué entonces invitado a regresar.

Alfonso XII (1874–1885) firmó una declaración de mnistía en diciembre de 1874, y prometió un gobierno constucional. Su reinado fué relativamente pacífico. La constución, promulgada en 1876, estuvo en vigor en España asta 1931, y bajo la misma se constituyeron las Cortes en os cámaras, parecidas a las del Parlamento inglés. El rey o era responsable ante las Cortes, pero sus decretos tenían ue ser firmados por un ministro responsable. El catolicismo era la religión del estado, aunque se toleraban otros credos, pero en la práctica esta tolerancia no existía. La vida personal del rey no fué nunca muy ejemplar, pero al menos se le consideró como un símbolo de orden tradicional.

La reina María Cristina (austríaca) estaba encinta cuando Alfonso XII murió en 1885. Alfonso XIII nació en 1886 y murió en 1941. Su madre fué regente hasta 1901, cuando fué declarado mayor de edad.

El romanticismo. Los autores españoles han mostrado siempre la tendencia hacia la libertad y el individualismo y una obstinada resistencia a toda regla formal. El Siglo de Oro español fué en ese extremo más romántico que clásico. Puede decirse que los teorizantes del siglo XVIII trataron de interrumpir esta tradición nacional. El pueblo sin embargo, gustaba de géneros como el teatro de Ramón de la Cruz, que poseía más exuberancia, y menos limitaciones. La tradición local, incluyendo el teatro del Siglo de Oro, tuvo sus defensores. Después de la mitad del siglo XVIII va apareciendo cada vez más a menudo cierto tono sentimental y apasionado aquí y allá. Esto se ve especialmente en la poesía de Meléndez Valdés.

Durante los siglos XVIII y XIX llegaron a España otras influencias del extranjero que vinieron a confirmar y a extender esta tendencia nacional (especialmente de Alemania, Francia, Italia e Inglaterra). *Night Thoughts* de Young, *The Seasons* de Thompson, los poemas en prosa osiánica de MacPherson, contribuyeron a consolidar esa atmósfera sentimental unida a un renacer del gusto de la naturaleza. Más tarde, los españoles exiliados por razones políticas, especialmente el futuro duque de Rivas, conocieron a fondo las literaturas francesa e inglesa. Por ejemplo Sir Walter Scott era entonces traducido y leído furiosamente y no tardó en ser imitado. Chateaubriand ejerció también su influencia, así como cierto número de novelistas franceses de menor importancia, como Mme. Cottin. El *Werther* de Goethe, traducido al español por primera vez en 1803, tuvo su parte en la educación de una juventud triste y melancólica. Los melodramas franceses eran traducidos y representados con frecuencia en los escenarios españoles. A veces el flujo de esas traducciones era tan grande que el teatro hispano parecía más francés que español.

En todas partes, e incluso en España, los románticos dieron prioridad a la emoción sobre el intelecto, y al corazón sobre la mente. Su obra constituye una protesta contra la diosa del siglo XVIII, la Razón. Más adelante, los románticos proclamaron el derecho del individuo a actuar como le pareciese, y el derecho a expresar no lo universal sino lo local y particular. Sus obras no serían limitadas por reglas, sino que cada hombre escribiría conforme le dictase su genio libérrimo. Este genio podía a veces llevar al hombre hasta más allá de las reglas sociales establecidas, y más de un romántico se sintió tan discrepante y en conflicto con un mundo que no lo comprendía que resolvió su inconformidad con un fin trágico. Los protagonistas típicos del teatro romántico, por ejemplo, tienen ya su fatalidad determinada antes de ser creados.

En cuestión de detalles, los románticos tendían a buscar temas en la Edad Media, así como a llenar sus obras de lo pintoresco y de color local. No hicieron distinción entre los géneros dramáticos, pues la comedia y la tragedia debían andar juntas y de la mano, como en la vida real. Echaron a un lado las unidades clásicas de tiempo y lugar, y trataron de cultivar el contraste grotesco del humor y la melancolía trágica.

Todos estos caracteres se encuentran en la variada obra de un noble andaluz de talento que escribió uno de los más violentos dramas de la historia.

La poesía. Angel de Saavedra, que había de ser más tarde duque de Rivas (al morir su hermano mayor), nació en Cordoba en 1791, y murió en 1865. Su educación era neoclásica, y escribió desde muy joven poesías y dramas a la moda del siglo XVIII. Aunque procedía de una familia rica y noble, sus ideas eran liberales, de un patriotismo popular. Combatió contra Napoleón, y desterrado por Fernando

VII en 1823, vivió por cinco años en la isla de Malta, donde el hispanófilo, John Hookham Frere, le dió a conocer la literatura inglesa, incluyendo a Byron y a Scott. Lo cierto es que Frere sugirió a Rivas que escribiese una moderna epopeya española a la manera de *The Lady of the Lake* o *Marmion*, y Rivas estuvo reelaborando el tema de *Los siete infantes de Lara*, aunque el poema no se publicó hasta años más tarde. En 1826 Rivas publicó una poesía *Al faro de Malta*, que es decididamente romántico. Los cinco años restantes de su destierro los pasó en Inglaterra y en Francia. Se convirtió por completo al romanticismo y escribió una serie de obras que no se dieron a la luz hasta su regreso a España. Era aficionado a las artes, y durante cierto tiempo tuvo que dar lecciones de pintura para poder ganarse la vida.

En 1834 cuando volvió a España y heredó el título de duque, publicó en París la obra que había escrito en Malta: *El moro expósito o Córdoba y Burgos en el siglo X*). El prefacio al poema fué escrito por Alcalá Galiano, y es una especie de manifiesto romántico. También el acento y la técnica de Rivas son ya románticos. El tema, basado en los romances españoles, es el de la venganza que toma Mudarra del asesinato de sus hermanastros los siete infantes de Lara por su tío. Rivas no está bien dotado para la narración, pero al menos el color de sus descripciones es verdaderamente extraordinario. El cuadro de la civilización española y árabe-andaluza en el siglo X es más brillante que históricamente exacto. El poema está escrito en versos endecasílabos, con asonancia alterna.

Rivas mostró más adelante su interés por la historia y leyenda españolas con sus *Romances históricos*, publicados en 1841, aunque habían sido escritos con anterioridad. Poseen las mismas cualidades que su largo *Moro expósito*, pero más fuerza de evocación y realmente constituyen la contribución más valiosa de Rivas a la poesía de su época. La nota patriótica, el interés por la historia y la leyenda de España, están siempre presentes.

Rivas no tardó mucho en hacerse conservador. En sus últimos años se dedicó más que a la literatura, a la política y a la diplomacia. Fué embajador en Nápoles de 1844 a 1850 y en Francia de 1859 a 1860. Se retiró por fin a sus tierras de Andalucía donde vivió los cinco años últimos de su vida.

La gloria de Rivas, al presentar a sus contemporáneos las tradiciones de la Edad Media, es compartida por José Zorrilla (1817–1893), particularmente notable por sus leyendas, en las que plasmó muchas de las antiguas tradiciones españolas. Zorrilla no se preocupaba mucho de la historia, ni poseía el sentido pictórico de Rivas, pero su poesía narrativa es más viva y variada, y posee versos más armoniosos. Es muy dado al uso de lo fantástico y sobrenatural. Algunas de sus leyendas más conocidas son: *Para verdades, el tiempo, y para justicia, Dios; Justicias del rey don Pedro; El capitán Montoya;* y *Margarita la Tornera*. La última es la conocida historia de la monja que abandona el convento para huir con un galán, y luego arrepentida regresa para encontrarse con que la Virgen María ha ocupado su lugar durante todo el tiempo de su ausencia.

Las leyendas son relativamente cortas. El propósito de Zorrilla de escribir una epopeya completa quedó sin realizar: *Granada* (1852). Los nueve libros del poema narran la vida de la corte de Granada antes de su caída en 1492, pero el elemento valioso no es lo histórico sino la belleza de las descripciones y el ritmo del verso.

Rivas y Zorrilla tienen también importancia capital en el desarrollo del teatro romántico. En poesía, representan lo legendario y lo descriptivo. El poeta que logra las mejores rimas en la poesía lírica es José de Espronceda (1808–1842). Fué un joven inquieto y fogoso, al que ni las ensenañzas neoclásicas del juicioso crítico Alberto Lista pudieron hacer entrar en razón. A la edad de dieciséis años ya se encontraba en prisión, acusado de conspirar, y pasó largos exilios en Lisboa, Londres y París. Puesto que en 1830 se hallaba en París, era lógico que luchase en las barricadas.

Fué en Lisboa donde el poeta conoció a Teresa Mancha, y concibió una pasión volcánica. La hizo abandonar a su marido e hijos en Londres, y ambos vivieron una vida tormentosa juntos, con violentas separaciones y reconciliaciones, hasta que ella murió tuberculosa. Al parecer, Espronceda estaba a punto de sentar cabeza cuando se comprometió para casarse con una muchacha en 1843, pero en ese año murió de una afección laríngea.

Los primeros versos de Espronceda, escritos bajo la égida de Lista, son neoclásicos y de escasos méritos, como el fragmento de lo que debió ser un largo poema sobre Pelayo, el héroe de Covadonga. Los dramas *Blanca de Borbón*, *Ni el tío ni el sobrino*, *Amor venga sus agravios*, no añaden nada a su fama, ni tampoco se puede decir que fuera un buen novelista (*Sancho Saldaña*, 1834).

Es en la lírica donde sobresale Espronceda. Sus poesías, que aparecieron por separado en distintas ocasiones, salieron juntas en letra de molde en 1840. Aunque muestran influencias como las de Ossian, Béranger, Lamartine, Víctor Hugo, y sobre todo Byron, tienen mucho del sentimiento apasionado y del virtuosismo poético del autor. Espronceda es uno de los versificadores españoles más hábiles, en una lengua que es especialmente apropiada para la expresión lírica. *La Canción del pirata* y *La canción del cosaco*, byronianas en la inspiración, se hallan entre sus composiciones más rítmicas. *Al verdugo*, *Al mendigo*, *El reo de muerte*, muestran el interés romántico en los tipos anti-sociales y un humanitarismo que tiene sus raíces en Rousseau. El sonoro *Himno al sol* tiene muchas influencias de Ossian. *La despedida del patriota griego de la hija del apóstata* es profundamente sentimental.

El tema del desengaño, tan característico del espíritu de Espronceda, se halla patente en su obra *A Jarifa en una orgía*. El pensamiento del poeta es éste: El primer principio es la duda, la primera realidad de la vida, el sufrimiento; el placer es la principal ilusión del mundo, y la única solución para todos los problemas es la muerte. ¿ Resulta acaso sorprendente que Espronceda fuese un espíritu infeliz y torturado ?

El estudiante de Salamanca es un poema de mayor extensión, una leyenda sobre el tema del joven libertino que presencia su propio funeral, bailando con el esqueleto de su novia sin perder la viril fanfarronería con que lo hacía en vida. La variedad métrica del poema es asombrosa.

En su largo *Diablo mundo* (seis cantos, 1840–1841), Espronceda quería intentar una especie de epopeya de la humanidad. Adán, rejuvenecido como Fausto, va de desilusión en desilusión, conforme conoce las distintas clases de la sociedad. Los elementos del poema son esencialmente realistas, sorprendentemente fantásticos, y muy heterogéneos. El conjunto es desordenado, pero las partes por separado, ofrecen una impresión artística. El Canto II, *A Teresa*, es la historia poética de su pasión por su amada, una obra maestra de introspección y uno de los poemas líricos más veraces y sentidos del idioma.

José Zorrilla (1817–1893), menos pesimista que Espronceda, fué un poeta que continúa la tradición de la fecundidad española. Afirmaba que había nacido para escribir versos, y ésta fué verdaderamente su ocupación durante toda su larga vida. Sus leyendas son numerosas, y algunos de sus dramas fueron escritos a toda prisa. Estos géneros, así como su rica poesía lírica presentan los mismos caracteres de brillantez en la descripción, la misma difusión de concepto, ya que Zorrilla no era un intelectual, y la misma armoniosa corriente de melifluas cadencias. Zorrilla poseía verdadero talento, y si sus versos no cautivan la mente, al menos siempre fascinan el oído. Si no remueven las emociones más profundas de la humanidad, sus imágenes estimulan la fantasía y los sentidos. Sus poesías *A la luna*, sus *Orientales*, sus líricos apóstrofes a varias mujeres, su *Día sin sol*, muestran riqueza de sentimiento con un ligero tinte melancólico.

Zorrilla gustaba de calificarse a sí mismo como trovador errante. Pudo conservar en su poesía un cierto tono juvenil, casi adolescente, hasta el fin de sus años. El 22 de junio de 1899, fué coronado en Granada como el poeta nacional de España. Los diarios informaron que había recibido cinco coronas de oro, ochocientas cuarenta y tres de laurel, y muchos otros tributos, en presencia de una multitud de diez y seis mil personas. Sin embargo, para entonces el poeta ya había sobrevivido a su época. Los tiempos habían cambiado y él seguía perteneciendo a la generación poética anterior. En ella fué el mejor representante de ese momento, vago, sentimental, de explosiones líricas y dramáticas que fué el romanticismo.

La poesía lírica representada por Espronceda y Zorrilla es la manifestación más característica de la literatura romántica española. El número de versificadores de 1830 a 1840 fué muy considerable. Algunos son recordados aún por una sola composición, pero la mayoría han sido olvidados.

El valenciano Juan Arolas (1805–1849), sacerdote sin vocación, que murió loco, publicó dos admirables tomos de versos. Sus poemas religiosos son ardientes, sinceros y llenos de mística nostalgia. Fué muy influído por Hugo, Byron, y Zorrilla, y en sus *Orientales* se nos muestra tratando de escapar de los lazos de su vida religiosa en imágenes sensuales, imaginando un paraíso poblado de huríes en vez de ascéticos santos. Sus poemas de amor, sin duda contienen más nostalgias que realizaciones victoriosas y están en armonía con su verdadero espíritu, pero no con su profesión. No es demasiado extraño que su conflicto terminase en la locura.

Enrique Gil y Carrasco (1815–1846), que murió tuberculoso en Berlín, fué autor de una conocida novela histórica *El señor de Bembibre*. Se le recuerda especialmente por un dulce poemita titulado *La violeta*, suave y melancólico como sin duda debió ser el autor.

Una nota mucho más vibrante se encuentra en la obra de Gertrudis Gómez de Avellaneda (1814–1873), cubana que vivió mucho en España. Sus *Poesías líricas* (1841) son de tono apasionado, expresión vigorosa, sentimiento sincero, bien se refieran a sus propios dolores o a temas religiosos o profanos. En España ha llegado a llamársele, aunque sin suficiente justificación, la más grande poetisa de todos los tiempos. Los extranjeros no han sido tan profusos en estos elogios. Fué también autora de novelas y dramas que muestran su refinado espíritu y su habilidad. *Sab* (1839), novela anti-esclavista, apareció mucho antes que *La Cabaña del tío Tom*. *Baltasar* (1858) es uno de los mejores dramas bíblicos de España.

Más del gusto de ahora son los versos de la gallega Rosalía Castro (1837–1885), postromántica en el calendario de las letras, pero esencialmente romántica en el sentimiento. Sus poesías escritas en lengua galaica como *Cantares gallegos*, 1863, o en castellano, como *En las orillas del Sar*, 1885, fueron efusiones últimas y personales hasta el extremo de que la autora pidió que a su muerte todos los manuscritos no publicados fueran destruidos. Su sencillez y ausencia de afectación la hacen muy diferente de sus predecesores y contemporáneos. No se avergüenza de ser sentimental, como lo son los gallegos, pero evita la sensiblería, y su melancolía no es exagerada. Sin duda conoció muchos conflictos emocionales, pues era hija ilegítima de un cura, y su matrimonio fué desgraciado. Aunque no fué muy conocida en su época, su fama ha crecido a medida que se desvanecía la de otros poetas altisonantes de su tiempo como Núñez de Arce.

Otro romántico retrasado es el sevillano Gustavo Adolfo Bécquer (1836–1870) que vivió, se casó y falleció sin conocer la alegría. Era aprendiz de pintor con su tío, pero a los dieciocho años fué a Madrid a hacerse una carrera literaria. Lo logró pero no dejó de ser desgraciado hasta su temprana muerte.

El espíritu de Bécquer es sentimental y soñador, y tiene predilección por lo vago, lo misterioso y fantástico. Estas cualidades se muestran en sus leyendas en prosa, que están repletas de ninfas de ojos verdes, extrañas corzas blancas que resultan mujeres, organistas sobrenaturales, y estatuas misteriosas. Sus escenarios, en castillos encantados, respiran una atmósfera de tristeza. El estilo es pulido pero florido, y se advierte la fuerte influencia del alemán, Hoffman.

Las *Rimas* de Bécquer, que no se publicaron reunidas hasta el año siguiente a la muerte del autor, se hallan entre las poesías más populares de la lengua española. Se parecen a los cortos *Lieder* de Heine cuando el poeta alemán no se sentía cínico, y la cuestión de esta influencia ha sido muy debatida. Bécquer también conoció y admiró la poesía de Byron. Las *Rimas* forman una autobiografía poética de la vida sentimental de Bécquer, y en ellas casi logra su ideal que consistía en dominar la expresión exaltada y torturada de su ánimo con voces que fueran al mismo tiempo « suspiros y risas, colores y notas. » Su tristeza no es fingida, y sus versos sencillos y pulidos, son siempre naturales y directos así como su arte.

El teatro. Aun en el apogeo del romanticismo, toda clase de obras llenaban los teatros de España. En 1830–40 se encuentran obras del Siglo de Oro, comedias moratinianas, óperas, traducciones del francés, especialmente de Scribe, melodramas, obras mágicas (la obra más popular de la época era una cosa absurda titulada *La pata de cabra*), hasta tragedias clásicas, todas en mezcla desconcertante. Las obras románticas aun en el año 1837 nunca constituyeron sino una parte del repertorio teatral. A causa de sus exageraciones sentimentales y melodramáticas, el teatro romántico ha resistido menos la prueba del tiempo que los lirismos de Espronceda, Rosalía Castro o Bécquer.

Francisco Martínez de la Rosa (1787–1862) fué un granadino que recibió una educación neoclásica y siguió siendo un ecléctico durante toda su vida. En política fué liberal y patriota, pero cuando llegó a primer ministro en 1834 resultó demasiado moderado para sus exaltados correligionarios. Su entereza y su talento le facilitaron una carrera distinguida.

Pasó algunos años exiliado en Francia después de 1823, donde presenció el triunfo del Romanticismo, y hasta escribió una obra ligeramente romántica, *La révolte des Maures sous Philippe II*, presentada en el teatro de la Porte Saint-Martin. Fué luego representada en español en Madrid en 1836 como *Aben-Humeya*. Con anterioridad había escrito comedias y tragedias neoclásicas, incluso un excelente *Edipo*. Fué también en París, en 1830, donde Martínez de la Rosa escribió *La conjuración de Venecia*, que fué estrenada en Madrid el 23 de abril de 1834, y se considera como el primer drama romántico español. Está escrito en prosa, sin respeto a las unidades clásicas y repletos de conspiradores medievales, máscaras, escenas de carnaval, jueces sin corazón, y amor desesperado entre las tumbas. El héroe descubre demasiado tarde que es el hijo del poderoso duce de Venecia. La heroína tiene una gran belleza pero son mayores su amor y su infortunio, y se vuelve loca cuando su amado es ejecutado por conspirador.

Esta obra fué uno de los mayores éxitos del año, y la siguieron muchos melodramas franceses como *El verdugo de Amsterdam* de Ducange, óperas como *Norma*, y *Don Giovanni*, comedias del Siglo de Oro, y toda clase de obras dramáticas. El autor de *Aben-Humeya* no mereció el favor popular dos años más tarde al presentar este drama. Martínez de la Rosa fué un innovador, pero su significación en la historia del romanticismo reside en una sola de sus obras.

Uno de los espíritus más románticos de la época fué el de Mariano José de Larra (1809–1837), que luchó toda su vida entre su clara razón y sus ardientes pasiones. De educación esmerada, fué, como veremos, uno de los mejores críticos y satíricos de su época. Escribió o tradujo media docena de obras de teatro, ninguna con gran éxito. La más importante es *Macías* (1834), que fué representada solamente cinco noches. Larra mismo declara que no sabe si su « debil composición » es romántica, de la escuela « colosal y desnuda » de Víctor Hugo y Dumas, o no; el trovador gallego Macías es solo un « hombre que ama. » Su amada está casada con un cruel tirano, cuyos asesinos a sueldo matan a Macías y Elvira se suicida. La obra observa mejor las unidades clásicas, aunque tiene mucho menos color que *La conjuración de Venecia.*

El duque de Rivas estrenó en marzo de 1835 su *Don Alvaro o la fuerza del sino.* El público, en su mayor parte, conoce mejor la versión musical de Verdi: *La forza del destino.* Contiene el número máximo de exageraciones románticas que puedan encontrarse en una obra de teatro. Color local, un héroe teatral, bizarro e ilustre, de desconocido linaje, al principio; Leonor, la adorable y aristocrática heroína. No faltan los ciegos golpes del destino, las batallas y duelos con los hermanos de Leonor, las muertes por accidente, toda una galería de tipos populares, como gitanos, venteros, soldados, hermanos coléricos, sirvientes. La acción discurre en palacios, campamentos militares, conventos, etc. Al final, don Alvaro, convertido en piadoso monje, se ve obligado a matar al segundo hermano de Leonor, que en su agonía apuñala mortalmente a su hermana. Nuestro héroe, maldiciendo a la raza humana, se arroja a un abismo entre relámpagos, truenos, y los cánticos de la horrorizada comunidad religiosa. La obra en cinco actos no guarda las famosas unidades, tiene elementos cómicos para hacer más profundo el contraste con la tragedia, y está escrita a veces en verso y a veces en prosa. Hay un famoso monólogo de don Alvaro donde se expresa el terror de haber nacido. (« Terrible cosa es nacer. »)

Con esta obra, el duque de Rivas prácticamente ofreció su renuncia como dramaturgo romántico. Quizás se arrepintió de *Don Alvaro*, a medida que se hizo viejo y conservador.

El I de marzo de 1836, se estrenó *El trovador* de Antonio García Gutiérrez (1813–1884), que escribió unas ochenta obras dramáticas y dos pequeños tomos de versos.

El trovador, también en prosa y verso, menos violento y mucho más poético que Don Alvaro, es sin duda alguna de las mejores obras románticas, y Leonor una de las heroínas más atrayentes del Romanticismo. García Gutiérrez es más conocido por el éxito de *Il trovatore* de Verdi que por su propio drama original. Escribió otras obras con personajes mejor trazados que los de *El trovador*, con menos defectos técnicos, pero jamás pudo sobrepasar la juvenil frescura y delicada versificación de su primer éxito.

Juan Eugenio Hartzenbusch (1806–1880), hijo de un ebanista alemán de Madrid, nació para ser un sabio sobrio, pero comenzó su carrera literaria produciendo obras de teatro, algunas un poco espeluznantes. Su drama más elogiado es *Los amantes de Teruel* (en prosa y verso, 1837), sobre la conocida leyenda de los amantes que, separados por el adverso destino y por una tórrida y malvada Sultana (inventada por Hartzenbusch) además de los padres crueles, mueren con el corazón roto ante los ojos atónitos de los espectadores. El verso es muy adecuado, la acción rápida y movida, y el sentimiento ardoroso. Hartzenbusch escribió una serie de dramas históricos y románticos, comedias de magia, y comedias sociales. Halló su verdadera vocación, sin embargo, en su cargo como Director de la Biblioteca Nacional y editor y compilador de obras del Siglo de Oro.

José Zorrilla (1817–1893) ha sido llamado el hijo mimado del romanticismo español. Escribió mucho, y disfrutó de gran popularidad como poeta y dramaturgo, y como hemos visto, fué coronado en su vejez, pero la estimación del público no fué nunca suficiente para permitirle satisfacer sus gustos de una vida de lujo. Se hizo conocido cuando leyó una poesía en el entierro de Larra, y desde entonces su pluma no dejó de derramar dulces versos.

El primer éxito de Zorrilla en el teatro fué *El zapatero y el rey*, primera parte (1840. La segunda parte es en realidad otro drama). Trata del rey Pedro el Cruel (para el pueblo, Pedro el Justiciero). La acción, como en todas las obras de Zorrilla, es muy melodramática. Nunca le faltaron argumentos movidos o personajes de verdadera vitalidad, aunque sus reacciones solían ser simples y su psicología muy rudimentaria. La segunda parte de *El zapatero y el rey* termina con el asesinato del rey Pedro I a manos de su hermanastro bastardo y sucesor, Enrique de Trastamara.

La leyenda de Rodrigo el último rey godo ha sido siempre de apasionante interés en España. Zorrilla la dramatizó en una obra corta titulada *El puñal del godo* (1842).

El año 1844 señala la producción de la obra española más popular de los tiempos modernos: el *Don Juan Tenorio* de Zorrilla, que poco a poco vino a convertirse en una especie de institución nacional. El personaje creado por Tirso ha sufrido una operación glandular y ha sido rejuvenecido por la cirugía estética. Aquí es aún más arrojado, más vital, invencible con los hombres e irresistible con las mujeres, y ha adquirido un sentimentalismo profundamente romántico. ¿ Es ahora arrastrado al infierno por la estatua del Comendador a quién asesinó ? Oh, no, ahora don Juan se arrepiente después de su muerte, y en compañía de su hermosa doña Inés, es llevado al paraíso por los angelitos entre nubes de incienso. Los autores del Romanticismo no podían condenar a un representante tan ideal de la fuerza vital y del individualismo. Los críticos podrán encontrar toda clase de defectos y montones de improbabilidades en la obra de Zorrilla, pero nadie puede negar la exorbitante lírica de sus versos. Miles de españoles van año tras año a oír recitar los versos, ya que la obra se representa en todo el mundo hispánico el Día de Difuntos.

La mayoría de los flúidos versos no tienen contenido intelectual alguno, pero Zorrilla escribía poesía y no filosofía, y la realidad es que ha fascinado una generación tras la otra. Las representaciones de esta extraña obra son presenciadas por gentes de toda edad y clase social, desde los niños hasta los venerables ancianos.

La obra mejor construída de Zorrilla fué *Traidor, inconfeso y mártir* (1849), basada en la historia del Pastelero de Madrigal, que trató de hacerse pasar por el rey Sebastián de Portugal, muerto en Africa en 1578. Es uno de los mejores dramas que produjo el siglo XIX en España, aunque nunca alcanzó la fama del *Tenorio*. Después de esta obra Zorrilla no escribió casi nada más para la escena.

Durante el período romántico, obras de teatro de otros géneros habían sido estrenadas constantemente. Uno de los principales cultivadores de la comedia social fué el fecundo Manuel Bretón de los Herreros (1796–1873), a quien se le atribuyen más de cien obras, además de un número casi igual de traducciones, y un gran número de poemas misceláneos y artículos periodísticos. Bretón es un típico burgués, y satiriza de modo ligero y divertido pero no enérgico las debilidades de sus compañeros de clase. Un hombre pacífico y calmo cuyas obras ofrecen buenos consejos morales y abundante sentido común.

La novela. La novela en España estuvo dominada durante la primera mitad del siglo XIX, por una sola figura, no española, por cierto: Sir Walter Scott. El autor escocés fué ampliamente traducido y leído, y los novelistas hispanos lo imitaron a conciencia, pero los imitadores apenas si merecen mención por sus aportaciones al arte literario. El primer imitador fué Ramón López Soler (1806–1836) con *Los bandos de Castilla* (1830), que tiene mucho de *Ivanhoe.* Menos mal que muestra la tendencia a usar temas y materiales españoles, característica de la mayoría de los autores del Romanticismo hispano.

El año de 1834, como se ha visto, fué señalado por la aparición del primer poema notable — al menos por su extensión — del romanticismo, *El moro expósito*, y un drama, *La conjuración de Venecia.* Señala también la publicación de dos novelas históricas por autores que brillaron mucho más en otros campos. Espronceda escribió *Sancho Saldaña*, y Larra, *El doncel de don Enrique el Doliente.* Ambos deben a Scott el plan general, el método y la técnica, pero también contienen una nota decididamente personal, y un calor pasional que hubiera hecho enrojecer a Sir Walter. En este aspecto son diferentes de *Ivanhoe*, por ejemplo, y mucho más subjetivas, más verdaderamente románticas. Leyendo estas obras puede adivinarse mucho sobre la personalidad de sus autores que en verdad no merecen por estas novelas todos los desdenes que los críticos de hoy día suelen dedicarles.

El señor de Bembibre (1844) de Enrique Gil muestra más amor por la naturaleza y un escenario más pintoresco acompañados de sentimientos fuertes y sombríos. Los acontecimientos tienen lugar durante los últimos días de los caballeros Templarios en España. Este es un aliciente que contribuye a que la novela de Gil sea considerado por muchos como la más interesante del Romanticismo, y hasta como la mejor novela histórica producida en España. Los amores del héroe y la heroína son tormentosos y lacrimosos, y la acción se arrastra un poco lánguidamente.

No se encuentra languidez alguna en las trescientas novelas más o menos (quinientos tomos) del Dumas español,

Manuel Fernández y González (1821–1888), escritas todas sobre temas españoles. La mayoría de ellas fueron publicadas en folletín en los periódicos. Tienen vigor y una imaginación algo cruda, sin pulimento literario.

El costumbrismo. La crítica. La definición de « costumbristas » se aplica a los escritores que escribieron ensayos o relatos sobre la vida contemporánea y sobre las costumbres a principios del siglo XIX. Algo por el estilo habían hecho ya en España Juan de Zabaleta, Francisco Santos, Liñán y Verdugo; Addison y Steele en Inglaterra, y Jouy y L. S. Mercier en Francia. Sebastián Miñano, con sus *Cartas de un pobrecito holgazán*, fué el precursor inmediato. Los costumbristas españoles son contemporáneos de Washington Irving.

Ramón de Mesonero Romanos, « El curioso parlante, » (1803–1882) nació en Madrid, y profundamente interesado en su ciudad natal, fué siempre un hombre de buena digestión y agradable sentido del humor, nunca dado a la exageración. Se retiró de un próspero negocio para dedicarse a escribir y publicó artículos en importantes periódicos de Madrid, como *Cartas españolas*, *El Español* y el *Semanario Pintoresco Español.* Esos artículos fueron más tarde recogidos en libros con los títulos *Panorama matritense*, *Escenas matritenses* y *Tipos y Caracteres*. Mesonero escribió también una serie de descripciones titulada *El antiguo Madrid*, todavia muy útil, y un libro de recuerdos personales titulado *Memorias de un setentón*. Sus obras son de gran valor para todos los que se interesan por conocer las condiciones sociales de la época. Era hombre patriota, e hizo mucho por revivir la atención hacia la literatura española del pasado, especialmente hacia el teatro del Siglo de Oro.

Serafín Estébanez Calderón (1799–1867), que utilizó el pseudónimo *El Solitario*, hizo sobre temas de Andalucía lo que Mesonero hacía sobre Madrid. Sus *Escenas andaluzas* fueron publicadas en varios periódicos y las reunió en un tomo en 1847. Ofrecen un luminoso cuadro de la vida y costumbres populares andaluzas, lleno de color y animación. El lenguaje es a veces difícil, y un tanto enredado.

Hubo muchos otros que escribieron ensayos que resultan útiles para el conocimiento de la vida en España en la primera mitad del siglo XIX. La afición por estos articulos quedó comprobada con la publicación en 1843 de una gran colección de ellos, *Los españoles pintados por sí mismos*, y más tarde *Las españolas pintadas por sí mismas.*

Sería un grave error clasificar a Mariano José de Larra (1809–1837) como un mero costumbrista, puesto que fué también el más grande crítico del siglo.

Larra venía de una familia de la clase media acomodada y pasó parte de sus años mozos en Francia. Empezó a publicar poesías y ensayos muy joven y acumuló una extraordinaria producción durante su breve vida de veintiocho años. Se casó a los veinte con una mujer mayor que él, y en su matrimonio no encontró la felicidad. Tuvo además la desgracia de enamorarse de una morena andaluza de gran belleza llamada Dolores Armijo, también casada, y por amor de ella se suicidió el 13 de febrero de 1837.

Larra compuso algunas poesías de escaso mérito, hizo algunas traducciones de obras de teatro francesas y escribió algunas comedias originales. Se rindió al Romanticismo en su drama *Macías* (1834) y en una novela al estilo de Walter Scott sobre el mismo tema y en el mismo año: *El doncel de don Enrique el doliente.*

Su mejor obra, sin embargo, apareció en forma de artículos periodísticos. Publicó también él solo un periódico, *El pobrecito Hablador* (14 números, 1832–1833), que le dió fama, y colaboró en varios otros bajo el pseudónimo de « Fígaro. »

Como crítico dramático estaba muy por encima de todos en su patria, y fácilmente se aprecia al leer sus críticas de obras como *Hernani*, *Antony*, *El trovador*, *Los amantes de Teruel.* Era capaz de ver los defectos, las exageraciones de las obras de sus contemporáneos, así como sus méritos, sin entregarse incondiconalmente al culto romántico. En todos sus artículos es evidente su deseo de una reforma del teatro y de un mejoramiento del nivel cultural en la producción dramática española.

Los artículos de Larra sobre diversos aspectos de la vida española jamás han sido igualados por su penetración y profundidad. No se contenta, como Mesonero, con describir la superficie pintoresca, sino que ahonda en busca de las causas políticas o sociales. Su *El casarse pronto y mal* es una aguda prédica sobre un tema muy familiar al autor. *Vuelva usted mañana*, *Nadie pase sin hablar con el portero* y *Buenas noches* son excelentes sátiras políticas. *El castellano viejo* es un fino retrato satírico. Hacia 1836, ya se nota en los artículos de Larra una amargura creciente, que culmina en su terrible *El día de difuntos* de 1836, en el que Fígaro describe Madrid como si fuese un cementerio y cada edificio una tumba de perdidas esperanzas. Termina diciendo: «El cementerio está en nuestros propios corazones.»

El estilo de Larra es uno de los más naturales, expresivos y brillantes desde Cervantes. Su muerte fué una gran pérdida para el pensamiento y la literatura española.

XXIV

El realismo en la segunda mitad del siglo XIX

Larra y los costumbristas tenían más sentido de la realidad del que aparece en la poesía lírica o en el teatro durante el breve período romántico. La obra de los costumbristas preparó el terreno para el desarrollo de la novela realista. Era lógico que el teatro se hiciera también más realista y que se desentendiera un poco de los infelices trovadores de la Edad Media para dedicarse a los problemas contemporáneos y al hombre ordinario. La poesía mostró las mismas tendencias.

El verso. Ramón de Campoamor (1817–1901) era un caballero bastante prosaico que se consideraba filósofo y escribía versos. Vivió una vida ordenada aunque fué tres veces gobernador de provincia. Se dedicó principalmente a escribir. Es un excelente representante de lo positivo, del espíritu burgués que representaba la natural reacción contra el Romanticismo, y sus poemas constituyen una crítica de los sentimientos exaltados tan de moda durante su juventud.

En sus primeros libros de versos, ahora olvidados, Campoamor se rindió por el momento a la inspiración romántica de la época. Casi olvidadas, también, están sus polémicas y sus disertaciones sobre *El personalismo* (1855), *Lo absoluto* (1865), y sobre poesía, *Poética* (1883). Sus más ambiciosos y largos poemas como *Colón* (1853), *El drama universal* (1869), contienen de todo un poco en unas veinte mil líneas, y *El licenciado Torralba*, composición pseudo-histórica, es apenas leída hoy.

Su gran popularidad es debida principalmente a tres clases de poesías, que pretende haber inventado, pero sería más exacto decir que sólo inventó los nombres. En 1846 publicó primero sus *Doloras*. Está enamorado del « arte por el arte » y una dolora en su concepto debía ser una elegante, delicada y breve composición poética que revelara la verdad a través de la ironía, tocando algún problema universal. Es cierto que Campoamor consiguió elegancia en estas pequeñas composiciones, y como su pensamiento no se hallaba muy por encima del intelecto de sus contemporáneos era lógico que acabase por obtener gran popularidad. La más conocida de sus *Doloras* es *¡ Quién supiera escribir!* Una muchacha campesina que no sabe escribir trata de convencer a un sacerdote para que le escriba una carta de amor a su amante, y cada vez que aquél le reprocha sus expresiones exageradas de amor, ella termina la estrofa con la frase: « ¡ Quién supiera escribir ! »

El segundo de los aspectos de la obra de Campoamor nos lo ofrece en sus treintaiún *Pequeños poemas*, que son generalmente anécdotas de naturaleza filosófica o sentimental. Fueron publicados en distintas ocasiones desde 1872 a 1894, y son mucho más largos que las *Doloras*. Su contenido es fácilmente asimilable sin gran esfuerzo por parte del lector.

Las *Humoradas* son muy cortas, y en ellas trató Campoamor de combinar lo mejor del epigrama, la oda, el madrigal y otras formas poéticas. Las *Humoradas* (1886–1888) son más que nada epigramáticas, y muchas de ellas están hábilmente construidas.

El tono de Gaspar Núñez de Arce es mucho más sonoro que el de Campoamor. Estuvo enredado en política, fué diputado, gobernador de Barcelona y Ministro del Exterior, y siempre mostró verdadera solicitud por los intereses de la nación y profunda preocupación por los problemas de su tiempo.

Según Núñez de Arce, la poesía debía ser siempre movida, animada, y capaz por su fuerza expresiva de abrir surcos en el corazón. En la práctica se propuso alcanzar este objetivo mediante un estilo extremadamente enfático, como si dijéramos incorporando el grito a la poesía. El título de su libro más importante es significativo: *Gritos del combate*, 1875. Clama en él por una eliminación de los males del pasado, y muestra fe en su patria y en su religión. Hay cierto acento de desilusión, de pesimismo, en toda su obra, y cierta presencia de duda que no se desvanecerá. El mismo tono caracteriza otras de sus composiciones, como *La selva oscura*, *El último lamento de Lord Byron*, *La visión de Fray Martín*.

Menos resonante y mucho más tierno es *Un idilio y una elegía* (1878), historia de amor frustrado por la fría mano de la muerte, *La pesca* (1884), otra tragedia de amor, y *Maruja* (1886), historia de una pareja de ancianos que logra la felicidad adoptando a una pequeña mendiga.

Núñez de Arce pertenece a una generación retórica, como Echegaray, y el gran orador y estadista Emilio Castelar. Los lamentos del poeta parecen menos acerbos con el transcurso del tiempo, y su fama ha disminuído. Fué grandemente estimado en sus días y no existe razón alguna para poner en duda su sinceridad de escritor y de hombre público.

El teatro post-romántico. Manuel Tamayo y Baus (1829–1898) es el dramaturgo que mejor puede representar en el siglo XIX la transición del teatro romántico e histórico al teatro social y de tesis: *La bola de nieve*, 1856, muestra cómo los celos aumentan cual bola de nieve que rueda. *Lo positivo*, 1862, condena la devoción excesiva al dinero. *Lances de honor*, 1863, condena los duelos. El más conocido drama de Tamayo es *Un drama nuevo* (1867), drama dentro de un drama, con reminiscencias de Shakespeare y Yorick. Resulta altamente declamatorio, pero fué grandemente admirado por muchos años entre el mundo letrado y entre los legos. La construcción es excelente. Tamayo escribió también obras sentimentales e históricas y una tragedia clásica bien compuesta sobre el conocida tema de Virginia.

Adelardo López de Ayala (1828–1879) fué un resonante orador, pomposo político y fecundo dramaturgo. Conocía a fondo el Siglo de Oro y quizás hubiera podido aspirar a ser un nuevo Ruiz de Alarcón si hubiese tenido más intensidad y más talento. Produjo cierto número de obras realistas bien planeadas, de agradable argumento y personajes naturales y haciendo siempre resultar algún lema moral. *El tanto por ciento*, 1861, trata del amor imponiéndose sobre el interés monetario. *Consuelo*, 1878, es la historia de una muchacha despreocupada que se casa por dinero y resulta bien castigada. Muchos prefieren su primera obra, un drama histórico titulado *Un hombre de estado*, 1851. Hay otros dramaturgos menores que en general se parecen a Tamayo y a López de Ayala.

Gaspar Núñez de Arce, más conocido por su poesía lírica, produjo uno de los mejores dramas históricos del siglo *El haz de leña*, 1872, sobre la muerte del hijo de Felipe II, don Carlos. El tema ha sido ya muy usado en España y en el extranjero (el *Filippo* de Alfieri, y el *Don Carlos* de Schiller). La obra de Núñez de Arce es notable por su rectitud, su argumento simple y movido y su prédica liberal en favor de la tolerancia religiosa.

El rey de la escena española en el último cuarto del siglo XIX fué José Echegaray (1832–1916), primer español que recibió el premio Nobel de Literatura, en 1904. Echegaray fué profesor de matemáticas, ingeniero, hombre de estado y dramaturgo. Nunca se cansó de forzar sus argumentos y trabajar para dar más relieve y salida a sus personajes. El resultado fué una especie de nuevo melodrama romántico, con igual énfasis en la pasión y abandono de circunstancias menores como los temas de la Edad Media, el color local u otras características del Romanticismo. Las escenas y los personajes de Echegaray son generalmente contemporáneos y aparentemente realistas. Hoy nos parecen exageradas sus pasiones volcánicas y también desproporcionados los problemas que por una especie de falsa profundidad frivolizan algunas de sus obras.

Su más famoso drama fué *El gran galeoto* (1881) en el que demuestra cómo las sospechas infundadas pueden dar al traste con el verdadero amor y producir una gran tragedia. *O locura o santidad*, que trata de un honrado caballero que es declarado loco porque insiste en dejar su fortuna al verdadero heredero. *El hijo de don Juan* habla de los pecados de los padres que recaen sobre los hijos y tiene una fuerte reminiscencia de los *Espectros* de Ibsen. Echegaray escribió unos sesenta dramas más. Su gloria se halla ahora desvanecida, perdida entre la bruma de su declamatoria retórica.

Las comedias y los dramas de Pérez Galdós, aunque con menos excelencias técnicas, son mas realistas y presentan una interpretación mejor de los problemas españoles de la época, que el autor conocía a fondo. El título de la primera obra de Galdos es significativo: *Realidad*, 1892. *La loca de la casa*, 1893, *El abuelo*, 1904, y otras están basadas sobre sus propias novelas. *El abuelo* es un viejo aristócrata convencido por las virtudes de su nieta ilegítima de que las ideas del honor heredado y del orgullo de raza son falsas. *La de San Quintín*, 1894, retrata a una familia aristocrática en decadencia regenerada por el trabajo y presenta el conflicto entre el ciego convencionalismo y el progreso, tema favorito de Galdós.

Se ha dicho que las novelas de Galdós son hondamente dramáticas, citándose como ejemplo a *Doña Perfecta*, y que sus dramas se parecen a sus novelas. No era un maestro del movimiento escénico, pero es importante en la historia del teatro del siglo XIX, porque llevó éste de lleno a la realidad, mediante el empleo de temas actuales, y el desarrollo de personajes tomados de la observación directa.

De Joaquín Dicenta se dice generalmente que llevó el proletariado a la escena, no buscando lo pintoresco ni el descanso o compensación de lo trágico como en el teatro del Siglo de Oro, sino considerando la clase obrera como protagonista principal. El *Juan José* de Dicenta (1895) es un trabajador honrado que desciende hasta el crimen, debido al brutal tratamiento que le hace padecer su patrón, hombre de alta alcurnia. La obra disfrutó de gran popularidad. *El lobo*, 1913, muestra un presidiario regenerado por el amor, de acuerdo con la formula romántica, y hace recordar vagamente el *Marion Delorme* de Víctor Hugo. En efecto,

Dicenta ha sido llamado « un romántico en blusa de obrero. » En sus diálogos usa el lenguaje de los proletarios mismos, y jamás intenta obtener efectos de belleza o elegancia. Debe decirse a su favor que contribuyó a extender la esfera de la escena española.

La novela regional. Los románticos anduvieron en busca de la re-creación del color local del pasado o de lo exótico, y los costumbristas se dedicaron a expresar el sabor y la atmósfera peculiar de su propia patria y de su época, aunque solamente hicieron esbozos más o menos agudos y más tarde, cuadros de costumbres. Su aportación fué grande, pero no alcanzaron a crear una verdadera novela de costumbres. Esta tarea tocó a los autores de la segunda mitad del siglo que lograron la combinación del argumento con el paisaje, para desarrollar la novela regional que caracteriza el período desde el 1850 en adelante.

La combinación fué utilizada por primera vez por Cecilia Böhl de Faber (1796–1877), más conocida por el pseudónimo de Fernán Caballero. Era hija del cónsul de Hamburgo en Cádiz, entusiasta hispanófilo Johann Böhl von Faber. Aunque nacida en Suiza, y educada principalmente en Alemania, pasó la mayor parte de su vida, incluyendo sus tres matrimonios, en el sur de España.

Su primera y más importante novela fué *La Gaviota.* El argumento consiste en la triste historia de un médico alemán, Fritz Stein, casado con Marisalada, La Gaviota. Marisalada se hace famosa por su hermosa voz y logra el amor de un torero. Stein se marcha para morir de fiebre amarilla en Cuba, el torero es mortalmente herido, y La Gaviota pierde su voz y acaba casándose con el barbero del pueblo. Es el ambiente lo que resulta atractivo, pues Fernán Caballero describe deliciosamente la vida de los simples campesinos de Andalucía, sus canciones, sus historias y supersticiones, su dulce caridad y sencilla fe. Desgraciadamente la autora es amiga de sentimentalizar y también de sermonear, y su estilo no es modelo de concisión, exactitud o elegancia. Merece homenaje por haber fundado en la

España del siglo XIX la novela regional realista, sentando el ejemplo que seguirían otros autores de gran cultura y penetración. Bastante populares fueron también *La familia de Alvareda* (1856) y *Un servilón y un liberalito* (1857).

Antonio de Trueba (¿ 1819 ?–1889), autor de escasa cultura y de estilo descuidado, empezó a escribir casi al mismo tiempo que Fernán Caballero. Se le recuerda principalmente por sus cuentos que tienen como fondo la región vasca donde nació.

Mucho más importante fué el altamente cultivado y prócer Juan Valera y Alcalá Galiano (1827–1905). Su profesión como diplomático le llevó a Nápoles, Viena, Lisboa, Washington (no fué muy bien impresionado por los Estados Unidos), y otros lugares. Escribió poesía, teatro, mucha crítica literaria, e hizo traducciones, por ejemplo, de *Dafnis y Cloe*, pero su obra más famosa es la novela, *Pepita Jiménez* (1874), inspirada por la lectura de los místicos españoles y que es la sencilla, pero psicológicamente penetrante, historia de un joven seminarista que renuncia a los hábitos para casarse con una encantadora viuda. El escenario es una pequeña aldea de Andalucía, tierra natal y muy querida del autor. Sus otras novelas son *El comendador Mendoza*, *Doña Luz*, *Pasarse de listo*, *Las ilusiones del doctor Faustino*, *Morsamor* y *Juanita la Larga*. El estilo de Valera es siempre elegante, pulido y de gusto excelente. La obra realizada por Valera como novelista regional señala sin duda un gran avance sobre su predecesor, Fernán Caballero.

Pedro Antonio de Alarcón (1833–1891), más andaluz aún que Valera, fué un cuentista nato. *El final de Norma*, escrito a los dieciocho años, es un folletín de puerilidades, conforme el mismo autor reconoció más tarde. Sin embargo, *El sombrero de tres picos*, basado en los romances españoles, es uno de los mejores cuentos del idioma, distinguiéndose por su humor, su rápido movimiento, el bien trazado ambiente y el color de sus personajes. *El escándalo* (1875) y *El niño de la bola* (1880) están recargados de elementos melodramáticos, pero conservan altas cualidades. *El Capitán Veneno* adolece de una super-simplificación de los personajes, y de exageración, pero es la historia alegre de un desdén imponiéndose a otro desdén: la infinitamente dulce Angustias hace que se rinda completamente el fiero Capitán Jorge que desprecia y odia a todas las mujeres. *La pródiga*, 1881, fué recibida silenciosamente por la crítica, y Alarcón desde entonces no escribió más novelas.

Algunos han creído que Alarcón se distingue más en el cuento, género que necesariamente le obliga a restringir su exuberancia natural. Las historias que tituló *Historietas nacionales*, son verdaderamente admirables y algunas aparecen siempre en todas las colecciones de cuentos españoles. Tienen un ambiente excelente, están narradas de manera flúida, y los personajes aparecen firmemente delineados. Ejemplos son *El libro talonario*, *La buenaventura*, y *El afrancesado*.

Alarcón escribió también buenas crónicas de viajes (*De Madrid a Nápoles*), y fué corresponsal de guerra (*Diario de un testigo de la guerra de Africa*).

José María de Pereda (1833–1905) nació en el norte y vivió en Santander. Descendía de una aristocrática familia conservadora, y su intención era seguir la carrera de las armas como oficial de artillería, pero abandonó el ejército y se dedicó totalmente a la literatura. Al principio continuó la tradición de Fernán Caballero y de Trueba, publicando estampas costumbristas en varios periódicos santanderinos, que fueron más tarde recogidas en forma de libro en *Escenas montañesas*. Hizo sin éxito intentos en el género teatral, y se mezcló un poco en política. Su primera novela fué *El buey suelto*, 1877, repleta de propaganda contra la soltería egoísta. *Don Gonzalo González de la Gonzalera* (1878) es mejor, y posee personajes reales. *Pedro Sánchez* (1873) es un análisis de la corrupción política, y el *Sabor de la Tierruca* (1884) es un idilio rústico.

Una de las mejores novelas regionales españolas es *Sotileza* (1884), especie de epopeya en prosa de Santander. Los personajes principales, admirablemente trazados, son la muchacha huérfana Silda (apodada « Sotileza » por su extremada delicadeza) y sus tres pretendientes, que representan distintas clases de la sociedad de Santander. Las descripciones marinas, especialmente la de una tormenta, son admirables. *Peñas arriba* (1893) describe la vida patriarcal en las montañas norteñas. Estas dos novelas son posiblemente las mejores de Pereda, aun teniendo en cuenta las virtudes de las otras.

Pereda figura entre los mejores artistas del realismo español. Es notable por su vigor y sinceridad, y posee, además, una dignidad que contrasta peculiarmente con la gracia ática y el cinismo o escepticismo melancólico de su contemporáneo, Valera. Sus ideas, que hoy consideraríamos anticuadas, eran conservadoras, ya que creía en el antiguo sistema patriarcal de gobierno y en los dóciles campesinos sometidos a los virtuosos y generosos señores. Consideraba las ciudades como lugares de corrupción y el campo único escenario de la virtud. No era, pues, un demócrata sino más bien archiconservador, pero afirma sus creencias con franqueza y con integridad moral y artística. Su estilo es sólido y directo, y su lenguaje rico y pintoresco. Fué uno de los mejores y quizás el más típico de los realistas de España.

La condesa Emilia Pardo Bazán (1852–1921) es la novelista de Galicia. De criterio mucho más amplio que Pereda, con quien compite en vigor, fué muy influida por Zola, y se propuso introducir el naturalismo en España. Sin embargo, es más naturalista su credo literario que su verdadera filosofía. Discutió este asunto en 1883 en un ruidoso estudio que tituló *La cuestión palpitante*, pero el tema del naturalismo está hoy en día muy lejos de ser palpitante, y los métodos literarios de la condesa nos parecen ya tan anticuados como las ideas políticas de Pereda.

La primera novela de la condesa, *Pascual López* (1879) ha sido merecidamente olvidada, pero aún se recuerdan dos de sus obras que ofrecen un excelente cuadro de la vida de su nativa y amada Galicia: *Los pazos de Ulloa*, 1886, y su continuación *La madre naturaleza*, 1887. Los personajes secundarios y el ambiente están particularmente bien presentados en un estilo que resulta lleno de color y a veces un poco recargado. La Pardo Bazán escribió algunos cuentos excelentes y un cierto número de novelas de menor calidad.

Otro defensor del método naturalista fué el profesor de Derecho, crítico y novelista, Leopoldo Alas (« Clarín, » 1852–1901). Su obra fundamental es una larga novela titulada *La Regenta* (1884–1885), que analiza la vida en la cuidad de Oviedo, sin escatimar detalles y sin detenerse ante lo desagradable. La caracterización de sus habitantes, notables o insignificantes, posee relieve y vigor, aunque es amarga. La heroína, Ana Ozores, esposa del juez, es una especie de Emma Bovary, que finalmente se rinde al don Juan de la localidad, causando la muerte a su marido, y gran dolor al canónigo de la catedral que la amaba tanto como le permitía su propia naturaleza egoísta, acabando por fin la adúltera de la peor manera. La novela, a pesar de su extensión, posee verdadera intensidad. Alas escribió también algunos cuentos. Sus artículos críticos muestran una considerable acerbidad, pero también un cierto deseo de mejorar el nivel de la producción literaria. « Clarín » fué más estimado por la generación siguiente que por sus contemporáneos, a muchos de los cuales causaba irritación.

El adjetivo que mejor cuadra a Armando Palacio Valdés (1853–1939) es el de « agradable. » Sus numerosas novelas fluyen suavemente, entretenidas, con argumentos bastante interesantes y un diálogo siempre natural y pleno de humor. Su análisis de los personajes es siempre plausible sin ser profundo.

Marta y María (1883), estudio del carácter de dos tipos de mujeres, es una de las primeras y también de las mejores novelas de Palacio Valdés, en la que Asturias es el escenario. *José* (1885) es una narración de pescadores, menos intensa que *Sotileza* de Pereda. *La alegría del capitán Ribot* (1899) describe las costumbres valencianas. *Maximina* y *Riverita*, en forma autobiográfica, son delicadas y sensitivas. La obra más popular de Palacio Valdés es *La Hermana San Sulpicio* (1899), presentación pintoresca aunque un poco al estilo turístico de la vida y el amor en Sevilla. Nuestro héroe, Ceferino, un poco enfermizo, a través de la adecuada limitación de las ventanas enrejadas persuade a su Gloria de no tomar los votos definitivos de monja, y todo termina con alegría y felicidad. El realismo y el sentido del humor de Palacio Valdés han sido gustados por multitud de lectores en España y en el extranjero.

El más grande novelista español del siglo XIX fué sin duda Benito Pérez Galdós (1843–1920). Nacido en las Islas Canarias, estudió derecho en Madrid, aunque no ejerció nunca la abogacía. Comenzó a publicar novelas en 1870 (*La fontana de oro*) y continuó escribiendo constantemente hasta la época de su muerte.

Uno de las aspectos más importantes de la obra de Galdós reside en sus novelas históricas, *Episodios nacionales,* en cinco series, que relatan la historia de España en los setenta años que siguen a los hechos de 1808. Son en total cuarenta y seis volúmenes. Galdós no buscó nunca lo pintoresco, ni usó los recursos de Walter Scott en esta notable presentación de la historia de su patria. Sus principales personajes, sus intrigas amorosas, son imaginarias y sirven de alfileres para prender los acontecimientos reales, pero realiza un esfuerzo inmenso, de documentación histórica, para no presentar meramente batallas, levantamientos, y actos heroicos, sino la verdadera atmósfera de la España que trata de retratar y que las historias no reflejan nunca. Es indudable la afirmación de que por primera vez hizo a los españoles verse a sí mismos y contemplar su pasado inmediato, así como observar su pusilanimidad al propio tiempo que su heroísmo, y comprender sus fracasos y sus victorias. Las primeras dos series, que comienzan con *Trafalgar* (1873), son indudablemente las mejores. La segunda termina con la derrota de absolutismo en 1834, después de la muerte del tirano Fernando VII. *Bailén* (1873), *Zaragoza* (1874) y *Gerona* (1874) se cuentan entre los mejores tomos de la serie. Los *Episodios* resultan inapreciables para el estudio histórico de la España del siglo XIX.

Sin embargo el esfuerzo que representa esta obra no agotó las energías de Galdós ya que siguió escribiendo novelas sobre problemas españoles contemporáneos. *Doña Per-*

fecta (1876), una de las obras más sólidas de Galdós, es un estudio sombrío del fanatismo en una imaginaria pero bien presentada ciudad de provincias. *Gloria* (1877) trata del trágico amor de una muchacha católica española por un judío inglés. *La familia de Leon Roch* (2 vols., 1879) demuestra cómo la excesiva religiosidad puede destrozar una familia. *Fortunata y Jacinta* (4 vols., 1886–1887) es un hábil análisis de la clase media de Madrid. *Angel Guerra* (3 tomos, 1891) con escenario en Toledo, analiza y describe el misticismo en nuestro tiempo. *Nazarín* (1895) hace recordar a Tolstoi. *Misericordia* (1897) presenta de modo animado la vida de las clases humildes de Madrid. *Marianela* (1878) tiene que ser considerada aparte del resto de su obra, y es un idilio sentimental en una provincia del norte, la vida y muerte de una muchacha de alma exquisita pero de fea apariencia. Su amante ciego se aparta de ella cuando recobra la vista.

Galdós no escogió ninguna región determinada de España para sus novelas, sino más bien todo el país, que conocía quizás mejor que ninguno de sus contemporáneos. Sus novelas han sido justamente comparadas con la *Comédie Humaine* de Balzac. Nadie ha podido ocupar su lugar en la literatura después de su muerte.

Vicente Blasco Ibáñez (1867–1928) es el novelista valenciano por excelencia, y pertenece artísticamente al siglo XIX. Su primera novela importante, *Arroz y tartana*, apareció en 1894, y desde entonces hasta el fin de su vida produjo una plétora de libros. Si tuviéramos que elegir dos de sus novelas como las mejores, no cabría duda de que serían *La barraca*, 1898, y *Cañas y barro*, 1902. El verdadero protagonista de la primera es la huerta valenciana, presentada con singular vida. *Cañas y barro*, sobre los pantanos de la Albufera cerca de Valencia, narra una sombría tragedia. Como en *La barraca*, los personajes campesinos están pintados con profunda intensidad, y el lector en verdad consigue captar el espíritu y la vida de la región. En sus cuentos compilados en *Cuentos valencianos* (1896) abundan también los tipos populares.

Blasco, aunque vigoroso e inquieto, no se contentaba con quedarse material o espiritualmente en una época. En *Sónnica la cortesana* (1901) se propuso resucitar la vida de la antigua Sagunto, al modo de Flaubert en Salammbô. Expresó sus sociales y políticas tendencias radicales en una serie de novelas que se desarrollan en distintas partes de España: *La catedral* (1903), anticlerical, en Toledo; *El intruso* (1904), en Bilbao; *La bodega* (1905), señalando los peligros del alcohol, en Jerez; *Sangre y arena* (1908), en Sevilla; *Los muertos mandan* (1909), en la isla de Ibiza, en las Baleares.

La fama internacional de Blasco Ibáñez, mayor que la de ningún otro autor español desde Cervantes, comenzó con *Los cuatro jinetes del Apocalipsis*, 1916, novela de la primera guerra mundial, en la que puede hallarse una interesante descripción de la batalla del Marne. A medida que la fama y la fortuna del autor aumentaron, disminuyeron sus aptitudes artísticas. Sus últimas novelas cosmopolitas como *Mare nostrum*, *Los enemigos de la mujer*, *El Papa del mar*, *A los pies de Venus* (1926), están muy por debajo de su obra anterior. Blasco murió en Francia, exiliado por la dictadura española a la que combatió con todos los medios a su alcance. No vivió bastante para presenciar la instauración de la república, que le hubiera hecho feliz, ni la guerra civil, que le hubiera entristecido.

Los exquisitos de la literatura han reprochado a Blasco su turbulento naturalismo, su falta de elegancia y delicadeza, y hasta la pobreza de su imaginación. Fué principalmente un reportero bien dotado, poseedor de un increíble vigor, maestro del detalle pintoresco, del sencillo y desnudo trazo para personificar tipos poco complicados, y fué sobre todo el hábil intérprete de su región natal.

XXV

El camino del infortunio

En 1898 España perdió una guerra con una nación mucho más poderosa y le arrebataron Cuba y las Filipinas. En los años siguientes el destino le reservaba aun más desastres en el resto de sus colonias, para sufrir más adelante una devastadora guerra civil, como resultado de la cual, España había de caer en manos del fascismo. Las democracias debieron prever el resultado, pero en aquel momento Francia, Inglaterra y los Estados Unidos, entregados al apaciguamiento y a evitar que el fuego se extendiera, permitieron el triunfo de Franco, aliado de Hitler y Mussolini. Desde los primeros años del reinado del último monarca resultaba evidente que el país se hallaba inquieto y al borde del desorden.

Historia — De 1898 al momento presente. Alfonso XIII fué declarado mayor de edad en 1902. Poseía una personalidad considerable y cierta energía, y al menos durante su juventud fué muy popular, pero los problemas fundamentales de la nación se hallaban fuera de sus alcances. Desde la restauración de su padre, Alfonso XII, los partidos conservador y liberal habían alternado en el poder, sin beneficio alguno para el país. En el siglo XX, pequeños partidos como los federales, regionalistas, socialistas, republicanos y otros, lograron obtener suficientes actas en las Cortes para obstaculizar la labor de la mayoría parlamentaria de cualquier gobierno. Se hizo difícil conseguir la solución de ningún problema por medios constitucionales y el resultado fué una creciente inquietud en la nación, y una insatisfacción general ante los que gobernaban. Cataluña desde hacía largo tiempo aspiraba a su autonomía, y fué victima de las represiones del poder central. Los catalanes obtuvieron algunas concesiones en abril de 1914, pero no eran suficientes.

Los problemas del Marruecos español se agudizaron después de 1898. Inglaterra y Francia firmaron un tratado secreto con respecto al Norte de Africa en 1904, y Guillermo II de Alemania irrumpió en los asuntos marroquíes en 1905. La Conferencia de Algeciras en 1906 concedió la protección de Marruecos a Francia y a España, definiendo las esferas de cada una. España tuvo que entenderse con levantamientos de las tribus del Rif y en este proceso sufrió terribles desastres en Melilla en 1909, y en Annual en 1921. El pueblo español adivinó que los asuntos de Marruecos no eran manejados como se debían, y la confianza en el gobierno y en la monarquía resultó aun más debilitada.

El problema agrario, que tanto preocupaba a Jovellanos en el siglo XVIII así como a otros patriotas y a Costa a últimos del XIX, no había sido resuelto y los gobiernos siguientes mostraron muy poco interés. Nada se hizo prácticamente para explotar los grandes latifundios, propiedad de los grandes señores absentistas, que habían existido y continuaban aumentando desde la Edad Media.

Hubo algunos indicios de progreso, pero no muchos. Se desarrollaron las obras públicas, y se hicieron esporádicos esfuerzos para reforestar regiones, y elevar el nivel de la instrucción pública. La Junta para Ampliación de Estudios, por ejemplo, fundada para colocar la intelectualidad española al nivel de la del resto de Europa, realizó algunos progresos y suplió en gran parte la labor de las anticuadas universidades.

Podría pensarse que la guerra mundial de 1914–18, durante la cual España permaneció neutral, señaló un afortunado paréntesis, por lo menos, pero no fué así. España prosperó económicamente, pero sus problemas en lugar de ser resueltos fueron aplazados nada más. Hubo una crisis política en 1917 que no cristalizó. La catástrofe de Annual en 1921 hizo vibrar toda la vida española. El pueblo exigió responsabilidades al gobierno y al rey, y éste, que en ocasiones había mostrado inclinaciones democráticas, favoreció más y más a los elementos conservadores de la nación, haciendo aumentar el descontento popular. La monarquía estaba en peligro.

El momento era ideal para una dictadura. El 13 de septiembre de 1923, Miguel Primo de Rivera, de acuerdo con el rey, inició un levantamiento en Barcelona y triunfó sin haber disparado un tiro. El rey Alfonso fingió aceptar el hecho consumado y fué establecida la dictadura militar, que suprimió la constitución y los derechos individuales. La dictadura debió durar tres meses — dijo Primo de Rivera — pero se mantuvo durante siete años. Así finalizaron los esfuerzos iniciados en el siglo XIX por un gobierno constitucional y democrático.

El gobierno de Primo de Rivera fué primero un Directorio Militar, y luego un llamado gobierno civil, porque unos cuantos civiles participaban en él, pero en realidad sólo existía una autoridad, la del dictador. Sus relaciones con el rey no fueron nunca definidas.

Primo de Rivera era bien intencionado, pero en el fondo era un andaluz que vivía un poco en las nubes y de muy escasa capacidad. Se las arregló para terminar la guerra de Marruecos con una victoria sobre las tribus rifeñas en Alhucemas en 1926. Construyó buenas carreteras. Se comenzó la construcción de una nueva Ciudad Universitaria en los alrededores de Madrid. El orden interno se mantuvo por el momento, pero los problemas de España continuaban sin solución. El país evidentemente ansiaba un gobierno constitucional, y Primo no daba señales de complacerlo. Fué obligado a renunciar en enero de 1930, y marchó a París, donde murió poco después. El rey llamó entonces a otro general, Berenguer, compañero de responsabilidades del rey en la catástrofe marroquí de 1921 y luego a un almirante,

Aznar, pero el régimen estaba ya condenado a desaparecer. Los desórdenes de todas clases se multiplicaban: huelgas (quinientas cuatro en el año 1930) y aun más al año siguiente. Levantamientos de estudiantes. El sentimiento anti-monárquico y anti-clerical, al mismo tiempo que el pro-republicano crecía por momentos. Una revuelta militar en el aeropuerto de Cuatro Vientos, cerca de Madrid, y otra rebelión cívico-militar en Jaca fueron aplastadas, pero dos de los oficiales de la guarnición de Jaca que fueron fusilados se convirtieron en mártires de la causa republicana. Muchos de los republicanos que firmaron el manifiesto revolucionario fueron encarcelados, pero continuaron sus actividades en la prisión. Cuando fueron juzgados, su jefe, el ex-primer ministro Alcalá Zamora y otros 17 fueron condenados, pero las sentencias no se cumplieron. La lenidad gubernamental sirvió sólo para demostrar su debilidad ante el sentimiento republicano.

Un gabinete de coalición fué organizado para convocar a elecciones municipales el 12 de abril de 1931. Todas menos cuatro o cinco de las provincias españolas votaron en gran mayoría por los republicanos. Era evidente que los partidos de izquierda habían triunfado y que la monarquía estaba derrotada. Los monárquicos trataron de contemporizar, pero Alcalá Zamora se negó a ello. Alfonso XIII, comprendiendo que había llegado el final, abandonó España apresuradamente por el puerto de Cartagena el 14 de abril, dejando un documento en el que afirmaba que lo hacía para evitar derramientos de sangre.

La historia de la segunda República Española (1931–1939), con cuyos ideales la mayoría de los norteamericanos simpatizaban, es bastante trágica. Sin embargo, habría tenido oportunidades de sobrevivir y de triunfar, a no ser por la notoria ayuda dada a Franco por Mussolini y Hitler y la falta de apoyo de Francia, Inglaterra y los Estados Unidos.

Los jefes republicanos en Madrid proclamaron presidente a Alcalá Zamora. Cataluña estableció su república autónoma, pero fué luego persuadida de que debía permanecer dentro de la República Española, lo que se hizo en paz y orden perfectos.

Sin embargo, pronto habría de correr la sangre por toda la Península. El 10 de mayo del año 1931 un conductor de taxímetro que gritó « ¡ Viva la República ! » fué atacado por los monárquicos, cuya sociedad a su vez fué saqueada por los republicanos, así como destruidas las oficinas de un diario de la monarquía. Un antiguo resentimiento contra el clero, que era en general estimulado por los mismos monárquicos, se mostró en seguida, y varias iglesias en Madrid y el resto de España fueron incendiadas. Aunque el alcance de estos excesos haya sido enormemente exagerado por los propagandistas enemigos de la República, fueron lo suficientemente deplorables para hacer pensar en el país y en el extranjero que los republicanos eran enemigos de la religión, monstruos sacrílegos a los que no podía confiarse un gobierno. Desórdenes posteriores fueron provocados por los anarquistas y los sindicalistas así como por otros extremistas de izquierda. La supresión de los desórdenes implicaba derramamiento de sangre. El gobierno provisional tuvo que proceder con energía.

Finalmente unas Cortes Constituyentes de tendencia izquierdista fueron elegidas. La Primera República fué realmente producto de los intelectuales. El número de profesores (sesenta y cinco) y médicos (cuarenta y uno) en la asamblea es sorprendente. Había ciento veinte y tres abogados y treinticuatro trabajadores.

La constitución adoptada por estas Cortes era liberal y de carácter socialista. Comenzaba diciendo: « España es una república de trabajadores de todas clases. » Establecía unas Cortes unicamerales elegidas popularmente, un presidente, un jefe del gobierno y los ministros responsables, la separación de la Iglesia y el Estado, la libertad de religión e instrucción laica. Una ley especial dispuso la disolución y confiscación de las propiedades de todas las órdenes religiosas que exigiesen más de los tres votos canónicos a sus miembros. Esta disposición iba dirigida especialmente contra los jesuitas.

Con Alcalá Zamora como presidente de la nueva República, y Manuel Azaña como jefe del gobierno, las Cortes aprobaron muchas leyes de sentido izquierdista. Se crearon el matrimonio civil y el divorcio, se instituyeron reformas agrarias, se adoptó un nuevo código penal, se aprobaron varias leyes de trabajo, se reorganizó el ejército, y se proveyó ampliamente la instrucción pública. El aporte del Gobierno Republicano a la instrucción primaria es especialmente admirable, ya que estableció en un solo año más de treinta mil nuevas escuelas. El gobierno de Azaña hizo un tremendo esfuerzo por renovar la vida nacional española.

Muchos consideraron que las reformas eran demasiado radicales. El Gobierno hizo frente con firmeza a todos sus enemigos, y sufrió la oposición de conservadores y radicales. De aquí que cuando se convocaron las nuevas elecciones en noviembre de 1933, la Izquierda obtuvo solamente 99 actas en las Cortes. El Centro obtuvo ciento sesenta y siete, y la Derecha doscientos siete. Estos conservadores y moderados hicieron muy poco, e incurrieron en la enemistad del pueblo al aplastar una rebelión catalana y una huelga general en Oviedo. La huelga asumió las proporciones de una revolución (octubre, 1934), y murieron unas mil trescientas personas antes de que las tropas del gobierno restablecieran el orden. Las luchas políticas de toda suerte caracterizaron el año 1935. Se convocó a nuevas elecciones en enero de 1936, y una coalición de izquierdistas dirigida por Azaña y llamada el Frente Popular, ganó la victoria. Por desgracia esta victoria fué seguida por la violencia: el naciente partido fascista suscitaba incidentes sangrientos a cada paso y en un solo mes cometió más de diez asesinatos. Los comunistas — partido también naciente — contestaron en la misma forma. Los conservadores estaban exasperados y no era secreto alguno que los grupos fascistas planeaban un levantamiento. El apoyo de Mussolini y de Hitler a los conspiradores no era tampoco un misterio para nadie. Los asesinatos políticos siguieron siendo frecuentes, y el Gobierno parecía incapaz de dominar la situación.

El 17 de julio de 1936, las tropas españolas en Marruecos dirigidas por el General Francisco Franco se levantaron en armas. Al día siguiente los jefes de varias guarniciones en España se unieron al « Glorioso Movimiento, » como lo llamaban sus partidarios. En Madrid y en Barcelona se aplastó rapidamente, pero Franco comenzó a desembarcar tropas, incluyendo moros, en el sur de España, y Andalucía cayó pronto en sus manos. El apoyo de Franco provenía principalmente: de (1) la clase rica, los grandes latifundistas, incluyendo entre ellos a la mayoría de la nobleza; (2) la alta oficialidad del ejército, que nunca simpatizó con la República; (3) muchos miembros del clero, que se oponían violentamente a los radicales a quienes temían; (4) dos organizaciones poco numerosas pero agresivas: Falange Española y Requetés; Mussolini y en menor escala Hitler. Franco era mucho más afín a esos dictadores de lo jamás podía ser un gobierno republicano. Además, los italianos y alemanes encontraron en España un magnífico laboratorio de guerra donde ensayar todas sus maniobras y armas tácticas. Los leales estimaban en unos cien mil el número de soldados italianos que peleaban con Franco, además de un número indeterminado de alemanes, especialmente en los servicios técnicos. Los aprovisionamientos y las tropas podían desembarcar en el Sur y a través de Portugal, cuyo dictador, Salazar, era partidario del fascismo. Los alemanes necesitaban el triunfo del fascismo en España para sus planes ulteriores. Ahora resulta evidente que la rebelión de Franco en España fué sólo una fase del movimiento totalitario europeo.

Los españoles han sido siempre buenos guerreros, y los leales pelearon contra sus enemigos con increíble tenacidad. Madrid sostuvo un sitio heroico, y nunca fué tomada. Las tropas italianas sufrieron una vergonzosa derrota en Guadalajara. Los leales fueron al principio ayudados por los rusos, y pudieron mantener la superioridad en el aire. Los rusos poco a poco retiraron su apoyo y pronto la superioridad de Franco en aviones y material de todas clases fué abrumadora. Una comisión de no-intervención, que en el fondo no era sino una burda farsa, dominada especialmente por Inglaterra, impidió el abastecimiento de los leales, mientras España se llenaba de tropas de Italia y Alemania. A pesar de la simpatía a favor de los leales, imperante en los Estados Unidos (cerca de 70 por ciento, según Gallup), una « ley de embargo » prohibió el abastecimiento de la República. Hubo comunistas entre los leales, aunque nunca en mayoría, y parece que Inglaterra durante los gobiernos de Baldwin y Chamberlain, de triste memoria, así como los Estados Unidos (si es que el Comité Dies significó algo), tenían un miedo mortal de ayudar al comunismo. Sólo más tarde dieron las democracias la mano a Stalin.

El progreso de Franco fué lento, pero bastante continuo. La resistencia leal fué aplastada en el noroeste a fines de 1937. En abril de 1938, Cataluña quedó aislada de Madrid. Barcelona, cuando los leales apenas tenían aviones, fué sometida a bombardeos sin misericordia. A principios de 1939 los leales apenas podían sostenerse. El gobierno y muchas tropas escaparon por el norte hacia Francia. Franco entró en Barcelona el 26 de enero de 1939. Cerca de un millón de españoles yacían muertos en los campos de España, y había unos seiscientos mil prisioneros. Este número se redujo por los fusilamientos en masa ordenados por Franco. Consejos de guerra sumarísimos se formaban cada día para condenar sistemáticamente a Republicanos, socialistas, sindicalistas, o comunistas. El hecho de ser francmasón era castigado frecuentemente con pena de muerte o de cadena perpetua.

La guerra había producido daños considerables, que era necesario reparar, para lo cual se utilizó el trabajo forzado de los prisioneros. Con toda seguridad la mitad del país al menos todavía simpatizaba con los republicanos. Los que no fueron encarcelados o asesinados tuvieron que someterse al régimen dictatorial de Franco. En la política exterior no existía problema alguno. España tenía que estar necesariamente del lado del Eje, pero el problema fundamental era el de conseguir más comida para los españoles. Ese problema todavía no ha sido resuelto.

XXVI

Una generación introspectiva: 1898

La República Española de 1931 fué el producto del fermento intelectual de los años precedentes. En el último tercio del siglo XIX se fué desarrollando en España una actitud más crítica. Los españoles comenzaron a meditar más profundamente sobre sus problemas nacionales, y se hizo evidente a cualquiera de sentido común que las cosas no andaban bien en la nación. Las colonias se habían perdido una tras otra. Las luchas internas, las guerras carlistas, habían arruinado la tierra, y el sistema político era a todas luces ineficiente y corrupto. Los desastres de la guerra hispano-americana en 1898 fueron el golpe final y al mismo tiempo el símbolo del infortunio nacional. España había adoptado los regímenes de monarquía constitucional y de gobierno representativo democrático, pero la realidad era que el cambio no había sido nunca real. Durante siglos España había exaltado a sus reyes y a la Iglesia, y dedicado extraordinarios esfuerzos a alcanzar ideales que nunca plasmaron. Era entonces lógico que los espíritus se tornaran pesimistas y que muchos desearan una completa ruptura con el pasado tratando de abrir vías a la regeneración. Galdós y Leopoldo Alas, entre otros, habían ya señalado los vicios del tradicionalismo español, y su obra fué continuada por entusiastas sucesores dotados de una mentalidad más adaptada a nuestro tiempo.

Pensadores y ensayistas. Joaquín Costa (1844–1911), por ejemplo, urgió a los españoles a « cerrar con siete llaves » la tumba del Cid, o sea a romper con el pasado heroico y legendario y a pensar en el presente. Costa creía que la única solución era una dictadura de base popular para « europeizar » a España, imponiendo a la nación los procedimientos sociales y políticos que estaban en uso en todas partes. Los discursos de Costa ejercieron todavía más influencia que sus libros, que aludían a distintos aspectos del gran problema: el derecho, la educación, la política, los problemas agrarios y la literatura.

Pompeyo Gener (1848–1921) también propugnaba la dictadura, « una dictadura científica, ejercida por un Cromwell darwinista injerto en Luis XIV, que fuese al mismo tiempo implacable y espléndido. » Pero Gener olvidaba que jamás en la historia ha habido una nación con tantas bendiciones. Gener expresó sus ideas en un estudio sobre la decadencia nacional titulado *Herejías* (1887).

Angel Ganivet (1865–1898) es sin duda uno de los más importantes predecesores de la llamada generación de 1898. Era un andaluz granadino sensible, que fué cónsul en Amberes, Helsinki y Riga, y dedicó profundas meditaciones a los males de su patria. Su actitud hacia España debió ser paralela a su desesperación y escepticismo personal, pues acabó por suicidarse arrojándose al Dwina.

Ganivet escribió algunos estudios literarios: *Hombres del norte*, una obra dramática, *El escultor de su alma*, un elogio de su ciudad natal, *Granada la Bella*, *Cartas finlandesas*, y dos novelas filosóficas cuyo héroe español, Pío Cid, es un excelente conquistador pero mal administrador. Su obra más significativa es el *Idearium español* (1897), hondo análisis de los males nacionales, brillantemente expuesto aunque sin propósito de sistema. Ganivet insiste en que España tiene que hacer un gran esfuerzo de voluntad para desarrollar lo mejor de su tradición propia, asimilando las instituciones europeas pero transformándolas para adaptarlas al genio peculiar individualista de los españoles.

Uno de los más fuertes espíritus de la España moderna fué

el vigoroso vasco, Miguel de Unamuno (1864–1937), profesor universitario de griego, novelista, dramaturgo, poeta, ensayista, y filósofo. Fué despojado de la rectoría de la universidad de Salamanca por el dictador Primo de Rivera, y desterrado a la isla de Fuerteventura. Regresó y estuvo en posición prominente durante los primeros días de la República. Murió en Salamanca en circunstancias inexplicadas después de la llegada de Franco.

Los dramas de Unamuno no tuvieron éxito. Sus novelas apenas si lo son, y en efecto él mismo las llama nivolas en vez de novelas. En ellas falta el escenario externo y la acción, y los personajes parecen abstracciones del intelecto o del sentimiento, que se ponen a discutir problemas morales, religiosos y filosóficos o simplemente vitales. Sin embargo estas novelas poseen intensidad, mucho humor y verdadera originalidad, como en *Paz en la guerra*, *La tía Tula*, *Niebla*, *Abel Sánchez*, *Amor y pedagogía*. Algunos de los cuentos de Unamuno, como las colecciones *El espejo de la muerte*, y *Tres novelas ejemplares y un prólogo*, nos lo muestran en todo su genio, intenso, desafiante y deslumbrador.

Como poeta Unamuno es desaliñado en la forma, vigoroso y sincero en la expresión, y profundamente personal. No hay gracia ni ligereza en sus poseías, pero son espiritualmente densos. Unamuno usa particularmente el soneto y el romance. Octosílabos sin rima aparecen en su notable poema, *El Cristo de Velázquez*.

Las novelas, las obras dramáticas y las poesías de Unamuno no difieren mucho, en verdad, de sus ensayos, género en el cual se siente a sus anchas, para desplegar su mente no sistematizada pero penetrante, y su vasta cultura. Apenas queda problema humano o tema contemporáneo que no haya sido tocado por Unamuno, y su sinceridad nos hace olvidarnos de sus inconsistencias y del excesivo uso de paradojas y juegos de etimología. Tiene fe en el individuo, además de creer en el progreso posible de su amada España.

Probablemente el mejor libro de Unamuno es *El sentimiento trágico de la vida*. La tragedia nace del conflicto entre la razón y el deso de inmortalidad. Unamuno escribe con gran entusiasmo, no sólo con su razón sino también con sus sentimientos: « en cuerpo y alma, » como dice. Cree en la inmortalidad porque tiene necesidad de creer para vivir, aun en contra de la lógica.

La vida de don Quijote y Sancho, 1905, contiene mucho más de Unamuno que de Cervantes. En efecto, los comentaristas dicen que quiso liberar el Quijote vivo de las losas de la tumba de Cervantes. Por tanto, la obra no es sólo un comentario literario sino una especie de continuación en la que Unamuno desarrolla algunas de las ideas sugeridas por don Quijote.

Unamuno fué grandemente admirado por la mayoría de los españoles y su influencia sobre ellos ha sido muy notable.

José Martínez Ruíz, más conocido por el pseudónimo de « Azorin » (1874–) es un ensayista de tipo diferente, sereno en vez de turbulento, más delicado que rudo. Azorín es el observador y el crítico que se coloca al margen para observar desde allí el teatro de la vida. Sus ideas son siempre atinadas, exactas y expresadas en un estilo liso y penetrante.

Azorín es el prototipo de la generación de 1898 en sus gustos y aversiones y en su actitud vital. Empezó, a los veinte años, atacando a los viejos contemporáneos que eran entonces tenidos en gran estima. El último tercio del siglo XIX fué la época de la retórica en España, y Azorín fué siempre enemigo jurado de la retórica, que constituía parte de « lo viejo » y los jóvenes del 98 detestaban todo lo viejo. Esto no quería decir que detestasen a los ancianos, ya que hombres de edad como Pompeyo Gener, podían ser jóvenes en espíritu.

La generación de 1898, incluso Azorín, se caracteriza por una actitud más crítica que positiva y por cierta abulia o falta de voluntad. El título de una de las primeras obras de Azorín es *La voluntad*, 1902, que con *Antonio Azorín* (1903) constituye una colección de ensayos sobre la vida española. Las nostálgicas *Confesiones de un pequeño filósofo* (1904) describen los días escolares del autor en un colegio de Padres Escolapios, y presenta un cuadro detallado y real de ese aspecto de la vida hispana en 1880.

Algunas de las más valiosas contribuciones de Azorín a la literatura de su tiempo se encuentran en sus volúmenes de artículos críticos sobre los diferentes aspectos de la vida y de la literatura españolas. Su actitud es francamente anti-académica, y siempre trata de dar el color y sabor peculiares de cualquier tipo, lugar o época que escoja como tema, con una delicada y sensitiva apreciación. Si en sus primeros años fué muy severo con los dramaturgos del Siglo de Oro, el tiempo le hizo más tarde rectificar. Son notables entre sus ensayos los libros *Al margen de los clásicos*, *Clásicos y modernos* y *Los valores literarios*.

Algunas de las obras de Azorín se titulan novelas, pero en realidad son novelas sin argumento, piezas descriptivas e interpretativas que resultan no menos valiosas por su originalidad. *Don Juan* y *Doña Inés* son narraciones admirables, que conservan un delicado perfume de tradición en la atmósfera actual. En sus últimos años Azorín casi se convirtió al super-realismo como puede verse en *Félix Vargas* y *Blanco en azul*, que no son de sus mejores obras. Su poesía tampoco añade nada a su fama.

Azorín posee un estilo muy original. Es suave, en tono menor, aparentemente sencillo, directo y singularmente expresivo. Tiene verdadera pasión por la palabra exacta, el detalle preciso, y su estilo es radicalmente opuesto a la espumosa retórica de un orador como Emilio Castelar (presidente de la primera República Española) o de su contemporáneo, Ricardo León. La falta de vigor en la obra de Azorín puede resultar más aparente que real. Es uno de los mejores intérpretes que jamás haya tenido España y especialmente Castilla.

Poetas. El romanticismo exaltó la subjetividad. El realismo y el naturalismo buscaron la objetividad como actitud sin cuidarse mucho de la forma. El « Modernismo, » término aplicado especialmente al movimiento poético hispano a fines del siglo, era en cierto modo una protesta contra ambos. Es paralelo y a veces deudor de la floración parnasiana y simbolista en Francia (especialmente Leconte de

Lisle y Verlaine) y en España constituyó una violenta reacción contra la verbosa intensidad de Núñez de Arce y el verso esencialmente prosáico de Campoamor.

La principal figura del movimiento modernista no fué un español, sino un nicaragüense, Ruben Darío (1867–1916). Su vida fué desordenada, pero su arte de una singular perfección. Su primer dios poético fué Victor Hugo y después Verlaine, pero también alardeaba de conocer a fondo la literatura española.

Su primer libro importante, *Azul*, publicado en 1888, está en prosa y verso. Las primeras críticas elogiosas que recibió fueron de Juan Valera en España. Los otros dos libros importantes de Darío son *Prosas profanas* (1896) y *Cantos de vida y esperanza* (1905). Además escribió una cantidad considerable de prosa.

Darío fué siempre un exquisito, un orfebre, un delicado cincelador. Su arte es esencialmente aristocrático, y detestó siempre lo vulgar y crudo. Nunca trató de dar nobles enseñanzas, ni de predicar a la humanidad, sino sólo de escribir versos de sugerentes imágenes, de perfección marmórea y de profunda musicalidad.

La influencia de Darío sobre los poetas españoles fué decisiva y todavía se nota hoy, ya que fué uno de los mejores versificadores del habla castellana. Se hacían entonces en España experimentos poéticos, más o menos atrevidos en la misma dirección. Se observan en la obra de Salvador Rueda (1857–1933), malagueño, que poseía una brillentez de tema y de melodía verdaderamente andaluzas. Sus experimentos no tuvieron siempre éxito, pues los dificultaba quizá una fluidez y abundancia excesiva. Si sus poesías no resultan iguales en méritos, al menos las mejores son armoniosas, originales y llenas de color.

Eduardo Marquina (1879–1946) aunque catalán, escribió sus dramas y poesías en castellano. Es definidamente modernista en sus versos, que a veces combinan la fuerza y la gravedad con la armonía. Sus *Odas* fueron publicadas en 1900, y muchos consideran *Vendimión* (1909) como su mejor obra. Sus *Canciones del momento* (1910) son ejemplo de la atención de su seria musa para los problemas contemporáneos. Sus obras de teatro le han dado más renombre que sus poesías.

Francisco Villaespesa (1877–1935) fué uno de los más fieles imitadores de Darío. Combina el color oriental con una melancolía quizás afectada. Algunas de sus poesías son sinceras y enternecedoras, pero la joyería brillante de sus versos resulta a veces falsa.

Emilio Carrere (1880–1947), inspirado por Darío y quizás más por Verlaine, es el poeta de la bohemia. Algunos de sus poemas sobre escenas populares son excelentes, y su sentimentalismo fácil le ganó muchos lectores.

Uno de los mejores imitadores de Darío fué el sevillano Manuel Machado (1874–). Es decir, Machado sigue a Darío en su parnasianismo, pero hay muchas otras cuerdas en su lira. Combina el refinamiento de París con el fuego y la delicada sensualidad de Sevilla. Su maestría técnica en las formas modernas del verso queda probada en su primer volumen *Alma* (1909), que contiene algunas de sus mejores poesías, llenas de riqueza de color y de notable habilidad descriptiva. Es un poeta que logra con palabras y sonidos de tono menor vívidos efectos. Su tomo *Caprichos* (1905) es más andaluz; las poesías son desiguales en mérito. *Cante hondo* (1912) y *Sevilla y otros poemas* (1918) están dedicados a la región natal, cuyo espíritu encarna con una artística estilización de motivos populares y una ardiente sugestividad. Nunca es profundo, pero pocos poetas han podido cantar a la belleza sensual tan melodiosamente como Manuel Machado.

El hermano de Manuel, Antonio Machado, nació también en Sevilla, en 1875. Murió en Francia en 1939. Pasó su juventud y la mayor parte de su vida en Castilla, y es el poeta moderno que mejor refleja el grave y sombrío espíritu de aquella región. Su producción es reducida, pues escribe sólo cuando «no puede menos de hacerlo,» evitando siempre en la emoción fácil y la frase espontánea. Sus poemas son concentrados, nunca difusos, intensos, serios, de lineas clásicas y de expresión sobria. Sus poemas más característicos se hallan en *Campos de Castilla* (1912), donde describe el viento que barre las altas llanuras, el paisaje casi desnudo, el duro y rugoso campesino de Castilla. El nostálgico poema narrativo que aparece en el volumen, titulado *La tierra de Alvar-González*, es un eco poético en la métrica de los romances, de aquella sanguinaria contienda familiar, tan acordada con la dureza del paisaje. Muchos consideran a Antonio Machado el primer poeta de su generación.

Otros prefieren a Juan Ramón Jiménez (1881–), poeta mucho más flúido, que ha derramado sus versos tomo tras tomo con la exuberancia del verdadero andaluz. Es mejor leer sus poemas aisladamente, en cuidadosas selecciones. Sin embargo, su talento es extraordinario. Comenzó con *Almas de violeta* y *Ninfeas* (1900) como un definido discípulo de Darío, pero pronto desarrolló un estilo más personal y original. Su primera cualidad es la refinada abstracción, y su tono dominante el de una suave tristeza. Uno de sus libros se titula *Melancolía.* Como en el caso de los modernistas, sus temas no importan mucho. Es la emoción que obtiene de ellos y su melodiosa expresión lo importante. Se aparta más y más de lo ornamental — a veces la verdadera maldición andaluza — para ir hacia la sencillez más extremada, conservando, no obstante, la sensualidad y la habilidad de percepción andaluzas.

Sería difícil clasificar a José María Gabriel y Galán (1887–1905) dentro de ninguna escuela literaria. Nacido en Salamanca, se hizo maestro de escuela, y luego se retiró para dedicarse a las tareas del campo. Su poesía es sencilla y sincera, poesía de la tierra, conectada más con la antigua tradición española que con ningún grupo moderno. Canta a los rebaños, a la naturaleza, a la vida del campo, con verdadera emoción y sinceridad. *Castellanas* y *Extremeñas* (alrededor de 1902) son notables interpretaciones de la vida rústica en Castilla y Extremadura. *Nuevas castellanas* apareció en 1905, y *Religiosas* en 1906. No es un profundo poeta, ni tampoco un poeta culto, pero en su verso se encuentra mucho del verdadero espíritu del hogar campesino español.

Dramaturgos. El segundo español que recibió el premio Nobel de Literatura fué, como Echegaray, un dramaturgo. Su nombre es Jacinto Benavente (1866–) pero sus obras son diferentes de las de sus predecesores. Benavente es madrileño, hombre de ciudad, sociable y cauto, y evita cuidadosamente los histrionismos de Echegaray. Realmente, la mayoría de las obras de Benavente son tan serenas y sin accidentes que resultan casi antiteatrales. Son principalmente dramas de sátira social, y las víctimas son los miembros de la alta burguesía de Madrid. Esto se puede especialmente aplicar a las obras que escribió entre 1894 y 1903. La sátira es aguda y agradablemente irónica, y las observaciones de la vida exactas e ingeniosamente expuestas. El tono es el de una suave y escéptica tolerancia y despreocupación. *La comida de las fieras*, 1898, es típica de su primera época. El tema es la ansiedad con que los supuestos amigos de un arruinado aristócrata se disputan como arpías los restos de sus bienes en un remate. La obra esta basada sobre un hecho real. *La gobernadora*, 1901, satiriza la corrupción social y política provincianas. Con *La noche del sábado* (1903) Benavente procura dar un ambiente más cosmopolita y general a su sátira, aunque sigue satirizando a los madrileños en *Los malhechores del bien*. Esta última es un ataque contra los reformadores que insisten en dominar las vidas y acciones de los que son objetos de su caridad.

Un lugar aparte del resto de sus obras merece *Los intereses creados* (1909), que es a menudo considerada como su obra maestra. La forma es la de la commedia dell' arte italiana semi-improvisada, con personajes como Polichinela, Silvia, Colombina, Leandro, Crispín, Pantalón, etc. Crispín lleva sus intrigas hasta el fin sólo por medio del amor puro que Leandro siente por Silvia. Así, el autor prácticamente afirma que Crispín y Leandro son los dos lados de la humanidad, el vil y el ideal, inevitablemente ligados uno al otro, tierra y cielo, imposible el uno sin el otro.

También sobresale en la producción de Benavente *La malquerida*, traducida al inglés bajo el original título de *The Passion Flower*. La escena es rural, y el tema la trágica pasión de un padrastro por su hijastra. La obra tiene verdadera intensidad y es la preferida por Benavente.

Aunque la actitud de don Jacinto es escéptico con respecto a los hombres, en cambio muestra gran simpatía por los niños, y entre sus obras se encuentran algunas comedias deliciosas escritas especialmente para ellos.

Gregorio Martínez Sierra (1881–) escribió poesía lírica y novelas pero es más conocido como autor de teatro. Con menos talento que Benavente, no le falta, sin embargo, verdadera habilidad dramática y una delicadeza femenina que puede ser la aportación de su esposa y colaboradora, María de la O Lejárraga. Esto se ve especialmente en *Canción de Cuna* (1911), que con un pequeño argumento muestra los sentimientos de un grupo de monjas hacia una niñita abandonada que crece entre ellas. La obra posee excelentes caracteres y una atmósfera densa de reflexiones. Otras de sus obras son *El ama de la casa*, *Primavera en otoño*, *Sueño de una noche de agosto*, *Mamá*, y *El reino de Dios*. La gracia y la vena cómica de las obras de Martínez Sierra fueron aprovechadas por la primera actriz de su grupo dramático, Catalina Bárcena.

Manuel Linares Rivas (1867–1944) era particularmente aficionado a las obras de tésis, con toques satíricos. *El abolengo* (1904) es un ataque contra el orgullo de linaje. *La garra* (1914) muestra la crueldad de la ley que no permite el divorcio. Los personajes de Linares son naturales, su diálogo ingenioso, y la acción rápida. Aunque sus obras tienen todas cierta similaridad, son buen teatro y tuvieron gran éxito en la escena.

El drama en verso está bien representado por Eduardo Marquina (1879–1946). Regularmente Marquina escoge temas de la historia nacional o de la leyenda y los trata con dramática efectividad. *Las hijas del Cid* (1908) viene del *Poema del Cid*. *En Flandes se ha puesto el sol* (1910), que se considera generalmente como su mejor obra, se desarrolla en los Países Bajos durante el reinado de Felipe II, y en ella se muestra de manera vívida el conflicto entre flamencos y españoles. *Las flores de Aragón* es una buena dramatización de las circunstancias que rodearon el matrimonio de Isabel y Fernando. Las obras de Marquina reúnen fuerza de acción, encanto poético y agilidad y movimiento en el verso.

Los hermanos Serafín (1871–1938) y Joaquín (1873–) Alvarez Quintero nacieron en Utrera, al sur de Sevilla, y su copiosa producción tiene siempre el calor, la gracia, el color y el humor atribuidos generalmente a los andaluces. Sus obras fueron escritas en colaboración y las mejores muestran una caracterización cuidadosa y verdadero humor. No es de extrañar, pues, que el público durante toda una generación se haya reído con ellas hasta llorar.

Los Quintero, no obstante, son algo más que graciosos. En sus obras cortas, como *El patio* (1900), *Las flores* (1901), logran la poesía y no sólo la gracia de Andalucía. *Los Galeotes* (1900) es un serio y dramático estudio de la ingratitud, calificada en el título según el episodio de los galeotes del *Quijote*. *Doña Clarines* (1909) es un buen estudio de carácter. *Don Juan, buena persona*, no tiene mucho de drama, pero es un divertido estudio de un don Juan, cuyas antiguas conquistas le persiguen y siguen dependiendo de él espiritual y materialmente. Este don Juan tiene el corazón blando y su temperamento le conduce a una serie de dificultades y preocupaciones.

Los Quintero resultan admirables en los sainetes, pequeñas escenas de la vida, a la manera tradicional de los pasos de Lope de Rueda, los entremeses de Cervantes o los sainetes de Ramón de la Cruz. Estas obritas de un acto en la época moderna son conocidas con el nombre de « género chico » y a principios de siglo desarrollaron una gran vitalidad. Carlos Arniches (1866–1944) escribió episodios similares, con escenas populares de Madrid. Pedro Muñoz Seca (1881–1936) al escribir piezas más largas sobre temas fútiles obtuvo un éxito fácil pero efímero.

La novela. La generación de 1898 tendió a protestar contra todo lo inmediatamente anterior, por ejemplo contra el teatro dramático, altisonante y contra el melodrama.

Metropolitan Museum of Art

Goya: « Majas en el balcón. »

Monkemeyer Press

Goya: « Carnaval. »

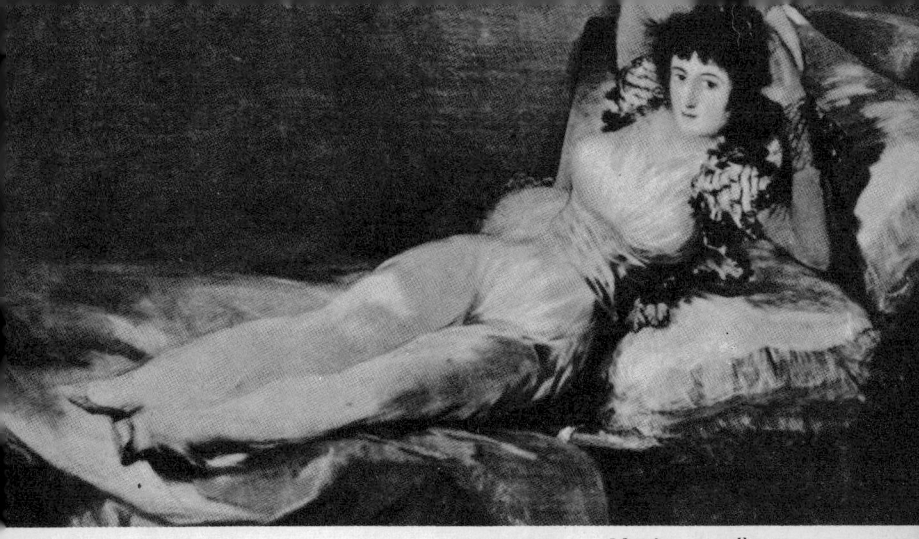

Monkemeyer Press

Goya: « La maja vestida. »

Goya: « Corrida en plaza partida. » Goya era muy aficionado a los toros.

Metropolitan Museum of Art

Culver Service

Goya: « Doña María Luisa de Parma » (esposa de Carlos IV).

El poeta romántico José de Espronceda.

Culver Service

El novelista realista Benito Pérez Galdós.

Sturgis E. Leavitt

Vicente Blasco Ibáñez.

Pío Baroja.

Juan Echeverría: Retrato de Ramón María del Valle-Inclán.

Hispanic Society of America

Zuloaga retrata a Miguel de Unamuno, autor « Del sentimiento trágico de la vida en los hombres y en los pueblos. »

Zuloaga retrata la tristeza individual: « La Víctima de la Fiesta. »

Hispanic Society of America

Así en la novela, como en el caso de Azorín, la tendencia fué prestar menos atención o prácticamente ninguna, al argumento o al desarrollo de una intriga.

Esto resulta especialmente cierto en las numerosas novelas de Pío Baroja (1872–), nacido en el país vasco que sirve de escenario a muchas de sus obras. Estudió medicina, pero ejerció la profesión por muy poco tiempo. Después tuvo una panadería en Madrid, pero el deseo de escribir triunfó sobre las demás tendencias y acabó por hacerse novelista. Es decir, escribió prosa con cierta continuidad, pero sin plan definido, y los que gustan de la estructura en la novela no pueden gustar mucho de Baroja. Las vidas de los hombres — dice el novelista — no siguen normas preestablecidas, así es que toma uno o varios tipos humanos y cuando su manuscrito alcanza unas trescientas páginas se detiene. Ha agrupado sus novelas en series, pero las clasificaciones « La raza, » « El mar, » « Las ciudades, » « La lucha por la vida, » etc., no son muy significativas, con excepción quizás del grupo que compone las « Memorias de un hombre de acción. » Baroja es un hombre sedentario, aunque ha viajado un poco por Europa. No encuentra solución a los problemas de la vida; y el único valor que queda con cierto sentido de permanencia es la acción. De aquí que escriba sobre ese hombre de acción que al parecer el autor no ha sido nunca. Baroja ha negado que exista la generación de 1898, pero sin duda pertenece a ese grupo que se distinguió tanto por la crítica y la reflexión escéptica.

Baroja comenzó a escribir cuentos que resultaban verdaderos cuadros impresionistas del país vasco, reunidos después en unos tomos titulados *Vidas sombrías* e *Idilios vascos*. Su primera novela fué *La casa de Aizgorri* (1900), historia de una destilería en el Norte. Mucho mejor es *El mayorazgo de Labraz* (1903) que presenta con tintas fuertes la atmósfera de una moribunda pequeña ciudad española. El héroe, un hidalgo que queda ciego, abandona sus posesiones, y habiendo recuperado su « voluntad » emprende la vida de nuevo con una muchacha yendo los dos como vagabundos por los caminos de España.

Una de las mejores historias de acción de Baroja, estrictamente episódica en el plan, es *Zalacaín el aventurero* (1909). Zalacaín, un magnífico tipo vasco, vive plena y peligrosamente hasta que finalmente es muerto al pasar armas de contrabando por la frontera francesa.

La trilogía de los bajos fondos de Madrid (*Mala hierba*, *La busca*, *Aurora* roja, todas de 1904) está realmente tomada de la vida y contiene retratos directos de tipos y situaciones lo más lejanos posible de los dulces y nobles « castillos de España. »

Las novelas de Baroja reflejan las opiniones del autor acerca de todo en esta tierra de Dios, que a los ojos de este duro vasco es sombría y torva. Significativos son *Camino de perfección* (1902), y *El árbol de la ciencia* (1911). *Silvestre Paradox* (1901) y *Paradox*, *Rey* (1906) son fantásticos pero llenos de encanto.

Baroja habla de sí mismo con franqueza en *Juventud, egolatría*, 1917. Admite la influencia de Nietzsche, Dickens, Balzac, y Dostoievski, pero ninguno de ellos influyó de manera determinante en su estilo rudo, directo, lleno de poder descriptivo y a veces hasta de gracia lírica. Su ideal, dice, sería producir una « retórica en tono menor. » No existe razón para dudar de la sinceridad de sus opiniones pesimistas, aunque a veces uno parezca notar cierto placer perverso en oponerse a todo: es anticlerical, anti-militarista, enemigo de las afectaciones sociales, del obscurantismo, de los políticos, y de los profesores. Tiene gran simpatía por los oprimidos, los desplazados, y formula sus opiniones rápida y directamente. La fuerza y la sinceridad son sus mejores virtudes.

Ramón María del Valle-Inclán (1869–1936) es el tipo opuesto a Baroja en muchos aspectos. Valle-Inclán era aristocrático hasta la médula. Baroja escribía descuidadamente, de manera tumultuosa. Valle-Inclán pulía cada una de sus melodiosas cláusulas. Era un exquisito y dentro de un radio limitado obtenía una singular perfección.

Valle-Inclán escribió poesía y obras de teatro además de sus novelas. Como poeta siguió a Rubén Darío, produciendo una poesía de formas más que de ideas, armoniosa, rítmica y obsedente. Sus dramas son también poéticos por su sugerencia pero vagos en la construcción, y carentes de intensidad dramática. Se leen mucho mejor que se representan. *Romance de lobos* (1908) es el mejor entre ellos y está lleno de extrañas supersticiones y de sombríos y violentos personajes.

Valle-Inclán comenzó imitando al decadente Barbey d'Aurevilly y sus *Diaboliques* en las seis *Femeninas* (1894). No son ni por asomo su mejor obra. Esta se encuentra probablemente en sus *Sonatas*, que son cuatro, una por cada estación del año. Estas armónicas sonatas literarias constituyen la historia sentimental de un nuevo Casanova, el marqués de Bradomín que era « feo, sentimental y católico. »

De las novelas de Valle-Inclán tres se refieren a la última guerra carlista: *Los cruzados de la causa* (1908), *El resplandor de la hoguera* y *Gerifaltes de antaño* (ambas de 1909). En ellas el autor se propuso dar el ambiente de un período más que su historia, que resulta un elemento simplemente incidental y secundario.

Tirano banderas (1926) es la historia de un latinoamericano, probablemente mejicano, un tirano que gobierna a sangre y fuego, y se suicida luego de matar a su hija cuando ve acercarse el fin. La serie de novelas bajo el título *El ruedo ibérico*, en las que trata de la España de últimos del siglo XIX, tiene mucho menos valor.

En sus últimos años Valle-Inclán escribió unas novelas dramáticas que llamó *Esperpentos*, obras de fondo popular con una especie de lenguaje canalla estilizado, fantásticas y realistas, al propio tiempo, y de gran fuerza satírica.

Valle-Inclán creyó siempre que en la literatura lo esencial es el estilo. El suyo es un notable instrumento en sus manos, musical, suave, sensible y expresivo. Como Darío y Juan Ramón Jiménez, detestaba lo vulgar, el cliché, y su obsesión era « juntar las palabras por primera vez, » es decir, hacer asociaciones poéticas inauditas. Se halla en el polo opuesto del tumultuoso Blasco Ibáñez, que le disgustaba sobremanera. En su primera época fué influído por Gabriel d'Annunzio y por el portugués Eça de Queiroz, pero su estilo de la madurez con un vocabulario enriquecido por términos populares de todo el mundo hispánico y su espíritu de sátira agudizado es más original y de más vigor. Logra la fusión de lo infinitamente exquisito con lo bárbaramente popular. Sus personajes no están cortados por ningún molde de convencional moralidad, y aman y pecan de acuerdo unicamente con los más altos conceptos estéticos, elegantemente, entre los desteñidos brocados de un palacio en los campos de su Galicia o en el calor tórrido del Méjico tropical. Sus personajes, grandes o insignificantes, tienen siempre un aura, una cierta atmósfera que les es propia. Valle-Inclán fué a través de toda su carrera un artista concienzudo que nunca defraudó la admiración de sus lectores.

Gabriel Miró (1879–1932), nacido en Alicante, también era poseedor de un rico y pulido estilo, que embellecía lo vulgar como Azorín, y sabía elegir lo precioso y raro como Valle-Inclán. Muchas de sus obras son llamadas estampas y estampas son de acabada belleza impregnada de sentido simbólico. Una de las mejores es la que tiene por título *Figuras de la Pasión de Nuestro Señor.*

El asturiano, Ramón Perez de Ayala, que nació en Oviedo en 1880, es el más cerebral de los poetas y novelistas contemporáneos. Su mentalidad sutil e inquieta fué formada por los jesuitas, a los que atacó violentamente en su primera novela *A.M.D.G.* (1910). Ha publicado numerosos artículos críticos sobre varios temas, ya que es también un excelente crítico.

Como poeta Ayala se aparta mucho de Darío y sus continuadores, pues para él el pensamiento es siempre de primera importancia, y busca la expresión poética de la idea y no meramente la forma ni la sugestividad musical o colorista de la palabra. Son notables entre sus versos *La Paz del sendero*, *El sendero innumerable* y *El sendero andante.*

Sus lectores consideran a Ayala principalmente un novelista. *Tinieblas en las cumbres* (1907) tiene episodios y personajes de moralidad subnormal y artísticamente no es una obra madura, pero es abundante en episodios entretendios y en ironía. *A.M.D.G.* es, como se ha dicho arriba, un ataque furibundo contra los jesuitas, que tiene ya tipos más definidos y un brillante y vivaz estilo. *La pata de la raposa* (1912) es de un gran poder artístico, y *Troteras y danzaderas* (1913) aun más. Ambas tratan del mundo literario y artístico de Madrid, y son ricas en caracterizaciones y altamente estimulantes de pensamiento. Ayala pasa constantemente del episodio procaz a la más profunda discusión filosófica. Su actitud nunca es convencional sino siempre viva y humana. Sugiere a veces a Aldous Huxley, aunque es muy español y profundamente humano.

Los cuentos de Ayala reunidos en *Bajo el signo de Artemisa* y *El ombligo del mundo* son notables por el humor, la ironía, la simpatía humana y la trágica intensidad. Los tres cuentos que titula « novelas poemáticas » aparecieron en *Prometeo* (1916). Las dos historias incluidas con *Prometeo* en este volumen, *Luz de domingo*, y *La caída de los Limones* son de lo mejor de la literatura contemporánea española. Su acento es trágico, evocan las tonalidades graves de un Ribera, y sus personajes llenos de humanidad llegan al infortunio a causa de desgraciadas circunstancias, arrastrados por el destino y no por delitos morales.

Belarmino y Apolonio (1921) es la historia en forma algo laberíntica de dos zapateros remendones de la ciudad favorita de Ayala, « Pilares, » que tiene mucha semejanza con Oviedo, capital de Asturias y patria chica de Ayala.

Muchos concuerdan en que Ayala mostró sus mejores facultades en *Tigre Juan* y en su continuación *El curandero de su honra* (1926). Son quizás esos libros los mejores exponentes de la filosofía de Ayala, de su poder creador, su humor, su facilidad descriptiva y su estilo vigoroso y sutil a un tiempo. *Tigre Juan* es algo más que una figura real, con ciertos toques caricaturescos. Es un permanente ejemplo de la humana condición en su versión típicamente española.

Ayala tiene uno de los más extensos vocabularios de la literatura española, pero utiliza esta riqueza verbal para expresar su pensamiento con la palabra exacta, obteniendo precisión sin perder lo pintoresco. La política y otros deberes (fué embajador en Inglaterra durante la República) le impidieron legar a su generación literaria otras obras del calibre de *Prometeo*, *Belarmino y Apolonio* y *Tigre Juan*.

Ricardo León (1877–1945) gozó de popularidad como novelista. Sus obras se consideraron la reacción contra el espíritu del '98. León es tradicionalista, y gusta de glorificar el pasado esplendoroso de España en un magnífico estilo retórico pasado de moda que lógicamente había de conducirle temprano a la Academia Española. Su prosa fluye en rotundas frases como esta: « las horas caen isócronas, como cuentas del rosario de la eternidad. » En *Casta de hidalgos* (1909) refiere el triste fin de un joven que abandona el hogar y la seguridad mediocre para lanzarse a las corrientes de la vida moderna. Regresa arruinado y destrozado moralmente. La novela contiene en forma de sueño una evocación de Santillana del Mar tal como debía ser en el siglo XV. Otras novelas de León son *Comedia sentimental*, *El amor de los amores*, *Alcalá de los Zegríes*, y *Amor y caridad*. En todas ellas se encuentra la nota mística, una sugestividad poética y un estilo decididamente verboso.

Otros novelistas de la primera parte del siglo complacían al público. Concha Espina (1877–) tiene muchas novelas y cuentos. En *La esfinge maragata*, ofrece con riqueza de detalles realistas y con fortuna, por cierto, el cuadro de las costumbres de una remota región de León, cerca de Astorga. Concha Espina no es nunca profunda, pero las tonalidades sentimentales de su prosa son del agrado de muchos.

Alejandro Pérez Lugín escribió una popularísima novela de la vida estudiantil en Santiago, *La casa de la Troya* (1915). Eduardo Zamacois, Felipe Trigo, Rafael López de Haro y Alberto Insúa se hallan entre los numerosos cultivadores de la novela erótica. Poseen bastante penetración psicológica y cierta gracia de estilo.

Erudición. En el pasado España ha producido muchos sabios notables. El más grande del siglo XIX fué Marcelino

Menéndez y Pelayo (1856–1912), dueño de una memoria fenomenal y de una extraordinaria capacidad de trabajo. Iluminó casi todas las fases de la literatura española con sus monografías y estudios, que son obligatoria lectura de todos los estudiantes de letras. Entre sus trabajos más importantes figuran *La ciencia española* (1875), *Horacio en España* (1877), *Historia de los heterodoxos españoles* (1880–1882), *Calderón y su teatro* (1881), *Historia de las ideas estéticas en España* (9 tomos, 1883–89), una edición de las *Obras dramáticas de Lope de Vega*, con valiosos prefacios en los trece volúmenes, *Antología de poetas líricos castellanos* (13 tomos, 1890–1908, hasta el siglo XVI) y *Los orígenes de la novela* (1905–10, hasta el siglo XVI). Pero estas son solamente sus obras mayores. La riqueza de su producción es sorprendente. Aunque el estilo de Menéndez y Pelayo sea un poco florido y muestre prejuicios a favor de España y del catolicismo, su juicio crítico es agudo y su documentación sólida al mismo tiempo que extensa.

Entre los sabios que le siguieron el más notable es Ramón Menéndez Pidal (1869–), uno de los mejores filólogos de nuestros días. Su disciplina es aún más estricta que la de Menéndez y Pelayo, y sus textos del *Cantar de mío Cid* (3 tomos, Madrid, 1906–11, con un estudio) y la *Primera crónica general* (Madrid, 1906) han merecido unánime admiración. Ha estudiado con detenimiento la épica española, los romances, los juglares españoles, los orígenes de la poesia lírica, y muchos otros aspectos de la literatura hispana. Su *Manual de gramática histórica* sigue siendo la última palabra sobre este tema. Su *La España del Cid* muestra su agudeza como investigador histórico. También es director de la monumental *Historia de España* que se va publicando ahora.

Pero el historiador más notable de España es Rafael Altamira (1866–), que ha escrito mucho sobre la historia nacional. Su punto de vista es amplio; su actitud liberal. Ha procurado siempre relatar la historia completa de la cultura y las instituciones españolas, y no solamente los cambios de dinastía, las guerras y las vicisitudes políticas.

Su obra fundamental es la *Historia de España y de la civilización española* (4 tomos, 1900–11).

El filósofo español más conocido de nuestro tiempo es José Ortega y Gasset (1883–), que fué durante muchos años profesor de metafísica en la universidad de Madrid, y fundador y director de la revista literaria más importante de España en el siglo XX, la *Revista de Occidente*. Si los puntos de vista de Ortega son a veces pesimistas y sus afirmaciones arbitarias, son al menos siempre provocadores y están expresados en forma elegante. Los siete tomos de *El Espectador* (1916–29) contienen ensayos sobre toda clase de temas. *España invertebrada* (1922) es un ataque contra la tradición española, y fué a su vez muy combatido. *Las meditaciones de Quijote*, *La deshumanización del arte*, *La rebelión de las masas*, *Goethe desde dentro*, muestran la mente sutil del autor y están llenas de ideas estimulantes.

XXVII

Artistas y músicos modernos

Durante los dos primeros tercios del siglo XIX no es posible hallar en España ninguna obra maestra en arquitectura, pintura, escultura o música. Hubo algunos pintores buenos, más influídos por los modelos académicos franceses que por Goya, como Fortuny, Rosales, los Madrazos y Pradilla, pero ninguno llega a la categoría de gran artista. Los escultores tampoco dejaron huella profunda.

Hacia fines del siglo es cuando el cielo artístico se hace más luminoso. Hay algunos artistas excelentes, y tres pintores que alcanzaron gran fama tanto en España como en el extranjero. Los tres son muy diferentes entre sí.

Joaquin Sorolla (1863–1923), nacido en Valencia, nunca fué abandonado por la luz esplendorosa de la costa oriental de España. Sus cuadros están llenos de sol y son todos de efectos deslumbrantes. Sus figuras se diluyen en un fondo, casi siempre de blancas arenas y mar azul de los alrededores de Valencia como en *Después del baño*. Algunos de sus mejores lienzos se encuentran en América en el museo de la Sociedad Hispánica de New York, y exhibió varias veces sus obras en este continente.

Ignacio Zuloaga (1870–1946), un tozudo vasco, estudió en Madrid, Roma y París, pero era demasiado independiente para someterse a ninguna escuela. Copió cuadros en el Museo del Prado en Madrid, donde El Greco, Velázquez y Goya le impresionaron profundamente, pero quizás la mejor enseñanza que sacó de esta experiencia fué que debía tratar de ser él mismo y no imitar a nadie.

Zuloaga eludió siempre la pulcritud académica y por eso muchos de sus lienzos parecen desnudos y rígidos. Pudo interpretar de modo especial el sobrio espíritu de Castilla, hasta el extremo de que los españoles lo acusaron de contribuir a la leyenda de la « sombría y fanática España, » y de exagerar ese aspecto del carácter español que por siglos los extranjeros han estado dispuestos a exagerar. Sus cuadros contrastan vigorosamente con los de Sorolla. Zuloaga usa fondos para hacer destacar sus figuras y emplea el negro más que el blanco, como en su *Víctima de la Fiesta* o *La Hermandad de Cristo Crucificado.* En algunos de sus retratos puso más vida y espíritu, como por ejemplo en *Mis primas* y en *Lucrecia Bori.* Ha trabajado con verdadero ahinco español ya que ha dejado más de 400 telas.

Pablo Picasso (1881–) es generalmente considerado como el jefe de la escuela moderna de París, pero no nació en la capital francesa sino en Málaga. Su padre se trasladó a Barcelona para ser profesor de Bellas Artes, y Pablo estudió en la Academia barcelonesa, ofreciendo su primera exposición en 1900. Hizo una visita a París al año siguiente, y poco después se trasladó allí definitivamente (1903). Produjo una importante parte de su mejor obra en estos primeros años del siglo. Ha sido un experimentador incansable, y un ardiente perseguidor de la forma, y esta búsqueda ha dejado importantes huellas en sus períodos o épocas: « azul, » « rosa, » cubismo, realismo, abstraccionismo, superrealismo. Cézanne y Toulouse-Lautrec influyeron en él, pero ha estado sujeto a muchas corrientes, manteniendo a pesar de todo su gran originalidad, su vigorosa imaginación y su extraordinario seguridad en el pincel. Ha pasado su vida en Francia desde los veintidós años, pero su fervor y su independencia son netamente españoles.

Salvador Dalí (n. 1904), que reside en los Estados Unidos, es el artista de lo subconsciente, pero sin duda un pintor de talento e imaginación. Se sabe que ha escrito poemas, y fué amigo de García Lorca, pero su notoriedad, si no su fama, la debe a sus lienzos superrealistas. Los títulos de los artículos de revistas donde se habla de él y de su obra son muy significativos: « ¿ Está Dalí loco ? » (El hombre de la calle con toda seguridad responderá que sí); « ¿ A quién le falta un tornillo ? » y tambien: « Freud más Minsky igual a Dalí, » y otros por el estilo. Es artista de indiscutibles virtudes, pero las ejerce en una región más propia del psiquíatra que del hombre ordinario. Resulta muy difícil señalar cuál ha sido su contribución al arte de la pintura, pero al menos su obra es rica en sugerencias.

Música. La ópera, principalmente la italiana, continuó siendo muy popular en España durante la primera mitad del siglo XIX. La zarzuela, después de un período en el que se eclipsó, volvió a estar muy de moda poco antes de mediar el siglo. Uno de los mejores compositores de zarzuela fué Francisco Asenjo Barbieri (1823–1894), que demostró verdadero amor por el espíritu popular español. Centenares de zarzuelas aparecieron en este período. Un solo compositor, Joaquín Valverde, compuso unas doscientas cincuenta.

La popularización en Europa de la música española se debió principalmente a dos compositores, Albéniz y Granados.

Isaac Albéniz (1860–1909) dió su primer concierto cuando sólo tenía cuatro años, y vivió bastante intensamente antes aun de cumplir los veinte. Era un notable pianista de concierto, pero aun más notable compositor. Sus obras maestras forman una serie extensa bajo el título general *Iberia:* doce « nuevas impresiones » como él las designaba. Se basan en ritmos españoles, principalmente melodías andaluzas, y representan una extraordinaria interpretación musical de la Península. *Triana* y *El Albaicín* son especialmente conmovedoras, y figuran, por cierto, entre las composiciones para piano más originales del siglo.

Enrique Granados (1867–1916) es más sentimental y menos violento que Albéniz, y se dedicó más a interpretar Madrid y la época de Goya que Andalucía. En efecto, las escenas de los tiempos de Goya sirvieron de inspiración a las más famosas composiciones de Granados en la suite titulada *Goyescas*, compuesta de seis piezas para piano (1912–1914), no independientes, sino unidas temáticamente. La más conocida es *Amor y muerte*, melodiosa y trágica.

Más tarde Granados convirtió *Goyescas* en una ópera, que fué representada en el Metropolitan de New York cinco veces en 1916, y cuya música es mucho más interesante que el argumento y la acción.

Oscar Esplá (1886–) es un ingeniero que se hizo compositor. Inventó una escala original y usa temas folklóricos, pero trata siempre de dar carácter universal a su música huyendo de todo regionalismo. Su composición más frecuentemente oída es *Don Quijote velando las armas*, en tres movimientos ligados.

La música de Joaquín Turina (1882–) representa de nuevo Andalucía. Estudió en París y sus piezas andaluzas tienen un poco de acento francés. Es mucho menos profundo que Granados o Albéniz.

Le mejor música andaluza ha sido escrita por el gaditano Manuel de Falla (1862–1946). Estudió en su ciudad natal y en Madrid, donde se orientó en contacto con el músico, Felipe Pedrell. En 1904 ganó un premio con su ópera *La vida breve*, de fondo puramente andaluz, y al año siguiente ganó otro premio como pianista. Se marchó entonces a París, con intenciones de quedarse sólo una semana, pero no regresó en siete años. Era amigo de Debussy, Dukas, y Ravel, así como de su compatriota Albéniz. La más importante de sus obras compuestas en París fué *Noche en los jardines de España*.

Falla regresó a España en 1914 y en 1915 escribió para la famosa cantante y bailarina, Pastora Imperio, el drama lírico titulado *El amor brujo*, cuya *Danza del Fuego* es hoy conocida de todos los asiduos a los conciertos.

El ballet de Falla, *El sombrero de tres picos*, fué representado en Londres en 1919 por el Ballet Russe de Diaghilieff, con coreografía de Leonide Massine y trajes y decorado diseñados por Picasso. Fué entonces y ha sido siempre un gran éxito.

El sombrero de tres picos se basa en la historia de Alarcón del mismo título, basada a su vez en el tema de un romance español. *El retablo de maese Pedro*, otra obra de Falla, se basa en un episodio del *Quijote*. El que quiera conocer el fuego, la pasión, el vigor, la delicadeza, y la enorme variedad de la música española tiene necesariamente que escuchar a Falla.

XXVIII

Eruditos, prosistas y poetas de hoy

Sabios y maestros. Aunque los resultados de la guerra civil española produjeron la dislocación en la vida de muchos de los sabios, artistas y autores de España, no se ha roto la continuidad de la cultura española. Una gran mayoría de los intelectuales hispanos simpatizaban con la desaparecida república y no pueden ahora vivir en España. El venerable decano de los sabios españoles, Ramón Menéndez Pidal, continúa residiendo en Madrid. Angel Valbuena Prat, profesor en la universidad de Barcelona, también se quedó en España. Valbuena es especialista en estudios calderonianos pero ha escrito también una historia del teatro español y una *Historia de la literatura española* (2 tomos, Barcelona, 1937), de méritos desiguales pero que se distingue por perspicaces juicios estéticos sobre los autores españoles.

Los discípulos de Menéndez Pidal se hallan ahora en muchos lugares. Federico de Onís hace tiempo que enseña en la universidad de Columbia en New York. Américo Castro, filólogo, historiador y crítico literario, cuya obra *El Pensamiento de Cervantes* (Madrid, 1925) señala una época en los estudios cervantinos, se encuentra ahora en Princeton. También se halla en los Estados Unidos el más notable de los especialistas de fonética española, Navarro Tomás, y un colaborador distinguido en la obra del Centro de Estudios Históricos, Homero Serís. La carrera de Antonio G. Solalinde, que dirigió por muchos años los estudios sobre Alfonso el Sabio en la universidad de Wisconsin, fué cortada por su temprana muerte. Amado Alonso, sabio filólogo y crítico, está ahora en Harvard. Otros sabios se encuentran en distintos lugares de las dos Américas.

Prosistas. Desde unos años antes de la guerra civil ya se notaban en España los síntomas de un cambio de gustos artísticos. Los autores que dominaron la escena literaria continuaron siendo los que se habían afirmado poco antes de 1898: Baroja, Valle-Inclán, Ayala, Benavente, los Quintero, Juan Ramón Jiménez, los Machado; pero la llamada Generación de 1898, que había protestado tan vigorosamente contra « lo viejo, » estaba haciéndose vieja ella misma. Los autores jóvenes andaban en busca de algo distinto. El bullicioso Ramón Gómez de la Serna 1891–), « Ramón » como gusta llamarse a sí mismo, es el prototipo de esta tendencia. Ha mostrado fecundidad lopesca en la producción de una prosa rica en sugestivas y brillantes metáforas, con las cuales estiliza caprichosamente la prosaica realidad. En sus malos momentos es grotesco, insoportablemente exagerado y amanerado, pero en los buenos, es abundantemente imaginativo y estimulante como en *El torero Caracho* o en las *Seis novelas falsas*. Despliega, en sus múltiples novelas, la misma exuberancia de su persona, y las mismas excentricidades. Parece que tiene una magnífica estatua de cera, desnuda, en su casa para turbar a sus visitas. Ha dado una conferencia con la cara pintada de negro, desde un trapecio, y ha escrito un tomo completo sobre « Senos. » Pero « ultraísta, » « vanguardista, » o lo que sea, es un artista de talento.

De la cuerda de Ramón son otros escritores de talento también que en los '20 y '30 buscaban afanosamente la adopción de una nueva actitud ante la realidad, una nueva manera en la expresión. Son escritores de minoría, probablemente ininteligibles para el hombre de la calle. Sus esfuerzos fueron plausibles, pero no es seguro que en el futuro su obra sea duradera. Entre ellos se hallan José Bergamín, E. Giménez Caballero, Benjamín Jarnés y

Antonio Espina. Su imaginación excede a su poder de comunicación, aunque una descripción ocasional o una metáfora rara a veces recompensan al lector.

Un novelista, aunque sensible a las corrientes modernas del pensamiento y del arte, se ha expresado sencillamente y con una visión más penetrante del carácter humano: Ramón J. Sender (1901–). Se educó en una escuela religiosa, en Zaragoza y en Madrid, pero en la capital abandonó sus estudios de leyes para dedicarse a actividades revolucionarias por las que le persiguieron las autoridades. Sus padres, campesinos aragoneses, alegaron su minoría de edad, y cuando regresó a la provincia se dedicó durante tres años a editar un periódico agrícola. Pasó su servicio militar obligatorio en Marruecos, y en *Imán* (traducido como *Earmarked for Hell*, por James Cleugh, Londres 1934, y como *Pro Patria*, Boston, 1935) describe sus experiencias de entonces. En 1934 entró en la redacción del periódico liberal *El Sol.* Fué encarcelado por Primo de Rivera, pero naturalmente encontró luego circunstancias propicias al establecerse la República. En 1933–4 fué a Rusia como observador simpatizante. En 1935 recibió el Premio Nacional de Literatura. A la caída de la República se trasladó a Méjico y vive ahora en Nueva York. Sus obras son numerosas, e incluyen libros de viajes, una vida de Santa Teresa, cuentos, un relato de su encarcelamiento, una obra sobre Hernán Cortés, y novelas de España y de Méjico. *Siete domingos rojos*, Barcelona, 1927 (traducido por Sir Peter Chalmers Mitchell, Londres y Nueva York, 1936) es un movido relato de las actividades radicales en Madrid, con vivas caracterizaciones. *Contraataque*, Barcelona, 1938 (traducido del manuscrito como *Counter-attack in Spain* por Sir Peter Chalmers Mitchell, Londres y Boston, 1937) fué escrita en parte mientras Sender peleaba con las tropas de la República. Es decididamente uno de los mejores libros sobre la guerra civil salido de las filas leales.

El lugar del hombre, Méjico, 1939 (traducido como *A Man's Place* por Oliver La Farge, Nueva York, 1940) está mejor construída que las otras obras de Sender y ofrece un cuadro admirable de todo un pueblo que se espanta ante el hallazgo de un hombre a quien se suponía asesinado. Es un estudio excelente de las fuerzas determinantes en las relaciones humanas.

Sender tiene visión poética combinada con un sentido agudo de la realidad y un conocimiento de la humanidad que no ha sido adquirido en libros. Su estilo es directo y animado.

Los poetas contemporáneos. Las grandes realizaciones del arte literario hispano en años recientes no han sido en el campo de la prosa, incluyendo el teatro, sino en la poesía. Algunos poetas de la generación pasada que aun viven continúan su producción y otros poetas jóvenes han surgido para dar una vez más pruebas de que en ninguna época puede faltar en España la más alta inspiración poética. La guerra civil ha producido el destierro de unos y la muerte del más grande de todos.

Los Ultraístas, que comienzan en 1919, procuraron crear una nueva poesía sobre la base de la imagen poética, que refleja preocupaciones contemporáneas, libre de sentimentalismo y de retórica. Sus intentos no fueron fructíferos. Un poeta que compartió estas aspiraciones pero que supo agregar un poco de su personalidad propia es Gerardo Diego (n. Santander, 1896). Diego es realmente un ecléctico: clásico o cubista, primitivo o extremadamente moderno, pero siempre refinado y elegante. Además de sus propios versos (por ejemplo, *Imagen*, 1922; *Soria*, 1923; *Versos humanos*, 1925; *Via Crucis*, 1931), Diego ha publicado una valiosa antología de poesía contemporánea cuya segunda edición se titula *Poesía española. Antología*, Madrid, 1934.

Diego viene del Norte. Del lado opuesto de España, de Cádiz, aparece Rafael Alberti (1903–), que lucha por la intelectualización de los elementos populares del arte. Siempre conserva su genuina gracia andaluza, y puede ser, si lo desea, tan complicado y difícil como Góngora, a quien a veces imita específicamente, como en su propia *Soledad.*

Hasta se rindió al superrealismo en algunas composiciones para las cuales los cuadros de Salvador Dalí serían magníficas ilustraciones. Pero a pesar de su dificultad, los poemas de Alberti poseen una estructura vital y dan la impresión de energía creadora y vigor. Tres de sus mejores tomos de versos son *Marinero en tierra*, 1925, el gongorino *Cal y canto*, 1929, y *Sobre los ángeles*, 1929.

Dos poetas que residen ahora en los Estados Unidos, aparecieron en el centro de España, en Castilla: Pedro Salinas y Jorge Guillén, ambos hombres de extensa y amplia cultura, y ambos profesores actualmente.

Para Salinas (1892–) la poesía no es un género literario destinado a divertir o a distraer, y ni siquiera a sugerir. Es parte de la misma vida espiritual del poeta que ha de conmover al lector, haciéndole sentir como siente él. Su poesía no es verso recamado ni imagen elaborada, ni ritmo complicado, sino expresión sencilla, sugerente, provocativa, directa y rica en ideas poéticas, a menudo sutil y siempre llena de refinamiento. Sus primeras obras fueron escritas en prosa y los críticos apuntaron cierta relación con Marcel Proust, pero eran una interpretación poética de la realidad más que un análisis realista. Salinas comenzó su producción poética con *Presagios*, 1923, y ha continuado su obra ya madura en una serie de tomos: *Seguro azar*, 1929; *Fábulo y signo*, 1931; *La voz a tí debida*, 1934; y *Razón de amor*, 1936. La John Hopkins Press ha publicado dos tomos de buenas traducciones por Eleanor L. Turnbull, *Lost Angel*, 1938, y *Truth of Two*, 1940.

La poesía de Jorge Guillén (1893–) es definidamente cerebral. Nació el poeta en Valladolid, tierra de Zorrilla y de Núñez de Arce, y la clásica perfección y la naturaleza intelectual de sus versos contrastan extrañamente con la poesía de sus difusos conterráneos. Guillén se halla mucho más cerca del francés Paul Valéry, a quien ha traducido. Su poesía es la clase de verso destinado a ser leído y meditado más que recitado. Las armonías convencionales de los elaborados poemas de Guillén pueden decepcionar por esconder una sugestión lírica que no resulta aparente a primera vista. Evita Guillén el «color local» puramente pintoresco y presenta la esencia con figuras cuidadosamente seleccionadas, como en su interpretación poética de las ciudades castellanas. La poesía de Guillén fué primero publicada en revistas como *La Pluma* y la influyente *Revista de Occidente*, y más tarde recogida en un volumen, *Cántico* (Madrid, 1928), pequeño como todo buen libro de versos. Guillén es el clasicista del presente, simple en la forma, pero infinitamente rico en sugerencias y en conceptos poéticos.

Luis Cernuda (1904–), andaluz residente en Londres, ha obtenido notable fama en el mundo hispánico por su maestría en la forma poética, especialmente la cuarteta, y por su vívida imaginación, que incluye lo superrealista y la inspiración subconsciente. Su primer libro, *Perfil del aire*, 1927, recuerda a Guillén. Muestra más originalidad en la colección titulada *La invitación a la poesía*, 1933.

La poesía en lengua española tiene muchos devotos pero hubo un espíritu ferviente que en sí mismo hubiera podido llenar el cielo hispánico de melodía y emoción con la riqueza de su obra: Federico García Lorca.

Lorca nació en un pequeño pueblo cerca de Granada, Fuendevaqueros, en 1899, y el extraño aroma de la Andalucía mora lo envolvió durante toda su corta vida. Estudió en Almería y en Granada. En 1919 se marchó a Madrid, a la Residencia de Estudiantes, donde fué compañero del poeta Moreno Villa, del crítico Guillermo de Torre, que más tarde habría de editar sus obras, y del artista Salvador Dalí. Obtuvo su doctorado en derecho en la universidad de Granada en 1923. Siempre estuvo interesado en la pintura, y hasta hizo una exposición de dibujos en color en Barcelona en 1927. Su pasión por la música aumentó con sus visitas a la casa de Falla en Granada y con su amistad por el maestro. Era aficionado a las canciones populares de su tierra natal que cantaba él mismo, acompañándose de la guitarra. Lo mismo hacía con sus propios poemas y algunos críticos lo han llamado el último de los trovadores.

La primera obra que Lorca publicó fué el relato en prosa de un viaje a través de Castilla, *Impresiones y paisajes*, 1918, obrita de adolescencia que nunca ha sido reimpresa. En 1920 estrenó su primera obra, *El maleficio de la mariposa*, que fué un completo fracaso. Su *Libro de poemas* apareció en 1921; sus *Canciones* en 1927; su *Romancero gitano* en 1927. Este último constituyó un éxito resonante, y ha conocido hasta hoy muchas ediciones.

En 1929 Lorca fué a New York y regresó a España por Cuba. El efecto trepidante del Nuevo Mundo en su espíritu se halla reflejado en algunos de sus últimos poemas (*Poeta en Nueva York*, publicado después de su muerte).

En 1931, a su regreso a España, Lorca publicó su *Poema del Cante Hondo* y organizó una mision teatral llamada La Barraca, llevando estudiantes como actores. Hicieron jiras por España, escenificando obras clásicas, principalmente entremeses de Cervantes; también *Peribáñez* y *Fuenteovejuna* de Lope; autos de Calderón y su *Vida es sueño*, y otras muchas obras, entre ellas *El burlador de Sevilla* de Tirso. Algunos de sus propios dramas fueron estrenados antes de su muerte, e interpretados por la gran actriz española, Margarita Xirgu.

En 1933 y 1934 Lorca estuvo en la Argentina. A su regreso se dedicó a escribir obras de teatro y poemas, y parecía estar en el apogeo de su vitalidad cuando estalló la rebelión de Franco en 1936. Nunca había prestado atención alguna a la política. Estaba pasando las vacaciones de verano en Granada. Una noche fué apresado por simpatizantes de Franco en casa de un amigo, quienes lo llevaron a un cementerio en las afueras de la ciudad y lo acribillaron a balazos.

Las *Obras completas* de García Lorca, que incluyen mucho material inédito o disperso en revistas, han sido editadas en seis tomos por su amigo, Guillermo de Torre (Buenos Aires, 1938). Muchas de sus obras de teatro y poesías han sido traducidas al inglés.

Los dramas de Lorca, en verso o en prosa — o usando ambas formas — son esencialmente poéticos porque en todos ellos toma de la realidad sólo la naturaleza artística; la acción tiene lugar en un reino un poco al margen de la tierra, y ocasionalmente en el reino de lo subconsciente. *Bodas de sangre* (1933), que tuvo una clamorosa acogida, por ejemplo, es bastante realista en su esencia: una novia escapa con su ex-novio Leonardo en vez de casarse con su prometido. Pero la atmósfera de la obra está impregnada de misterio. La luna se detiene cuando Leonardo es muerto por el iracundo novio, los leñadores son figuras de un cuento de hadas, la mendiga es un símbolo del más allá. La poesía, con toda su obscura belleza corre pareja con el drama. Más o menos puede decirse lo mismo de su intensa *Mariana Pineda*, y aun de sus comedias ligeras, como *Perlimpín* (*Amor de don Perlimpín con Belisa en su jardín*, 1931), subtitulada *Aleluya erótica en cuatro escenas*.

García Lorca será siempre más recordado por su poesía que por sus obras dramáticas. En la poesía logró esa admirable fusión de la inspiración popular con los procedimientos o métodos poéticos más cultos y delicados. En este aspecto Lorca es el verdadero heredero de Lope de Vega. Su andalucismo no es un mero reflejo de la pintoresca región de las castañuelas, las guitarras, el calor tropical, los vistosos mantones y las corridas de toros, sino de la entraña del alma popular, con su ligereza y su amarga raíz, su alegre efervescencia o su sangrienta tragedia, sus cantos brillantes y sus lúgubres lamentos, su apasionada sensualidad o su refinado estoicismo.

El *Libro de poemas* (1921) de Lorca contiene obras de su juventud. Los poemas son técnicamente excelentes, delicados, imaginativos, recordando el estilo de Juan Ramón Jiménez, pero se nota que el poeta aun no había llegado a madurar. Sus *Canciones* (1927) prueban un mayor desarrollo y son penetrantes interpretaciones de temas populares, de una musicalidad más profunda. Sus *Canciones para niños* contenidas en este tomo son de inspiración y apariencia infantiles pero extremadamente elaboradas en su ejecución.

Donde muestra Lorca la plenitud de sus facultades es en el *Romancero gitano* (1928). Su forma es la tradicional métrica de los romances clásicos, pero el poeta la armoniza con nuevas melodías y la enriquece con nuevas imágenes, dándoles una nueva dimensión. Lorca conocía a los gitanos del Albaicín de Granada desde su infancia, y en vez de utilizarlos como adorno, como objetos de descripción brillante, opta por reflejar directamente su espíritu. La expresión puede ser directa, literal, como en *La casada infiel*, tan recitada ahora en el mundo hispánico, con su crudeza de expresión y su profunda aunque poetizada sensualidad, o puede acercarse a la poesía pura, arrulladora, vaga, impresionista, como en el *Romance sonámbulo*, canción que termina diciendo:

> Verde que te quiero verde
> Verde viento. Verdes ramas.
> El barco sobre la mar,
> Y el caballo en la montaña.

Las tres canciones a las tres ciudades andaluzas, Granada, Córdoba y Sevilla, son extraordinariamente sugerentes. Uno de los romances más sencillos y pulidos de la colección es el de la muerte del gitano Antoñito el Camborio. El romance de la guardia civil, pinta la hostilidad de los gitanos contra sus enemigos naturales. Todos los romances contienen atrevidas imágenes poéticas, vigorosas metáforas, y hermosas armonías. El *Romancero gitano* es la más intensa de las interpretaciones que sobre el espíritu del gitano español se hayan ofrecido al mundo.

Cante hondo (1931) es también otra interpretación de la vida de su Andalucía a la que no falta tampoco fuerza sugestiva. Algunos de los poemas recogidos y publicados después de la muerte del poeta añaden facetas brillantes a su obra. Es seguro que Lorca vivirá siempre como uno de los pocos poetas verdaderos que haya producido la primera parte del siglo XX.

La muerte de Lorca fué uno de los episodios más trágicos de la guerra civil española, pero el espíritu español no puede morir. Si España supo sobrevivir a ocho siglos de lucha contra los moros para convertirse luego en la nación más poderosa de la tierra, derramando al mismo tiempo su genio en espléndidas manifestaciones en todos los campos del arte, también ha de sobrevivir al fascismo. En un tiempo que tiende a la uniformidad, hacia la fusión de la persona en la organización y en la comunidad, España tiene una contribución que dar a los hombres todos del mundo. Con su arte y con su literatura ha enriquecido la vida hasta ahora. No hay razón para creer que jamás haya de dejar de hacerlo en el futuro.

Notas Bibliográficas

Para todo lo relativo a España, se consulta con provecho la gran Enciclopedia Universal Ilustrada (Espasa). 70 tomos, más 10 de Apéndices. El tomo 70 está fechado de 1930, el tomo 10 de los Apéndices de 1933.

Historia: Se encuentran bibliografías en Rafael Altamira, *Historia de España*, t. IV; en Antonio Ballesteros, *Historia de España* y en Charles E. Chapman, *A History of Spain*. La *Hispanic American Historical Review* menciona los estudios corrientes sobre historia española.

Literatura: Se encuentran bibliografías en Hurtado y Palencia, *Historia de la literatura española*, en Mérimée-Morley, *History of Spanish Literature* y en Fitzmaurice-Kelly, *New History of Spanish Literature*. Hay otras muchas bibliografías más viejas, parciales o especiales. En curso de publicación ahora hay una bibliografía muy extensa y muy útil: Raymond L. Grismer, *New Bibliography of the Literatures of Spain and Spanish America*, 5 tomos (A–C) hasta la fecha. La bibliografía corriente se encuentra en la *Revista de filología española*, Madrid, 1914– , y en la *Revista de filología hispánica*, New York y Buenos Aires, 1939– , en *Bibliografía española*, Madrid, 1901–1942, y en *Bibliografía hispánica*, Madrid, 1942–.

Pane, R. U., *English Translations from the Spanish*, 1484–1943. Rutgers University Press, New Brunswick, N. J., 1944.

Música: Se encuentran bibliografías en Gilbert Chase, *The Music of Spain*, New York, 1941, y en J. B. Trend, *A Picture of Modern Spain, Men and Music*, Londres, 1921.

Arte y arquitectura: Véase la bibliografía especial.

Obras generales sobre España

Claro que es muy grande el número de libros y de periódicos que tienen que ver con la historia, la geografía, la cultura, la ciencia, la literatura, la lengua, el arte y la música de España. Se mencionan los más significativos de ellos en las siguientes notas bibliográficas.

Ellis, Havelock, *The Soul of Spain.* Nueva ed., Boston, 1937.
Krause, Anna, *España y la cultura española.* Chicago, 1929.
Madariaga, Salvador de, *España.* 3a. ed., corregida y aumentada, Buenos Aires, 1942.
Martín Echeverría, L., *España. El país y sus habitantes.* México, 1940.
Peers, E. Allison, *Spain: A Companion to Spanish Studies.* London y New York, 1929. 3ra ed., London, 1938.

Historia

Altamira, Rafael, *Historia de España y de la civilización española.* 6 tomos. El tomo 5, en dos partes, sobre la época contemporánea, por Pío Zabala y Lera. Barcelona, 1900–1930.

El señor Altamira ha escrito varias obras sobre historia española. Muy recomendable es su *Manual de historia de España,* en un tomo, Madrid, 1934.

Ballesteros, Antonio, *Historia de España y su influencia en la historia universal.* Barcelona, 1918– .
Burke, U. R., *A History of Spain from the Earliest times to the Death of Ferdinand the Catholic.* 2 t. 2da ed., Londres, 1900.
Chapman, Charles E., *A History of Spain.* New York, 1918. Buen manual en un tomo, basado en Altamira.
Hume, M. A. S., *A History of Spain.* Varias ediciones, por ej. New York, 1909.
Merriman, Roger B., *The Rise of the Spanish Empire in the Old World and the New.* 4 tomos. New York, 1918–34. Contiene bibliografías.

En curso de publicación está la gran *Historia de España*, bajo la dirección de D. Ramón Menéndez Pidal.

Sobre la España del siglo XX antes y después de la Guerra Civil hay centenares de libros y artículos. Algunos de los mejores son:

Acier, Manuel, *From Spanish Trenches*. New York, 1937. Cartas muy interesantes de soldados republicanos.

Alvarez del Vayo, J., *Freedom's Battle*. Londres, 1940.

Bernanos, G., *A Diary of My Times*. New York, 1938.

Cardozo, H., *The March of a Nation*. New York, 1937.

Contemporary Europe. New York, 1941. Treinta autores. La parte que trata de España y Portugal, págs. 274-294 es de Loren C. MacKinney.

Gil Robles, J. M., *Spain in Chains*. New York, 1937. Condenación violenta de la República por un archi-derechista.

Hamilton, Thomas J., *Appeasement's Child*. Londres y New York, 1943. Muy amargo para los paladares fascistas. Traducción española por. J. Herrera Petere, Mexico y Santiago de Chile, 1943.

Hoare, Sir Samuel, *Complacent Dictator*. New York, 1947. El ex-embajador inglés revela nuevas verdades amargas que condenan a Franco.

Matthews, Herbert, *Two Wars and More to Come*. New York, 1938.

Mendizábal Villalba, A. M., *The Martyrdom of Spain*. New York, 1938.

Morrow, F., *Revolution and Counter Revolution in Spain*. New York, 1938.

Peers, E. Allison, *The Spanish Tragedy, 1930-1936*. New York, 1936.

——*The Spanish Dilemma*. Londres, 1940.

——*Catalonia Infelix*. New York, 1938.

——*Spain in Eclipse*. 1937-1943. Londres, 1943.

El Sr. Peers publica desde hace muchos años en su *Bulletin of Spanish Studies* una sección muy valiosa dedicada a los acomtecimientos contemporáneos, llamada « Spain Week by Week. »

Plenn, Abel, *Wind in the Olive Trees: Spain from the Inside.* New York, 1946.

Varias novelas tienen como fondo la Guerra Civil Española o el período inmediatamente anterior, tales como: Ralph Bates, *Lean Men*, *The Olive Field* y *Sirocco;* Ernest Hemingway, *For Whom the Bell Tolls;* Eliot Paul, *The Life and Death of a Spanish Town*, Ramón Sender, *Siete Domingos Rojos* y *Contraataque en España* (los dos traducidos al inglés); Arturo Barea, *The Forging of a Rebel*, New York, 1946.

Literatura

Historias de la literatura española

Barja, César, *Literatura española; libros y autores clásicos.* Brattleboro, Vt., 1922.

——*Libros y autores modernos.* New York, 1924; Los Angeles, 1933.

——*Libros y autores contemporáneos.* Madrid y New York, 1935.

Boggs, Ralph S., *Outline History of Spanish Literature.* Boston, New York, etc., 1937. Breve bosquejo esquemático muy útil, con comentarios. Traducido al español y muy amplificado por I. Pereda Valdés, Montevideo, 1945.

Cejador y Frauca, Julio, *Historia de la lengua y literatura castellana.* 14 t., Madrid, 1915–1922. Extensa, caprichosa, no siempre de fiar. Datos valiosos.

Fitzmaurice-Kelly, James, *New History of Spanish Literature.* Oxford, 1926. Breve, bien escrita.

Ford, J. D. M., *Main Currents of Spanish Literature.* New York, 1919.

Henríquez Ureña, P., *Tablas cronológicas de la literatura española.* New York, 1920.

Hurtado, J. y A. González Palencia, *Historia de la literatura española.* 5ta ed., Madrid, 1943. Bibliografías y datos muy valiosos.

Mérimée, Ernest y S. Griswold Morley, *A History of Spanish Literature.* New York, 1930. Uno de los mejores manuales. Es traducción, con nuevos datos y bibliografías, del conocido *Précis de l'histoire de la littérature espagnole*, de Mérimée.

Northup, George Tyler, *An Introduction to Spanish Literature.* 2da ed., Chicago, 1936. Breve, recomendable como introducción.

Pfandl, Ludwig, *Historia de la literatura nacional española en la edad de oro;* traducción del alemán por el Dr. Jorge Rubio Balaguer. Barcelona, 1933.

Romera-Navarro, M., *Historia de la literatura española.* New York, 1928. Crítica buena, con ilustraciones y trozos representativos de varios autores.

Ticknor, George, *History of Spanish Literature.* 6ta ed., 3 tomos, Boston, 1891. Vieja pero admirable.

Valbuena Prat, A., *Historia de la literatura española.* 2da ed. Barcelona, 1946. Desigual. Crítica muy sugestiva.

Se refiere en los libros arriba citatos a muchos estudios más especializados.

Antologías y colecciones

Biblioteca de Autores Españoles (*B. A. E.* o *Bib. Rivadeneyra*). 71 t., Madrid, 1846–1880. Varios tomos reimpresos. Indispensable, pero mal impresa. Los textos no son críticos.

Biblioteca Calleja. Madrid, sin año. Tamaño pequeño, textos útiles.

Bibliotheca Hispanica, ed. R. Foulché-Delbosc. Buenas reimpresiones de textos antiguos o clásicos por el benemérito hispanista francés.

Biblioteca Literaria del Estudiante. Madrid, 1922– . Antologías útiles y textos abreviados.

Clásicos Castellanos. Madrid 1910– . Más de 120 tomos hasta la fecha, manejables, bien editados e impresos.

Clásicos Olvidados. Madrid, 1928– .

Colección de libros españoles raros o curiosos. 24 t., Madrid, 1871–1896.

Colección de los mejores autores españoles (*Colección Baudry*). París, 1838–1872.

Fitzmaurice-Kelly, James, *The Oxford Book of Spanish Verse.* 2da ed., amplificada por J. B. Trend, Oxford, 1940.

——*Cambridge Readings in Spanish Literature.* Cambridge, England, 1920.

Ford, J. D. M., *A Spanish Anthology.* Boston, 1911.

Hills, E. C. y S. G. Morley, *Modern Spanish Lyrics.* New York, 1913.

Hurtado, J. y A. González Palencia, *Antología de la literatura española.* Madrid, 1926.

Menéndez y Pelayo, M., *Antología de poetas líricos castellanos* . . . 14 t., Madrid, 1890–1916.

——*Las cien mejores poesías* (*líricas*) *de la lengua castellana.* Londres y Glasgow, 1908.

Menéndez Pidal, R., *Antología de prosistas castellanos.* 2da ed., Madrid, 1920.

Pattison, Walter T., *Representative Spanish Authors.* 2 t., New York, 1942.

Romera-Navarro, M., *Antología de la Literatura Española.* Boston y New York, 1933.

Sociedad de Bibliófilos Andaluces. 51 t., Sevilla, 1867–1907.

Sociedad de Bibliófilos Españoles. 44 t., Madrid, 1866–1928.

Sociedad de Bibliófilos Madrileños. 11 t., Madrid, 1909–1914.

La Editorial Aguilar, de Madrid, va publicando varias series de obras de autores clásicos y modernos. Los tomos, más o menos de lujo, suelen traer mil hasta dos mil páginas o más cada uno, bien editados e impresos.

Revistas

Hay muchas revistas que de vez en cuando traen noticias de alguna fase de la cultura española. Algunas de ellas son:

Boletín de la Biblioteca Menéndez y Pelayo. Santander, 1919– .

Boletín de la (Real) Academia Española, Madrid, 1914– .
Boletín de la (Real) Academia de la Historia. Madrid, 1877– .
Bulletin hispanique. Bordeaux, 1899– .
Bulletin of Spanish Studies, Liverpool, 1923– .
Hispania. Stanford Univ., California, 1918– .
Hispanic Review. Philadelphia, 1932– .
Hispanic American Historical Review, Duke Univ., 1918– .
Revista de archivos, bibliotecas y museos. Madrid, 1871– .
Revista de la biblioteca, archivo y museo. Madrid, 1924.
Revista de filología española. Madrid, 1914– .
Revista de filología hispánica. Buenos Aires, 1939– .
Revista de Occidente. Madrid, 1923– .

Bellas artes. Arquitectura. Artes menores

Claro que se encontrarán estudios dedicados a España en las historias generales del arte, como las de Cheney, Faure, Pijoán, Reinach, Cotterill, Gardner, Robb y Garrison, Fletcher, Statham, Whitaker, Short, Abbot, Orpen, Chase y Post, Michel.

Arte y decoración en España. 12 t., Barcelona, 1917–1928.
Bevan, B., *History of Spanish Architecture.* Londres, 1928.
Burlington Magazine Monograph II. New York, 1927. Sobre el arte español. Diez autores. Buena bibliografía.
Byne, Arthur y Mildred Stapley (Byne), *Rejería of the Spanish Renaissance.* New York, 1914; *Spanish Ironwork.* New York, 1915; *Decorated Wooden Ceilings in Spain.* New York, 1920; *Spanish Interiors and Furniture.* New York, 1921; *Provincial Houses in Spain.* New York, 1925.
Caffin, Charles, *The Story of Spanish Painting.* New York, 1910.
Calvert, A. F., *Sculpture in Spain.* Londres, 1912.

King, Georgianna G., *The Way of St. James.* 3 t., New York y Londres, 1920.

——*Heart of Spain.* Cambridge, Mass., 1941.

Mayer, August L., *La pintura española.* Barcelona, 1926 (traducción).

Post, Chandler R., *A History of Spanish Painting.* 8 t. en 12, Cambridge, Mass., 1930–1941. La historia más satisfactoria de la pintura española.

Street, George E., *Some Account of Gothic Architecture in Spain*, ed. con notas por Georgianna Goddard King. Londres y Toronto, 1914.

Tatlock, R. R., etc., Spanish Art. London, 1927.

Tormo, Elías, *La escultura antigua y moderna.* Barcelona, 1903.

Música

Chase, Gilbert, *The Music of Spain.* New York, 1941. Buena bibliografía y lista de discos de música española de todas las épocas.

Encyclopédie de la musique et dictionnaire du Conservatoire. 1ère partie, t. 4. Paris, 1919. Sobre la música española y portuguesa, por Rafael Mitjana.

Pedrell, Felipe, *Diccionario biográfico y bibliográfico de músicos y escritores de música españoles ...* Barcelona, 1897.

Soubies, Albert, *Histoire de la musique:* Espagne. 3 t., Paris, 1900.

Trend, J. B., *The Music of Spanish History to 1600.* Oxford, 1926.

——*A Picture of Modern Spain, Men and Music.* Londres, 1921.

Van Vechten, Carl, *The Music of Spain.* New York, 1928.

Wolf, Johannes, *Historia de la música.* Traducción de Roberto Gerhard. Con un estudio de la música española por Higinio Anglés. Barcelona, 1934.

Folklore

Boggs, Ralph S., *Index of Spanish Folktales ...* Helsinki y Chicago, 1930.

Biblioteca de las tradiciones populares españolas. Director: Antonio Machado y Alvarez. 11 t., Madrid y Sevilla, 1883–1886.

Demófilo (Antonio Machado y Alvarez), *Colección de enigmas y adivinanzas en forma de diccionario.* Halle y Sevilla, 1880.

Espinosa, Aurelio M., *Cuentos populares españoles.* 3 t., Stanford University, 1923–1926.

« *Folklore* » *y costumbres de España.* 3 t., Barcelona, 1931–1934. Varios autores. Muy recomendable.

Palencia, Isabel de, *Regional Costumes of Spain.* Madrid, 1926.

Rodríguez Marín, Francisco, *Cantos populares españoles.* 5 t., Sevilla, 1882–1883.

——*21.000; 12.600; 6.666; 10.700 refranes.* 4 t., Madrid, 1926–1941.

Viajes

Amicis, Edmondo de, *Spagna.* Florencia, 1873. Tr. por S. R. Yarnall como *Spain and the Spaniards.* 2 t., Philadelphia, 1895.

d'Aulnoy, Mme., *Relation du voyage d'Espagne.* 1691. Libro muy citado. Es muy probable que Mme. d'Aulnoy lo haya basado en documentos contemporáneos y no en el viaje que describe.

Barrès, Maurice, *Du sang, de la volupté et de la mort.* Paris, 1895.

Borrow, George, *The Bible in Spain.* Londres, 1843, etc.

Gautier, Théophile, *Tra los montes.* París, 1843. En 1845 se publicó como *Voyage en Espagne.*

Ford, Richard, *A Handbook for Travellers in Spain.* 2 t., Londres, 1845.

——*Gatherings from Spain.* Londres, 1846.

Hay, John, *Castilian Days.* New York, 1871.

Howells, William D., *Familiar Spanish Travels.* New York y Londres, 1913.

Martinez Ruiz, José (Azorín), *El paisaje de España visto por los españoles*. Madrid, 1917.

Symons, Arthur, *Cities and Seacoasts and Islands*. Londres, 1918.

Trend, J. B., *Spain from the South*. Londres, 1928.

Maugham, W. Somerset, *Andalusia*. New York, 1920.

Hielscher, Kurt, *Das unbekannte Spanien*. Berlin, 1922. 304 fotograbados singularmente bellos.

Peers, E. A., *Spain. A Companion to Spanish Travel*. New York, 1930.

Unamuno, M. de, *Por tierras de España y Portugal*. Madrid, 1911.

Meier-Graeffe, Julius, *The Spanish Journey*, tr. por G. Holyroyd-Reece. New York, 1926.

Starkie, Walter, *Spanish Raggle-Taggle; Adventures with a Fiddle through Spain*. Londres, 1934; New York, 1935.

Bibliografías Especiales para los Capítulos

Capítulo I

Véase también *Historia.*

Ballester, R., *Geografía de España.* 2da ed., Gerona, 1918.

Madariaga, S. de, *España.* 3ra ed., corregida y aumentada, Buenos Aires, 1942. Tr. como *Spain*, New York, 1930.

Martín Echeverría, L., *España. El país y los habitantes.* México, 1940.

Dantín Cerceda, J., *Ensayo acerca de las regiones naturales de España.* Madrid, 1922.

Capítulo II

Véase también *Historia.*

d'Arbois de Jubainville, H., *Les Celtes en Espagne.* En *Revue celtique*, 1893.

Bourchier, E. S., *Spain Under the Roman Empire.* Oxford, 1914.

Cartailhac, Émile, *Les âges préhistoriques de l'Espagne et du Portugal.* París, 1886.

Menéndez Pidal, R., director. *Historia de España.* t. II. *España romana.* Madrid, 1935.

Sutherland, C. H. V., *Les Celtes en Espagne.* Londres, 1939.

Capítulo III

Véase también *Historia.*

Fernández Guerra, A., y otros, *Historia de España desde la invasión de los pueblos germánicos hasta la ruina de la monarquía visigoda.* 2 t., Madrid, 1890.

Menéndez Pidal, director, *Historia de España.* t. III. *España visigoda.* Madrid, 1940.

Pérez Pujol, E., *Historia de las instituciones sociales de la España goda.* 4 t., Valencia, 1896.

San Isidoro, *Opera omnia.* Roma, 1797–1803. *Etimologías*, ed. Lindsay. 2 t., Oxford, 1912.

Cañal, C., *San Isidoro.* Sevilla, 1897.

Capítulo IV

Véase también *Historia.*

Dozy, R. P. A., *Spanish Islam: a History of the Moslems in Spain.* Tr. F. G. Stokes. Londres, 1913.

González Palencia, A., *Historia de la España musulmana.* 2da ed., Barcelona, 1929.

Lane-Poole, S., *The Moors in Spain.* Nueva ed., New York, 1911.

Renan, Ernest, *Averroès et l'averroïsme.* 4ta ed., Paris, 1882.

Lévy, L., *Maïmonide.* Paris, 1911.

Mainz, J., *Moses ben Maimon. Sein Leben und seine Werke.* Frankfurt am Mein, 1912.

Goetz, H. H., *Geschichte der Juden* . . . 11 t. en 13. Leipzig, 1897–1911. El t. 8 da la historia de los judíos en España. Tr. al inglés como *History of the Jews.* 6 t., Philadelphia, 1891–1898.

Saladin, H. y G. Migeon, *Manuel d'art musulman.* Paris, 1902.

Lampérez, V., *Historia de la arquitectura española en la edad media.* Madrid, 1908–1909.

Capítulo V

Véase también *Historia.*

Watts, H. E., *The Christian Recovery of Spain from the Moorish Conquest to the Fall of Granada.* New York, 1911.

Ménendez Pidal, R., *La España del Cid.* 2da ed., México y Buenos Aires, 1939. Tr. por Harold Sunderland como *The Cid and His Spain*, Londres, 1934.

——*Historia y epopeya.* Madrid, 1934.

Colección de las crónicas y memorias de los reyes de Castilla. 7 t., Madrid, 1779–1787.

Manuel Rodríguez, M. de, *Memorias para la vida del santo rey don Fernando III.* Madrid, 1800.

Capítulo VI

Véase también *Historia.*

López de Ayala, Pedro, *Crónicas . . . , B. A. E.* LXVI y LXVIII.

Pérez de Guzmán F., *Generaciones y semblanzas*, ed. J. Domínguez Bordona. Madrid, 1924. (*Clás. Cast.* 61).

Capítulo VII

Entwistle, W. J., *The Spanish Language.* New York, 1929.

Menéndez Pidal, R., *Orígenes del español.* 2da ed., Madrid, 1929.

——*Poesía juglaresca y juglares.* Madrid, 1924.

——*L'épopée castillane à travers la littérature espagnole.* París, 1910.

——*La leyenda de los Infantes de Lara.* Madrid, 1896.

——*Cantar de Mío Cid.* 3 t., Madrid, 1906–1911. Ed. abreviada, Madrid, 1913 (*Clás. Cast.* 24).

Rose, R. S. and Leonard Bacon, *The Lay of the Cid.* Berkeley, Cal., 1919.

Poema de Fernán González, ed. C. C. Marden. Baltimore, 1904.

Libro de Alixandre, ed. A. Morel-Fatio. Dresde, 1906; ed. R. S. Willis, Princeton y París, 1934.

Menéndez Pidal, R., *La primitiva poesía lírica española* (1919). En *Estudios literarios*, Madrid, 1920, págs. 251–344.

Berceo, Gonzalo de, *Vida de Santo Domingo de Silos*, ed. John D. Fitzgerald. París, 1904.

——*Milagros de Nuestra Señora*, ed. A. G. Solalinde. Madrid, 1922.

Michaëlis de Vasconcellos, Carolina, *Cancioneiro da Ajuda.*

2 t., Halle, 1904. Texto y excelente estudio de las poesías de los tres cancioneros portugueses.

Ribera, Julián, *El cancionero de Abencuzmán.* Madrid, 1912.

Capítulo VIII

Solalinde, A. G., *Alfonso X el Sabio. Antología de sus obras.* Madrid, 1923.

Las siete Partidas, ed. Real Academia de la Historia. 3 t., Madrid, 1807.

Menéndez Pidal, R., ed., *La primera crónica general.* Madrid, 1906 (*N. B. A. E.* 5).

Cantigas de Santa María, ed. Real Acad. Espa., 2 t., Madrid, 1889.

Ribera, Julián, *La música de las Cantigas* ... Madrid, 1922. Tr. y adaptada por Eleanor Hague (falten los ejemplos musicales) como *Music in Ancient Arabia and Spain.* Stanford Univ., Cal., 1929.

Libro de los engannos ..., ed. A. Bonilla y San Martín (*Bibliotheca Hispanica*, 1914).

Calila et Dimna, ed. J. Alemany. Madrid, 1915.

Barlaam et Josaphat, ed. F. Lauchert en *Romanische Forschungen* VII (1893).

Petrus Alfonsi, *Disciplina clericalis*, ed. A. Hilka y W. Söderhjelm. Heidelberg, 1911.

Don Juan Manuel, *El Conde Lucanor*, ed. Knust-Birch-Hirschfeld. Leipzig, 1900; ed. E. Krapf, Vigo, 1898; 2da ed. 1902.

El libro del cavallero Zifar, ed. C. P. Wagner, Ann Arbor, Mich., 1929.

Wagner, C. P., *The Sources of El Caballero Cifar*, en *Revue hispanique* X (1903).

Libros de Caballerías, ed. P. de Gayangos, *B. A. E.* XI; ed. A. Bonilla, en *N. B. A. E.* VI, XI.

Thomas, H., *Spanish and Portuguese Romances of Chivalry.* Londres, 1920.

Menéndez y Pelayo, M., *Orígenes de la novela.* Nueva ed., Madrid, 1943.

Auto de los Reyes Magos, ed. R. Menéndez Pidal, en *Revista de archivos* IV (1900); ed. J. D. M. Ford, en *Old Spanish Readings*. Boston, 1906.

Crawford, J. P. W., *Spanish Drama Before Lope de Vega*. Philadelphia, 1922.

Capítulo IX

Ruiz, Juan, *El libro de buen amor*, ed. G. Ducamin, Toulouse, 1901; ed. J. Cejador, Madrid, 1913 (*Clás. Cast* 14 y 17).

——*The Book of Good Love*, tr. E. K. Kane. Ed. privada, 1933.

Puyol y Alonso, J., *El Arcipreste de Hita, estudio crítico*. Madrid, 1906.

Fitzmaurice-Kelly, J., *The Archpriest of Hita*, en *Chapters on Spanish Literature*. Londres, 1908.

Lecoy, Félix, *Recherches sur le Libro de Buen Amor de Juan Ruiz*. París, 1938.

López de Ayala, Pero, *Poesías*, ed. A. F. Kuersteiner. New York, 1920.

Danza de la muerte, ed. R. Foulché-Delbosc (*Textos castellanos antiguos* II), Barcelona, 1907.

Coplas del provincial, ed. M. Menéndez y Pelayo, en *Antología* VI.

Coplas de Mingo Revulgo, ed. M. Menéndez y Pelayo, en *Antología* III.

Coplas de ¡ Ay, panadera !, ed. B. J. Gallardo en *Ensayo* ··· I.

Capítulo X

Farinelli, Arturo, *Italia e Spagna*. Torino, 1929.

Bonilla, A., *Antología de poetas de los siglos* XIII *al* XV. Madrid, 1917.

Cancionero del siglo XV, ed. R. Foulché-Delbosc, en *N. B. A.E.* XIX y XXII.

Cancionero de Baena, ed. P. J. Pidal. Madrid, 1852; ed. facsímil, Hispanic Society of America, New York, 1922.

Santillana, Marqués de, *Obras*, ed. J. Amador de los Ríos. Madrid, 1852.

——*Canciones e decires*, ed. V. García de Diego. Madrid, 1913. (*Clás. Cast.* 18).

Place, Edwin B., *Exaggerated Reputation of Francisco Imperial*, en *Speculum*, XXI, 1946, págs. 457–473.

Puymaigre, Comte de, *La cour littéraire de don Juan II* . . . 2 t., París, 1873.

Mena, Juan de, *El laberinto de Fortuna.* Ed. R. Foulché-Delbosc. Mâcon, 1904.

Manrique, Jorge, *Coplas* . . . Ed. R. Foulché-Delbosc, Madrid, 1912.

Romancero general, ed. A. Durán. *B. A. E.* X y XVI.

Morley, S. G., *Spanish Ballad Problems.* Berkeley, Cal., 1925. Muy buena discusión de los estudios anteriores.

——*Spanish Ballads.* New York, 1911. Selección de varias clases de romances.

Wolf y Hoffmann, *Primavera y flor de romances.* Berlin, 1856.

Menéndez Pidal, R., *Flor nueva de romances nuevos.* Madrid, 1928.

Entwistle, W. J., *European Balladry.* Oxford, 1939. Sección bastante extensa dedicada a España, con traducciones.

Capítulo XI

Véanse también *Bellas Artes* y *Música.*

Lampérez y Romea, V., *Arquitectura civil española en los siglos* I al XVIII. 2 t., Madrid, 1922.

——*Historia de la arquitectura cristiana española en la edad media.* 2 t., Madrid, 1908–1909.

Mayer, A. L., *El estilo gótico en España.* Madrid, 1929.

Capítulo XII

Véase también *Historia.*

Prescott, W. H., *History of the Reign of Ferdinand and Isabella the Catholic.* Nueva ed. New York, 1938.

Armstrong, Edward, *The Emperor Charles V.* 2 t., Londres, 1910.

Branli, Karl, *Kaiser Karl.* Munich, 1937. Tr. C. V. Wedgwood como *The Emperor Charles V.* Londres, 1939.

Starkie, Walter, *Grand Inquisitor. Being an Account of Cardinal Ximénez de Cisneros and His Times.* Londres, 1940.

Lea, Henry Charles, *History of the Inquisition in Spain.* 4 t., New York y Londres, 1906–1907.

Walsh, William T., *Characters of the Inquisition.* New York, 1940.

Llorente, J. A., *Historia crítica de la Inquisición en España.* Barcelona, 1835–1836.

Capítulo XIII

Green, Otis H., *A Critical Survey of Scholarship in the Field of Spanish Renaissance Literature, 1914–1944*, en *Studies in Philology*, XLIV (1947).

Bell, A. F. G., *Notes on the Spanish Renaissance*, en *Revue hispanique* XXX (1930).

Radet, G., *La Renaissance en Espagne et au Portugal*, en *Rev. hisp.* XIV.

Menéndez y Pelayo, M., *Historia de las ideas estéticas en España.* 9 t., Madrid, 1883–1891; nueva ed., Santander, 1940– .

——*Historia de los heterodoxos españoles.* 3 t., Madrid, 1911; 2da ed. 1932.

——*La ciencia española.* 3 v., Madrid, 1887–1888; 2da ed. 1933.

Lemus y Rubio, P., *El Maestro Elio Antonio de Lebrija*, en *Rev. hisp.* XXII y XXIX.

San Pedro, Diego de, *Cárcel de amor*, ed. R. Foulché-Delbosc. En *Bibliotheca Hispanica*, XV; en *N. B. A. E.* VII.

Matulka, Barbara, *The Novels of Juan de Flores and Their European Diffusion.* New York.

Rojas, F. de, *Comedia de Calisto y Melibea*, ed. R. Foulché-Delbosc. Barcelona, 1900 y 1902 (Los t. I y XII de la *Biblioteca Hispanica*); ed. J. Cejador, Madrid, 1913 (*Clás. Cast.* 20 y 23).

Castro Guisasola, F., *Observaciones sobre las fuentes literarias de « La Celestina ».* Madrid, 1924.

Palmerines, ed. A. Bonilla. *N. B. A. E.* VII.

Encina, Juan del, Teatro completo, ed. M. Cañete y F. A. Barbieri. Madrid, 1913.

Torres Naharro, B., *Propaladia*, ed. M. Cañete y M. Menéndez y Pelayo. Madrid, 1880, 1900 (Libros de antaño IX y X).

——*Propalladia and Other Works of Bartolomé de Torres Naharro*, ed. Jos. E. Gillet. 2 t., Bryn Mawr, Pennsylvania, 1943–1946.

Vicente, Gil, *Obras*, ed. Mendes dos Remedios. 2 t., Coimbra, 1907–1912.

Rueda, Lope de, *Obras*, ed. E. Cotarelo y Mori. 2 t., Madrid, 1908.

——*Teatro*, ed. Moreno Villa. Madrid, 1924 (*Clás. Cast.* 59).

Cueva, Juan de la, *Tragedias y comedias*, ed. F. A. de Icaza. Madrid, 1917 (*Bibliófilos Españoles*).

Crawford, J. P. W., *Spanish Drama Before Lope de Vega*. Philadelphia, 1922.

Boscán, Juan, *Obras*, ed. W. I. Knapp. Madrid, 1875.

Menéndez y Pelayo, M., *Antología* . . . t. XIII (sobre Boscán).

Garcilaso de la Vega, *Works*, ed. H. Keniston. New York, 1925.

——*Obras*, ed. T. Navarro Tomás. 2da ed., Madrid, 1924 (*Clás. Cast.* 3).

Keniston, H., *Garcilaso de la Vega, a Critical Study of His Life and Works*. New York, 1922.

Castillejo, C. de, *Obras*, ed. J. Domínguez Bordona. Madrid, 1925–1928 (*Clás Cast.* 72, 79, 88, 91).

Capítulo XIV

Véase también *Historia*.

Prescott, W. H., *History of the Reign of Philip the Second*. 3 t., Boston, 1855–1858; Philadelphia, 1916.

Hume, M. A. S., *Spain, Its Greatness and Decay* (1479–1988). 3ra ed., Cambridge, Inglaterra, 1925.

——*Philip II of Spain*. Londres, 1897, 1911.

Walsh, William T., *Isabella of Spain, the Last Crusader.* New York, 1930.

——*Philip II.* Londres y New York, 1937.

Loyola, San Ignacio de, *The autobiography of* . . . Tr. J. F. X. O'Connor. New York, 1900.

Thompson, Francis, *Saint Ignatius of Loyola.* Londres, 1909, 1910.

Castro, Adolfo de, *The Spanish Protestants and Their Persecution by Philip II.* Londres y Edinburgh, 1851.

Watson, Foster, *Luis Vives.* Oxford, 1922.

Bonilla, A., *Luis Vives y la filosofía del Renacimiento.* Madrid, 1903.

Castro, A., *Lo hispánico y el erasmismo,* en *Revista de filología hispánica* III, IV.

Bataillon, M., *Érasme et l'Espagne.* Paris, 1937.

Mariana, Juan de, *Historia de España.* Pub. en 30 t. en latín, 1605. Empezó a publicarla en español en 1601. Varias ed. modernas.

Cirot, Georges, *Mariana historien.* Bordeaux y París, 1905.

Ocampo, Florián de, *Crónicas,* ed. B. Cavo. Madrid, 1791.

Fernández de Oviedo, G., *Historia general y natural de las Indias. B. A. E.* I.

Garcilaso de la Vega (El Inca), *Comentarios reales,* ed. H. H. Urteaga. 6 t., Lima, 1918–1921.

Santa Teresa, Escritos. *B. A. E.* LIII, LV.

——*Las moradas,* ed. T. Navarro Tomás, 3ra ed., Madrid, 1922 (*Clás. Cast.* 1).

Cunninghame-Graham, Mrs. G., *Santa Teresa: Her Life and Times.* Londres, 1894.

San Juan de la Cruz, *Obras. B. A. E.* XXVII, XXXV; ed. Padre Gerardo de San Juan de la Cruz. 3 t., Madrid, 1912–1914.

——*El cántico espiritual,* ed. M. Martínez Burgos. Madrid, 1924 (*Clás. Cast.* 55).

Peers, E. Allison, *Studies of the Spanish Mystics.* New York y Toronto, 1927.

Rousselot, P., *Les mystiques espagnols.* Paris, 1867.
Lewis, D., *The Life of St. John of the Cross.* Londres, 1897.
Baruzi, Jean S., *S. Jean de la Croix* ... Paris, 1924.

Capítulo XV

Cetina, G. de, *Obras*, ed. J. Hazaña y la Rúa. 2 t., Sevilla, 1895.
Figueroa, Fr. de, *Obras*, pub. A. M. Huntington. New York, 1903. (Facsímil de la ed. de 1626.) Poesías. *B. A. E.* XLII.
León, Luis de, *Obras. B. A. E.* XXXV, XXXVII; *Obras*, ed. A. Merino, Madrid, 6 t., 1804–1816; reimpr. 1885.
——*Poesías originales*, ed. A. Coster. Chartres, 1923.
Coster, A., *Luis de León*, en *Revue Hispanique* LVIII, LVIV.
Bell, A. F. G., *Fray Luis de León: A study of the Spanish Renaissance.* Oxford, 1925; tr. española Barcelona, 1927.
Herrera, F. de, Poesías. *B. A. E.* XXXII; Poesías, ed. V. García de Diego. Madrid, 1914 (*Clás. Cast.* 26).
Coster, A., *Fernando de Herrera, el Divino.* París, 1908.
Ercilla, A. de, *La Araucana*, ed. J. Toribio Medina. 5 t., Santiago de Chile, 1910–1918.
Montemayor, J. de, Diana. *N. B. A. E.* VII.
Rennert, H. A., *The Spanish Pastoral Romances.* Philadelphia, 1912.
Delicado, Fr., *La lozana andaluza.* Madrid, 1916.
Lazarillo de Tormes, ed. J. Cejador. Madrid, 1914 (*Clás. Cast.* 25).
——Tr. por Louis How, con un prólogo de C. P. Wagner. New York, 1917.
De Haan, Fonger, *An Outline of the History of the Novela Picaresca in Spain.* La Haya y New York, 1903.
Chandler, F. W., *Romances of Roguery.* New York, 1899.
Bataillon, M., *Le roman picaresque.* París, 1931.
El Abencerraje, ed. G. Le Strange, Cambridge, Inglaterra, 1924; ed. N. B. Adams y Gretchen Todd Starck, Boston, etc., 1927; New York, 1940.

Capítulo XVI

Alemán, Mateo, *Guzmán de Alfarache*, ed. S. Gili y Gaya. 3 t., Madrid, 1927–1928 (*Clás. Cast.* 73, 83, 90).

——Tr. al inglés por James Mabbe, reimpr. Londres, 1924. Varias novelas picarescas se encuentran en la *B. A. E.* t. III, XVIII, XXXIII.

Quevedo, Fr. de, *Historia de la vida del Buscón*, ed. Foulché-Delbosc. New York, 1917; ed. A. Castro, 2da ed., Madrid, 1927 (*Clás. Cast.* 5).

——*Obras completas*, ed. L. Astrana Marín. 2 t., Madrid, 1932.

——*Los sueños*, ed. J. Cejador. 2 t., Madrid, 1916–1917. (*Clás. Cast.* 31, 34).

Mérimée, E., *Essai sur la vie et les œuvres de Francisco de Quevedo*. Paris, 1886.

Juderías, J., *Don Francisco de Quevedo y Villegas*. Madrid, 1923.

López de Ubeda, Fr., *La pícara Justina*, ed. J. Puyol y Alonso. 3 t., Madrid, 1912.

Espinel, V., *Marcos de Obregón*, ed. S. Gili y Gaya. 2 t., Madrid, 1922–1923 (*Clás. Cast.* 43, 51).

Salas Barbadillo, J. de, *Obras*, ed. E. Cotarelo. 2 t., Madrid, 1907–1909.

——*La hija de Celestina y la ingeniosa Elena*, ed. F. Halle. 2 t., Strasbourg, 1912 (*Biblioteca Romanica*).

——*La peregrinación sabia* y *El sagaz Estacio*, ed. F. A. de Icaza, Madrid, 1924 (*Clás. Cast.* 57).

Place, E. B., *Salas Barbadillo, Satirist.*, en *Rom. Rev.*, 1926.

Castillo Solórzano, A. de, *Jornadas alegres*, *Tardes entretenidas*, *Noches de placer*, *Las harpías de Madrid*, *La niña de los embustes*, ed. E. Cotarelo. Madrid, 1906–1909.

——*La garduña de Sevilla*, ed. F. Ruiz Morcuende, Madrid, 1922 (*Clás. Cast.* 42).

Chandler, F. W., *Romances of Roguery*. Madrid, 1899; *The Literature of Roguery*. 2 t., New York, 1907.

Pérez de Hita, Ginés, *Guerras civiles de Granada*, ed. Paula Blanchard-Demouge. 2 t., Madrid, 1913–1915.

Bourland, Caroline B., *The Short Story in Spain in the Seventeenth Century.* Northampton, Mass., 1927.

Place, E. B., *Manual elemental de novelística española.* Madrid, 1926.

Capítulo XVII

Ríus, L., *Bibliografía de las obras de Miguel de Cervantes Saavedra.* 3 t., Madrid, 1895–1904.

Ford, J. D. M. y Ruth Lansing, *Cervantes, a Tentative Bibliography.* Cambridge, Mass., 1931.

Grismer, R. L., *Cervantes, a Bibliography.* New York, 1946.

Obras completas de M. de C. S., ed. Rudolph Schevill y Adolfo Bonilla. Madrid, 1914–1929. El mejor texto.

Don Quijote, ed. F. Rodríguez Marín. 6 t., Madrid, 2da ed., 1927–1928. Comentario muy extenso. Pub. en forma reducida, 8 t., Madrid, 1911–1913 (*Clás. Cast.*).

Icaza, F. A. de, *Las novelas ejemplares de Cervantes.* Madrid, 1915. Estudio crítico.

Schevill, R., *Cervantes.* New York, 1919.

Fitzmaurice-Kelly, Jas., *M. de C. S., a Memoir.* Oxford, 1913.

Entwistle, W. J., *Cervantes.* Oxford, 1940.

Savj-López, Paolo, *Cervantes.* Tr. al esp. por A. G. Solalinde, Madrid, 1917.

Hazard, Paul, *Don Quichotte de Cervantes, étude et analyse.* París, 1931.

Madariaga, S. de, *Guía del lector del Quijote.* Madrid, 1926.

Bonilla, A., *Cervantes y su obra.* Madrid, 1916.

Capítulo XVIII

Schack, A. F. von, *Geschichte der dramatischen Literatur und Kunst in Spanien.* 2da ed., 2 t., Frankfurt a. M., 1854. Tr. E. de Mier. 5 t., Madrid, 1885–1887.

Schaeffer, A., *Geschichte des Spanischen Nationaldramas.* 2 t., Leipzig, 1890.

Creizenach, W., *Geschichte des neuren Dramas.* El. t. III

para España. 2da ed., revisada por A. Hämel, Halle, 1923.

Díaz de Escobar, N. y F. de P. Lasso de la Vega, *Historia del teatro español.* 2 t., Barcelona, 1924.

Valbuena Prat, A., *Literatura dramática española.* Barcelona, 1930.

Rennert, H. A., *The Spanish Stage in the time of Lope de Vega.* New York, 1909.

La Barrera, Cayetano de, *Catálogo bibliográfico y biográfico del teatro antiguo español.* Madrid, 1860.

Rennert, H. A. y Américo Castro, *Vida de Lope de Vega.* Madrid, 1919.

Schevill, R., *The Dramatic Art of Lope de Vega.* Berkeley, Cal., 1918.

Romera-Navarro, M., *La preceptiva literaria de Lope de Vega.* Madrid, 1935.

Chaytor, H. J., *Dramatic Theory in Spain ...* Cambridge, Inglaterra, 1925.

Vega Carpio, Lope Félix, *Obras no dramáticas*, ed. Cerdá y Rico. 21 t., Madrid, 1776–1779.

——Obras, ed. Real Academia Española (los t. II–XIII ed. Menéndez y Pelayo). 15 t., Madrid, 1890–1913.

——*Obras*, ed. Real Academia Española. Nueva ed., ed. Cotarelo. 12 t., Madrid, 1916–1931.

Poesías líricas, ed. J. F. Montesinos. 2 t., Madrid, 1925–1926 (*Clás. Cast.* 68, 75).

Téllez, Gabriel (Tirso de Molina), *Comedias*, ed. E. Cotarelo, *N. B. A. E.* IV, IX. Comedias, *B. A. E.* V.

Muñoz Peña, P., *El teatro del maestro Tirso de Molina.* Valladolid, 1889.

Vossler, Karl, *Lope de Vega y su tiempo.* Tr. del alemán por Ramón de la Serna. Madrid, 1932.

Gendarme de Bévotte, G., *La légende de Don Juan.* París, 1906; 2 t., París, 1911.

Castro, Guillén de, *Obras*, ed. E. Juliá Martínez, Madrid, 1925– .

——*Las mocedades del Cid*, ed. V. Saíd Armesto. Madrid, 1913 (*Clás. Cast.* 15).

Ruiz de Alarcón, J., *Comedias*, *B. A. E.* XX.
——*Teatro* (La verdad sospechosa y Las paredes oyen), ed. A. Reyes (*Clás. Cast.* 37).
Henríquez Ureña, P., *Don Juan Ruiz de Alarcón.* La Habana, 1915.
Vélez de Guevara, L., *Comedias*, *B. A. E.* XLV.
Spencer, Forrest E. and Rudolph Schevill, *The Dramatic Works of Luis Vélez de Guevara.* Berkeley, Cal., 1937.
Cotarelo, E., *Luis Vélez de Guevara y sus obras dramáticas*, en *Boletín de la Real. Acad. Esp.* III, IV.
Rojas Zorrilla, Fr. de, *Comedias escogidas. B. A. E.* XLIV, XLV.
——*Teatro* (*Del rey abajo ninguno* y *Entre bobos anda el juego*) ed. F. Ruiz Morcuende. Madrid, 1917 (*Clás. Cast.* 35).
Cotarelo, E., *Don Francisco de Rojas Zorrilla.* Madrid, 1911.
Calderón, Pedro, *Comedias. B. A. E.* VII, IX, XII, XIV.
——*Comedias*, ed. J. G. Keil. 4 t., Leipzig, 1827–1830. Hay muchas ediciones de una o de varias de las comedias de Calderón, y de sus autos.
Cotarelo, E., *Ensayo sobre la vida y obras de D. P. C. de la B.* Madrid, 1924.
Menéndez y Pelayo, M., *Calderón y su teatro.* Madrid, 1881.
Moreto, A., *Comedias escogidas. B. A. E.* XXXIX.
——*Teatro* (*El lindo don Diego* y *El desdén con el desdén*), ed. N. Alonso Cortés. Madrid, 1916 (*Clás. Cast.* 32).
Kennedy, Ruth Lee, *The Dramatic Art of Moreto.* Philadelphia, 1932.

Capítulo XIX

Thomas, A., *Le lyrisme et la préciosité cultistes en Espagne.* Halle, 1909.
——*Gongora et le gongorisme . . .* París, 1911.
Kane, E. K., *Gongorism and the Golden Age.* Chapel Hill, N. C., 1928.
Carrillo, Luis, *Obras. B. A. E.* XLII.

Góngora, Luis de, *Obras poéticas*, ed. R. Foulché-Delbosc. (*Bibliotheca Hispanica* XVI, XVII, XX.) New York, 1921.

——*Poesías* . . . Cambridge, Inglaterra, 1942.

——*Soledades*, ed. Dámaso Alonso. Madrid, 1927. El prólogo constituye un estudio muy esmerado.

Artigas, M., *Don Luis de Góngora y Argote. Biografía y estudio crítico*. Madrid, 1928.

Churton, Edward, *Gongora*. Londres, 1862. Con traducciones al inglés.

Penney, Clara Louisa, *Luis de Góngora*. New York, 1926.

Alonso, Dámaso, *La lengua poética de Góngora*. Madrid, 1935.

Góngora, Luis de, *The Solitudes, translated into English Verse by* E. M. Wilson. Cambridge, Inglaterra, 1931.

Quevedo, Fr. de, *Obras completas*, ed. L. Astrana Marín. 2 t., Madrid, 1932.

——*Poesías*, ed. Janer. *B. A. E.* LXIX.

Saavedra Fajardo, Diego de, *República literaria*, ed. V. García de Diego. Madrid, 1923 (*Clás. Cast.* 46).

——*Idea de un príncipe político christiano*, ed. V. García de Diego. 2 t., Madrid, 1927 (*Clás. Cast.* 76, 81).

Gracián, Baltasar, *El criticón*, ed. M. Romera-Navarro. 3 t., Philadelphia, 1938–1940.

——*Agudeza y arte de ingenio*, ed. E. Ovejero. Madrid, 1929.

Bell, A. F. G., *Baltasar Gracián*. Oxford, 1921.

Coster, A., *Baltasar Gracián*, en *Revue hispanique* XXIX.

Capítulo XX

Véanse también *Bellas Artes* y *Música*.

Velázquez, R., *El barroquismo en arquitectura*, en *Boletín del Instituto Libre*, 1903.

Cossío, M. B., *El Greco*. Madrid, 1908.

El Greco. Phaedon Press Editions, Oxford Univ. Press, New York, 1938.

Villar, E. H. del, *El Greco en España*. Madrid, 1928.

Mayer, A. L., *Jusepe de Ribera* (*Lo Spagnoletto*). 2da ed., Leipzig, 1923.

Masters in Art. Boston, 1900–1909. Contiene monografías ilustradas sobre El Greco, Velázquez, Murillo y Goya.

Justi, C., *Velázquez und seine Jahrhundert.* 2da ed., 1903.

Mayer, A. L., *Diego Velázquez.* Berlin, 1924.

Bernete, A. de, *Velázquez.* Paris, 1908.

Minor, Ellen E., *Murillo.* Londres, 1882.

Salinas, Fr., *De música libri septem.* Salamança, 1577.

Trend, J. B., *A Sixteenth Century Collector of Folk Songs* (Salinas), en *Music and Letters*, VIII.

——*Luis Milán and the Vihuelistas.* Londres, 1925.

Capítulo XXI

Véase también *Historia.*

Coxe, W., *España bajo el dominio de . . . la familia de Borbón.* Tr. del francés. 4 t., Madrid, 1936–1937.

Danvila y Collado, M., *El reinado de Carlos III.* Madrid, 1891–1894.

Gómez de Arteche, *El reinado de Carlos IV.* Madrid, 1890–1892.

Addison, Joseph, *Charles the Third of Spain.* Oxford, 1900.

Capítulo XXII

Pellissier, R. E., *The Neo-Classic Movement in Spain During the XVIII Century.* Stanford Univ., Cal., 1918.

Luzán, Ignacio de, *Poética.* 2 t., Madrid, 1937; 1789.

Feijóo, B. J., *Obras.* *B. A. E.* LVI.

——*Teatro crítico universal* (Selecciones), ed. J. Millares Carlo. 3 t., Madrid, 1923–1925 (*Clás. Cast.* 48, 53, 67).

——*Cartas eruditas*, ed. por J. Millares Carlo. Madrid, 1928 (*Clás. Cast.* 85).

Iriarte, Tomás de, *Obras en verso y prosa.* 8 t., Madrid, 1805. También *B. A. E.* LXIII.

Cotarelo, E., *Iriarte y su época.* Madrid, 1807.

Jovellanos, G. M. de, *Obras.* *B. A. E.* XLVI, L.

Juderías, J., *Don Gaspar Melchor de Jovellanos*. Madrid, 1913.

González, Diego Tadeo, *Poesías*. *B. A. E.* LXI.

Cadalso, José, *Obras*. 3 t., Madrid, 1821. También *B. A. E.* XIII, LXI.

Meléndez Valdés, Juan, *Poesías*. *B. A. E.* LXIII.

——*Poesías*, ed. P. Salinas. Madrid, 1925 (*Clás. Cast.* 64).

Quintana, Manuel José, *Obras completas*. Madrid, 1897–1898. También *B. A. E.* VII, XIX, LXI, LXIII, LXVII.

——*Poesías*, ed. N. Alonso Cortés. Madrid, 1927 (*Clás. Cast.* 78).

Piñeyro, E., *Manuel José Quintana*. París y Madrid, 1892.

Moratín, L. F. de, *Obras*. *B. A. E.* II; *Obras póstumas*. 3 t., Madrid, 1867–1868.

——*Teatro* (*La comedia nueva* y *El sí de las niñas*), ed. F. Ruiz Morcuende. Madrid, 1924 (*Clás. Cast.* 58).

Cruz, Ramón de la, *Sainetes*, ed. Cotarelo. Madrid, 1915.

Cotarelo, E., *Don Ramón de la Cruz y sus obras*. Madrid, 1899.

Isla, Fr. de, *Obras escogidas*. *B. A. E.* XV.

——*Fray Gerundio*, ed. D. E. Lindforss. 2 t., Leipzig, 1885.

Torres, Diego de, *Obras*. 15 t., Madrid, 1794–1799.

——*Vida*, ed. F. de Onís. Madrid, 1912 (*Clás. Cast.* 7).

Stokes, H., *Goya*. New York y Londres, 1914.

Poore, Charles G., *Goya*. New York y Londres, 1938.

Araujo, C., *Goya*. Madrid, 1885.

Viñaza, Conde de la., *Goya: su tiempo, su vida, sus obras*. Madrid, 1887.

Calvert, A. F., *Goya, an Account of His Life and Works*. Londres y New York, 1908.

Capítulo XXIII

Véase también *Historia*.

Clarke, H. Butler, *Modern Spain, 1815–1898*. Cambridge, Inglaterra, 1906.

Hume, M. A. S., *Modern Spain.* Londres, 1899.
White, G. F., *A Century of Spain and Portugal (1788–1898).* Londres, 1909.
Peers, E. Allison, *A History of the Romantic Movement in Spain.* 2 t., Cambridge, 1940.
Tarr, F. C., *Romanticism in Spain and Spanish Romanticism.* Liverpool, 1939.
Blanco García, F., *La literatura española en el siglo XIX.* 2da ed. 3 t., Madrid, 1899.
Piñeyro, E., *El romanticismo en España.* París (1904). Tr. por E. Allison Peers como *The Romantics of Spain.* Liverpool, 1934.
Rivas, Duque de, *Obras.* 7 t., Madrid, 1894–1904.
——*Romances.* Ed. C. Rivas Cherif. 2 t., Madrid, 1912 (*Clás. Cast.* 9, 12).
Peers, E. Allison, *Rivas and Romanticism in Spain.* Liverpool, 1923.
Boussagol, G., *Angel de Saavedra, Duc de Rivas.* Toulouse, 1927.
Martínez Ruiz, José (Azorín), *Rivas y Larra, razón social del romanticismo.* Madrid, 1916.
Espronceda, José de, *Obras poéticas,* ed. J. Cascales Muñoz. Madrid, 1923.
——*Poesías* y *El estudiante de Salamanca,* ed. J. Moreno Villa. Madrid, 1923 (*Clás. Cast.* 47).
——*El diablo mundo,* ed. J. Moreno Villa. Madrid, 1923 (*Clás. Cast.* 50).
Churchman, P. H., *Byron and Espronceda,* en *Revue hispanique,* XX; ídem, *An Espronceda Bibliography,* en *Rev. hisp.,* XVII.
Zorrilla, José, *Obras completas,* ed. N. Alonso Cortés. 2t., 2233 y 2219 págs., Valladolid, 1943.
Alonso Cortés, N., *Zorrilla. Su vida y sus obras.* 3 t., Valladolid, 1916–1920.
Arolas, Juan, *Poesías . . .* Valencia, 1883.
——*Poesías,* ed. J. Lomba, Madrid, 1929 (*Clás. Cast.* 95).

Lomba y Pedraja, J., *El padre Arolas, su vida y sus versos.* Madrid, 1898.
Avellaneda, Gertrudis Gómez de, *Obras.* 4 t., La Habana, 1914–1918.
Williams, E. B., *The Life and Dramatic Works of G. G. de A.* Philadelphia, 1924.
Cotarelo, E., *La Avellaneda y sus obras.* Madrid, 1930.
Bécquer, G. A., *Obras.* 10ma ed. 3 t., Madrid, s. a.
Schneider, F., *Bécquers Leiden und Schaffen.* Leipzig, 1914.
Castro, Rosalía de, *Obras completas.* Madrid, 1909.
González Besada, A., *Rosalía de Castro.* Madrid, 1916.
Barja, César, *Rosalía de Castro.* New York, 1923.
Martínez de la Rosa, E., *Obras.* 3 t., Madrid, 1861.
Sarrailh, Jean, *Un homme d'état espagnol: Martínez de la Rosa.* Bordeaux y Paris, 1930.
García Gutiérrez, A., *Obras escogidas.* Madrid, 1866.
——Teatro (*Venganza catalana y Juan Lorenzo*), ed. J. R. Lomba. Madrid, 1925 (*Clás. Cast.* 65).
Adams, N. B., *The Romantic Dramas of García Gutiérrez.* New York, 1922.
Hartzenbusch, J. E., *Obras.* 5 t., Madrid, 1887–1892.
Hartzenbusch, Eugenio, *Bibliografía de Hartzenbusch, formulada por su hijo.* Madrid, 1900.
Corbière, A. S., *Juan Eugenio Hartzenbusch and the French Theatre.* Philadelphia, 1927.
Cotarelo, E., *Sobre el origen y desarrollo de la leyenda de « Los amantes de Teruel ».* Madrid, 1927.
Bretón de los Herreros, M., *Obras.* 5 t., Madrid, 1883–1884.
——*Teatro* (*Muérete y verás* y *El pelo de la dehesa*), ed. N. Alonso Cortés. Madrid, 1928 (*Clás. Cast.* 92).
Molins, Marqués de, *Bretón de los Herreros.* Madrid, 1883.
Le Gentil, G., *Le poéte M. B. de los H. et la société espagnole de 1830 à 1860.* París, 1909.
González Blanco, A., *Historia de la novela en España desde el romanticismo hasta nuestros días.* Madrid, 1909.
Churchman, P. y E. Allison Peers, *A Survey of the Influence of Sir Walter Scott in Spain,* en *Revue hispanique,* LV.

Peers, E. Allison, *Studies in the Influence of Sir Walter Scott in Spain*. En *Rev. hisp.* LXVIII.

Gil y Carrasco, E., *Obras*, ed. G. Laverde, Madrid, s. a.; *Obras en prosa*. 2 t., Madrid, 1883.

Lomba, J. R., *Enrique Gil y Carrasco: su vida y su obra literaria*, en *Revista de filología española* II.

Samuels, D. J., *Enrique Gil y Carrasco* . . . New York, 1939.

Mesonero Romanos, R. de, *Obras*. 8 t., Madrid, 1925–1926.

Pitollet, C., *Mesonero Romanos costumbrista*, en *La España moderna*, Oct. de 1903.

Estébanez Calderón, J., *Escenas andaluzas*. Madrid, 1883.

Cánovas del Castillo, A., « *El Solitario* » *y su tiempo*. 2 t., Madrid, 1883.

Larra, M. J. de, *Obras completas*. Barcelona, 1886. (Incompletas.)

——*Artículos* . . ., ed. J. R. Lomba. 3 t., Madrid, 1923–1927 (*Clás. Cast.* 45, 52, 77); *Artículos completos*, ed. Almagro de San Martín, Madrid, 1944.

——*Postfígaro, artículos no coleccionados*, ed. E. Cotarelo. 2 t., Madrid, 1919.

Burgos, Carmen de, « *Fígaro* ». Madrid, 1919. (Biografía algo folletinesca, pero con datos útiles.)

Chaves, M., *Don Mariano José de Larra*. Sevilla, 1898.

Capítulo XXIV

Campoamor, Ramón de, *Obras completas*. 8 t., Madrid, 1901–1903.

——*Poesías*, ed. C. Rivas Cherif. Madrid, 1921 (*Clás. Cast.* 40).

Hilton, R., *Campoamor, Spain and the World*. Toronto, 1940.

Núñez de Arce, G., *Obras escogidas*. Barcelona, 1911.

——*Obras dramáticas*. Madrid, 1879.

Tamayo y Baus, *Obras*. 4 t., Madrid, 1898–1900.

López de Ayala, A., *Obras*. 8 t., Madrid, 1881–1885.

Echegaray, José, *Obras dramáticas escogidas*. 2 t., Madrid, 1884.

Antón del Olmet, L. y L. García Caraffia, *Echegaray*. Madrid, 1912.

Barja, César, *Libros y autores modernos*. New York, 1924.

Bell, A. F. G., *Contemporary Spanish Literature*. Ed. rev., New York, 1933.

Vézinet, F., *Les maîtres du roman espagnol contemporain*. París, 1907.

Gómez de Baquero, E. (Andrenio), *Novelas y novelistas*. Madrid, 1918.

——*De Gallardo a Unamuno*. Madrid, 1926.

Madariaga, S. de, *The Genius of Spain and Other Essays*. Oxford, 1923; tr. al español como *Semblanzas literarias contemporáneas*. Barcelona, 1924.

Eoff, Sherman H., *The Spanish Novel of "Ideas": Critical Opinion 1836–1880*. En PMLA 55 (1940), págs. 531–558.

Böhl de Faber, Cecilia (Fernán Caballero), *Obras completas*. 17 t., Madrid, 1893–1914.

Valera, Juan, *Obras completas*. 46 t., Madrid, 1905–1917.

——Pepita Jiménez, ed. M. Azaña. Madrid, 1927 (*Clás. Cast.* 80).

Trueba, Antonio de, *Obras completas*. 11 t., Madrid, 1905–1917.

Alarcón, P. A. de, *Obras completas*. 19 t., Madrid, 1899.

Pardo Bazán, Emilia, *Obras completas*. 47 t., Madrid, 1888–1922.

Andrade Coello, A., *La Condesa Emilia Pardo Bazán*. Quito, 1922.

Pereda, J. M. de, *Obras completas*. 17 t., Madrid, 1894–1906.

——*Pedro Sánchez*, ed. R. E. Bassett. Boston, 1907. Introducción excelente.

Camp, Jean, *José María de Pereda; sa vie, son œuvre et son temps*. Paris, 1937.

Cossío, J. M. de, *La obra literaria de Pereda*. Santander, 1934.

Palacio Valdés, A., *Obras completas*. Madrid, 1884– .

——*Obras escogidas*, ed. L. Astrana Marín. 2da ed. Madrid, 1940. Contiene 16 novelas, 2061 págs.

Cruz Rueda, A., *Armando Palacio Valdés.* Jaén, 1924.
Alas, Leopoldo (Clarín), *La regenta.* 2 t., Madrid, 1884.
Sainz Rodríguez, P., « *Clarín* » *y su obra*, en *Revista de las Españas* II (1927).
Pérez Galdós, Benito: desde 1870 (*La Fontana de Oro*), se han publicado muchas ediciones de las obras de Galdós.
Menéndez Pelayo, M., *Don Benito Pérez Galdós*, en *Estudios de crítica literaria.* 5ta serie, Madrid, 1908.
Antón del Olmet, L. y A. García Caraffia, *Galdós.* Madrid, 1911.
Walton, L. B., *Pérez Galdós and the Spanish Novel of the Nineteenth Century.*
Dendariena, G., *Galdós, su genio, su espiritualidad, su grandeza.* Madrid, 1922.
Berkowitz, H. C., *Benito Pérez Galdós: The Story of a Spanish Man of Letters.* Madison, Wis., 1947. Es probablemente el estudio más serio y más justo de Galdós.
Blasco Ibáñez, V.: sus numerosas novelas son corrientes en español y traducidas a muchas lenguas.
Pitollet, C., *Vicente Blasco Ibáñez: ses romans et le roman de sa vie.* Paris, 1921.
Gascó Contell, E., *Vicente Blasco Ibáñez.* Paris, 1928.

Capítulo XXV

Véase *Historia.* La historia exacta de los últimos años todavía no se ha escrito. Aun quedas vivas las pasiones de Franquistas y Republicanos. Se puede empezar leyendo los títulos de Madariaga y Peers, quienes se esfuerzan por tratar equitativamente la materia.

Capítulo XXVI

Las obras de los autores mencionados en este capítulo son corrientes y se encuentran en cualquier biblioteca relativamente grande, y en las librerías.

Bell, A. F. G., *Contemporary Spanish Literature*, ed. rev. New York, 1933.

Cansinos Assens, R., *La nueva literatura.* 4 t., Madrid, 1917–1927.
Casares, J., *Crítica profana.* Madrid, 1916.
Cassou, Jean, *Panorama de la littérature espagnole contemporaine.* París, 1929.
González Blanco, A., *Los contemporáneos.* 3 series. París, 1907–1910.
Balseiro, José A., *Nueve escritores españoles contemporáneos juzgados por un crítico angloamericano.* La Habana, 1926.
Petriconi, H., *Die spanische Literatur der Gegenwart.* Wiesbaden, 1926.
Barja, C., *Libros y autores contemporáneos.* Madrid y New York, 1935.
Salaverría, J. M., *Retratos.* Madrid, 1926.
——*Nuevos retratos.* Madrid, 1930.
Valbuena Prat, A., *La poesía española contemporánea.* Madrid, 1930.
Onís, F. de, *Antología de la poesía española e hispanoamericana* (1882–1932). Madrid, 1934.
Costa, J., *Obras.* 5 t., Madrid, 1911–1915.
Ganivet, A., *Obras completas,* ed. M. Fernández Almagro. Madrid, 1943.
Fernández Almagro, M., *Vida y obras de Ganivet.* Madrid, 1925.
León Sánchez, M., *Angel Ganivet, su vida y su obra.* México, 1927.
Azaña, Manuel, *Plumas y palabras.* Madrid, 1930.
Navarro Ledesma, Unamuno, Azorín y Román Salero, *Angel Ganivet.* Valencia, 1905.
Unamuno, Miguel de, *Ensayos.* 7 t., Madrid, 1916–1918.
——*Essays and Soliloquies,* tr. J. E. Crawford Flitch. New York, 1925.
——*The Tragic Sense of Life,* tr. by J. E. Crawford Flitch. Londres, 1928. Buen prólogo.
Romera Navarro, M., *Miguel de Unamuno.* Madrid, 1928.

Martínez Ruiz, José (Azorín), *Obras completas.* Madrid, 1919– .
Mulertt, Werner, *Azorín.* Halle, 1926. Tr. Juan Carandell y A. Cruz Rueda. Madrid, 1930.
Gómez de la Serna, Ramón, *Azorín.* Madrid, 1930.
Darío, Rubén, *Obras completas.* 22t., Madrid, 1917–1919.
——*Obras poéticas completas.* Nueva ed. Madrid, 1941.
Marasso, Arturo, *Rubén Darío y su creación poética.* La Plata, 1934.
Díaz Plaja, G., *Rubén Darío.* Barcelona, 1930.
Torres Ríoseco, A., *Rubén Darío: americanismo y casticismo de su obra.* Cambridge, Mass., 1931.
Mapes, E. K., *L'Influence française dans l'œuvre de Rubén Darío.* París, 1925.
Villaespesa, Fr., *Obras completas.* 12 t., Madrid, 1916–1918.
Machado, Manuel, *Obras completas.* Madrid, 1922– .
——*Antología.* Buenos Aires y México, 1940.
Machado, Antonio, *Poesías completas.* 3ra ed., Madrid, 1933.
——*Obras*, ed. J. Bergamín. México, 1939.
Jiménez, J. R., *Obras.* Madrid, 1918– .
——*Poesías escogidas*, ed. P. Henríquez Ureña. Madrid, 1923.
——*Segunda antolojía poética.* Madrid y Barcelona, 1920.
Gabriel y Galán, J. M., *Obras completas.* 4ta ed. Madrid, 1921.
Revilla Marcos, A., *José María Gabriel y Galán, su vida y sus obras.* Madrid, 1921.
Benavente, Jacinto, *Teatro.* Madrid, 1904– .
——*Plays*, tr. John Garrett Underhill. New York 1917–1923.
Onís, F. de, *Benavente.* Oxford, 1924.
Starkie, Walter, *Jacinto Benavente.* Oxford, 1924.
Martínez Sierra, G., *Obras completas.* Madrid, 1920– .
Linares Rivas, M., *Obras completas.* Madrid, 1913– .
Alvarez Quintero, S. y J., *Teatro completo.* Madrid, 1923– .

Martínez Ruiz, José (Azorín), *Los Quinteros y otras páginas.* Madrid, 1925.
Baroja, Pío: novelas publicadas principalmente por la Editorial Caro Raggio, de Madrid, y más tarde por Espasa-Calpe.
——*Paradox, rey*, ed. Claude E. Anibal. New York, 1937. Muy buena introducción y bibliografía.
——*Páginas escogidas.* Madrid, 1918.
Valle-Inclán, Ramón María del, *Opera omnia.* Madrid, 1912– .
Miró, Gabriel, *Obras completas.* Madrid, 1926– .
Pérez de Ayala, R., *Obras completas.* Madrid, 1919– .
Agustín, Fr., *Ramón Pérez de Ayala, su vida y obras.* Madrid, 1927.
León, R., *Obras completas.* Madrid, 1919– .

Capítulo XXVII

Véase también *Bellas Artes.*

Sorolla: Notice biographique et bibliographique, en *L'Amour de l'Art.* París, nov. de 1934.
Erskine, Mrs. S., *Modern Masters at Barcelona* (*Zuloaga*), en *Apollo*, enero de 1930.
Zuloaga: Notice biographique et bibliographique, en *L'Amour de l'Art.* París, nov. de 1934.
Watson, F., *Ignacio Zuloaga*, en *Arts*, 7 (1925).
Barr, Alfred H., Jr., *Picasso: Fifty Years of His Art.* Museum of Modern Art, New York, 1946.
Trend, J. B., *Manuel de Falla and Spanish Music.* New York, 1929.

Capítulo XXVIII

Las obras de los autores mencionados son corrientes. Muchas han sido traducidas al inglés.

Laurel. Antología de la poesía moderna en lengua española. México, 1941.
Domenchina, Juan José, *Antología de la poesía española contemporánea (1900–1936).* México, 1941.

González Ruano, César, *Antología de poetas españoles contemporáneos en lengua castellana.* Barcelona, 1946. Mala selección.

Turnbull, Eleanor, *Contemporary Spanish Poets.* Baltimore, 1945. Traducciones de diez poetas. Prólogo de Pedro Salinas.

Federico García Lorca (1899–1936). Vida y obra . . . New York, Hispanic Institute, 1941.

Barea, Arturo. *Lorca. The Poet and His People.* Londres, 1944.

Honig, Edwin, *García Lorca.* Norfolk, Conn., 1944.

Indice Alfabético